maxine et chloé
mneir

LES MENTEUSES

Tome 5 · Vengeances

Déjà parus

1. *Confidences*
2. *Secrets*
3. *Rumeurs*
4. *Révélations*
5. *Vengeances*
6. *Dangers*
7. *Représailles*
8. *Aveux*

Les Menteuses

Tome 5

Vengeances

SARA SHEPARD

Traduit de l'anglais (États-Unis)
par Isabelle Troin

Fleuve Noir

Titre original :

Wicked

Photographie : Ali Smith
ISBN : 978-2-265-08854-2

Pour Colleen, Kristen, Greg, Ryan et Brian

Le soleil se lève aussi sur les scélérats.
Sénèque

REMERCIEMENTS

Je suis plus que ravie de rédiger de nouveaux remerciements pour la nouvelle aventure des Menteuses. Comme d'habitude, j'exprime toute ma gratitude aux gens d'Alloy qui m'aident à donner vie au monde tout à la fois excitant et effrayant de Rosewood : Josh Bank et Les Morgenstein, aux idées incomparables ; Sara Shandler, attentionnée et incroyablement maligne ; Kristin Marang, qui a mis les Menteuses sur le Net ; et Lanie Davis, qui a nourri *Vengeances* du début à la fin grâce à ses suggestions et ses idées poignantes. Merci à tous de vous soucier autant de cette série ! Les mots ne suffisent pas à exprimer ma reconnaissance.

Merci également à Jennifer Rudolph Walsh de William Morris et à l'adorable équipe de Harper Collins : Farrin Jacobs, Elise Howard et Gretchen Hirsch. C'est vous qui apportez cette petite touche de vernis supplémentaire à ces romans ! Tout mon amour à mes parents, Shep et Mindy, à ma sœur Ali, à son chat tueur Polo et à mon mari Joel, qui a de nouveau lu différentes versions de ce livre – et m'a fourni quelques anecdotes à y insérer. Enfin (derniers dans la liste mais pas dans mon cœur), un gros câlin à mes fabuleux cousins : Greg Jones, Ryan Jones, Colleen Lorence, Brian Lorence et Kristin Murdy. J'espère qu'on aura encore l'occasion de faire des tas de pyramides humaines et d'accomplir plein d'autres tours de force !

LES PETITS CURIEUX VEULENT SAVOIR...

Ça ne serait pas génial de savoir exactement ce que pensent les gens ? Si la tête de tout le monde était comme un de ces sacs Marc Jacobs transparents, avec des opinions aussi visibles qu'un trousseau de clés de voiture ou un tube de gloss Hard Candy ? Vous sauriez ce que cette directrice de casting pense *vraiment* quand elle vous dit : « C'était du bon boulot », après votre audition pour *South Pacific.* Ou si le beau gosse avec qui vous jouez en double au tennis trouve que votre jupe Lacoste vous fait un beau cul. Mieux encore, vous n'auriez pas à vous demander si votre meilleure amie vous en veut de l'avoir laissée tomber pour suivre ce terminale tellement sexy – celui dont le sourire faisait plisser le contour des yeux – à la soirée du Nouvel An. Vous n'auriez qu'à jeter un coup d'œil dans sa tête, et vous sauriez.

Malheureusement, dans la réalité, l'esprit des gens est plus impénétrable que le Pentagone. Parfois, leur comportement vous permet de deviner plus ou moins ce qui se passe là-dedans : la grimace de la directrice de casting quand votre voix se brise au mauvais moment, la façon dont votre meilleure amie ignore tous vos textos le 1er janvier. Mais la plupart du temps, les signes révélateurs passent inaperçus. Par exemple, il y a quatre ans, un des fils chéris de

Rosewood a laissé entrevoir quelque chose d'horrible qui se préparait dans sa vilaine petite tête. Mais c'est à peine si les témoins ont haussé un sourcil.

S'ils avaient fait plus attention, une des filles chéries de Rosewood serait peut-être toujours en vie.

Les garages à vélos installés devant l'Externat de Rosewood débordaient de vingt et une vitesses multicolores, parmi lesquels se distinguaient une édition limitée que le père de Noel Kahn avait reçue de l'agent de Lance Armstrong et une trottinette Razor rose bonbon étincelante.

Lorsque la dernière sonnerie de la journée a retenti et que les 6es ont commencé à se déverser dans la cour, une fille aux cheveux frisés s'est mise à sautiller maladroitement jusqu'aux racks à vélos, a donné une tape affectueuse à la trottinette avant d'entreprendre d'ouvrir le U jaune vif passé autour du guidon.

Une affichette que le vent agitait sur le mur de pierre attira son attention.

— Les filles, lança-t-elle à ses trois copines qui s'attardaient près de la fontaine à eau. Venez voir ça !

— Qu'y a-t-il, Mona ?

Phi Templeton était occupée à démêler la ficelle de son nouveau yo-yo Duncan en forme de papillon.

Mona Vanderwaal désigna le morceau de papier.

— Regardez !

De l'index, Chassey Bledsoe remonta sur son nez ses lunettes à monture violette en forme d'yeux de chat.

— Wouah…

Jenna Cavanaugh se mordit un ongle verni rose pâle.

— C'est énorme, lança-t-elle de sa voix douce, légèrement haut perchée.

Une bourrasque de vent fit voler quelques feuilles mortes d'un tas soigneusement ratissé. C'était la mi-septembre ; l'année scolaire avait officiellement commencé depuis quelques semaines, et l'automne pointait déjà le bout de son nez.

Chaque année, des touristes venus de toute la côte Est se rendaient en voiture à Rosewood pour admirer le rouge, l'orange, le jaune et le violet éclatants des arbres en cette saison. C'était comme si quelque chose dans l'atmosphère de la petite ville pennsylvanienne rendait les feuillages particulièrement magnifiques. Ce même quelque chose qui embellissait tout à Rosewood : le poil doré des golden retrievers qui gambadaient dans les parcs à chiens méticuleusement entretenus, les joues roses des bébés emmitouflés dans leur poussette Burberry-par-Maclaren, ou les joueurs de foot luisants de sueur qui couraient sur le terrain d'entraînement de l'Externat de Rosewood, la plus vénérable des écoles privées de la ville.

Aria Montgomery observait Mona et les autres depuis son endroit préféré sur le muret de pierre qui entourait l'Externat, son carnet de croquis Moleskine ouvert sur ses genoux. Elle avait arts plastiques en dernier cours de la journée, et sa prof, Mme Cross, la laissait se promener dans l'enceinte de l'école pour dessiner ce qu'elle voulait – soi-disant parce que Aria était une artiste très prometteuse. Mais Aria soupçonnait Mme Cross de se sentir mal à l'aise en sa présence. Après tout, elle était la seule fille de sa classe qui ne jacassait pas avec ses amies pendant les projections de diapos et ne flirtait pas avec les garçons quand ils s'initiaient à des natures mortes au pastel. Elle aurait bien aimé avoir des copines, elle aussi, mais ça ne signifiait pas que Mme Cross devait la bannir de sa salle de cours.

Scott Chin, un autre élève de 6e, fut le suivant à apercevoir l'affichette.

— Chouette !

Il se tourna vers son amie Hanna Marin, qui tripotait le bracelet en argent massif flambant neuf que son père venait de lui acheter pour s'excuser de s'être encore disputé violemment avec sa mère.

— Han, regarde ! dit-il en lui donnant un petit coup de coude dans les côtes.

Hanna eut un mouvement de recul.

— Ne fais pas ça, aboya-t-elle.

Elle était à peu près sûre que Scott était gay – il aimait feuilleter ses *Teen Vogue* presque plus qu'elle – ; pourtant, elle détestait qu'il touche son ventre mou et répugnant. Elle jeta un coup d'œil à l'affichette et haussa les sourcils, surprise.

— Heuh.

Spencer Hastings marchait à côté de Kirsten Cullen, bavardant avec animation des matchs de hockey de la Ligue Junior. Elles faillirent bousculer cette grosse nulle de Mona Vanderwaal, dont la trottinette leur barrait le passage. Ce fut alors que Spencer remarqua l'affichette. Elle en resta bouche bée.

— Demain ?

Emily Fields faillit ne rien remarquer, mais sa meilleure amie du club de natation, Gemma Curran, fut inspirée et regarda dans la bonne direction.

— Em ! s'écria-t-elle en tendant un doigt.

À présent, presque tous les 6es de l'Externat de Rosewood étaient regroupés autour des garages à vélos, fixant l'affichette. Aria se laissa glisser à terre et s'approcha pour mieux déchiffrer le message en lettres majuscules.

LA CAPSULE TEMPORELLE COMMENCERA DEMAIN.

PRÉPAREZ-VOUS ! C'EST VOTRE CHANCE DE VOUS VOIR IMMORTALISÉ !

Le fusain d'Aria lui échappa. Le jeu de la Capsule temporelle était une tradition depuis 1899 – l'année où l'Externat de Rosewood avait été fondé. Les élèves de primaire n'avaient pas le droit d'y participer. Du coup, pour les 6es, le jeu était un rite de passage aussi important que l'achat de leur premier soutien-gorge Victoria's Secret pour les filles et leurs premières, euh... émotions à la vue d'un catalogue de Victoria's Secret pour les garçons.

Tout le monde connaissait les règles pour les avoir entendues de la bouche d'une sœur ou d'un frère aîné, lues sur MySpace ou sur la page de garde d'un livre emprunté à la bibliothèque. Chaque année, l'administration découpait un drapeau de l'Externat de Rosewood et faisait cacher les morceaux dans l'enceinte de l'école par des élèves de terminale triés sur le volet. Des énigmes conduisant à chaque morceau étaient ensuite affichées dans le hall. Toute personne qui retrouvait un morceau était félicitée au cours d'une assemblée générale et avait le droit de le décorer comme bon lui semblait. Le drapeau reconstitué était ensuite enterré dans une capsule temporelle derrière le terrain de foot.

— Tu as l'intention de jouer? demanda Gemma à Emily, remontant jusque sous son menton la fermeture Éclair de sa parka aux couleurs de la fédération locale de natation.

— Je suppose. (Emily gloussa nerveusement.) Mais tu crois qu'on a une chance? J'ai entendu dire qu'ils cachent toujours les morceaux dans le lycée. Je n'y suis allée que deux fois.

Hanna pensait exactement la même chose. Pour sa part, elle n'avait jamais mis les pieds dans cette partie de l'Externat. Tout dans le lycée l'intimidait – surtout les lycéennes. Chaque fois qu'elle accompagnait sa mère chez Saks, au centre commercial King James, elle tombait sur un groupe de pom-pom girls plus âgées massées autour du comptoir à maquillage. Et chaque fois, elle se planquait derrière un portant à vêtements pour observer avec envie la façon dont leur jean taille basse moulait leurs hanches, ou la perfection de leur peau de pêche avant la moindre application de fond de teint. Chaque soir avant de s'endormir, elle priait pour se réveiller elle aussi dans la peau d'une pom-pom girl du lycée de l'Externat de Rosewood. Mais chaque matin, c'était la même bonne vieille Hanna aux cheveux brun caca, à la peau acnéique et aux bras boudinés qui lui rendait son regard dans son miroir en forme de cœur.

Kirsten avait également entendu la réponse d'Emily.

— Au moins, tu connais Melissa, murmura-t-elle à Spencer. Peut-être fait-elle partie des élèves qui ont caché les morceaux du drapeau.

Spencer secoua la tête.

— J'en aurais déjà entendu parler.

Être choisi pour cacher un morceau du drapeau constituait un honneur aussi grand qu'en retrouver un. Et Melissa, la sœur aînée de Spencer, ne manquait jamais une occasion de se vanter de toutes ses responsabilités à l'Externat – surtout quand sa famille jouait à la « Star du jour », un jeu inventé par leurs parents où chacun à tour de rôle décrivait ce qu'il avait accompli de plus impressionnant ce jour-là.

Le lourd portail de l'Externat s'ouvrit et les derniers 6es se déversèrent dehors. Parmi eux, un groupe d'élèves qui semblaient tout droit sortis des pages d'un catalogue J. Crew. Aria regagna son muret et fit semblant d'être très absorbée par son dessin. Elle ne voulait croiser le regard d'aucun d'entre eux. Quelques jours plus tôt, Naomi Zeigler l'avait surprise pendant qu'elle la fixait et s'était exclamée : « Tu es amoureuse de nous, ou quoi? » Après tout, ils composaient l'élite de la classe de 6e – ce qu'Aria appelait les « ados typiques de Rosewood ».

Chacun d'eux vivait dans une maison somptueuse, nichée au milieu d'une propriété qui s'étendait sur plusieurs hectares, ou dans une luxueuse grange réhabilitée flanquée d'une écurie et d'un garage pouvant accueillir jusqu'à dix voitures. C'étaient de vrais clichés ambulants : les garçons jouaient au foot et se coupaient tous les cheveux très court ; les filles riaient toutes de la même façon, portaient du repulpeur de lèvres Laura Mercier et des sacs Dooney & Bourke avec un logo bien visible. Quand elle plissait les yeux, Aria n'arrivait pas à les distinguer les unes des autres.

À l'exception d'Alison DiLaurentis. Elle, impossible de la confondre avec qui que ce soit.

C'était justement Alison qui menait le reste du groupe dans l'allée de pierre, sa chevelure blonde flottant derrière elle, ses yeux bleu saphir étincelant, ses chevilles ne tremblant jamais dans ses sandales compensées hautes de huit centimètres. Naomi Zeigler et Riley Wolfe, ses deux confidentes, venaient directement derrière elle, suspendues au moindre de ses gestes. Les gens s'inclinaient devant elle depuis que sa famille s'était installée à Rosewood, quand elle n'était encore qu'en CE2.

Ali s'approcha des nageuses et s'arrêta net. Emily craignit qu'elle ne se moque *une fois de plus* de leurs cheveux verdis par le chlore, mais Ali semblait ailleurs. Un sourire calculateur se dessina sur son visage comme elle lisait l'affichette. Elle l'arracha vivement du mur et pivota vers ses amies.

— Mon frère va cacher un des morceaux du drapeau ce soir, lança-t-elle assez fort pour que tout le monde l'entende. Il a promis de me dire où.

Ce qui déclencha un murmure général.

Hanna hocha la tête, dûment impressionnée – elle

admirait Ali encore plus que les pom-pom girls du lycée. Spencer, en revanche, fulminait. Le frère d'Ali n'était pas censé lui révéler l'emplacement de son morceau de drapeau. C'était de la triche! Aria fixait intensément le visage en forme de cœur d'Ali, et son fusain traçait des traits frénétiques sur son carnet de croquis. Quant à Emily, elle sentait l'arôme vanillé du parfum d'Ali lui chatouiller les narines – et elle trouvait ça aussi divin que de respirer des odeurs de pain chaud sur le seuil d'une boulangerie.

Les élèves des classes supérieures commencèrent à descendre les majestueuses marches de pierre qui conduisaient à la cour de l'Externat, interrompant l'annonce d'Ali. De grandes filles à l'air hautain et des garçons tirés à quatre épingles dépassèrent les 6es et se dirigèrent vers le parking où étaient garées leurs voitures. Ali leur jeta un coup d'œil indifférent en s'éventant avec l'affichette de la Capsule temporelle. Deux minuscules élèves de 2de qui portaient des écouteurs blancs d'iPod autour du cou récupérèrent leur vélo, avec une mine penaude, comme si elles s'en voulaient d'empiéter sur l'espace personnel d'Ali. Naomi et Riley les observèrent en ricanant.

Puis un grand blond de première perçut Ali et s'arrêta.

— Quoi de neuf, Al?

— Rien. (Ali fit la moue et redressa les épaules.) Et toi, I?

Scott Chin donna un nouveau coup de coude à Hanna, qui rougit. Avec son beau visage bronzé, ses cheveux blonds bouclés et ses grands yeux noisette si expressifs, Ian Thomas – « I » – était deuxième sur sa liste des Plus Beaux Mecs de Tous Les Temps, juste derrière Sean Ackard, le garçon pour qui elle craquait depuis qu'ils avaient appartenu à la même équipe de ballon prisonnier en CE2. Personne ne savait exactement comment Ian et Ali se connaissaient, mais d'après la rumeur, les lycéens invitaient Ali à leurs soirées bien qu'elle soit beaucoup plus jeune qu'eux.

Ian s'appuya contre un rack à vélos.

— Je t'ai bien entendue dire que tu connaissais l'emplacement d'un des morceaux du drapeau?

Les joues d'Ali rosirent.

— Pourquoi, tu es jaloux? répliqua-t-elle avec une mine provocatrice.

Ian secoua la tête.

— À ta place, je resterais discrète. Quelqu'un pourrait essayer de te le piquer. Après tout, ça fait partie du jeu.

Ali éclata de rire comme s'il s'agissait là d'une idée totalement absurde, mais un petit pli vertical se forma entre ses sourcils. Ian avait raison : voler le morceau de drapeau trouvé par quelqu'un était parfaitement admis, comme le stipulaient les Règles officielles du jeu de la Capsule temporelle que le proviseur Appleton gardait dans un tiroir fermé à clé de son bureau.

L'année précédente, un gothique de 3e avait chipé un bout qui dépassait du sac de sport d'un terminale. Deux ans auparavant, une fille de 4e, qui appartenait à l'orchestre de l'Externat, s'était faufilée en douce dans le studio de danse pour dérober *deux* morceaux à deux ravissantes ballerines. La Clause de Vol, comme on la surnommait, égalisait quelque peu les chances : si vous n'étiez pas assez futé pour résoudre les énigmes permettant de découvrir les fragments de tissu, peut-être étiez-vous assez débrouillard pour en dérober un dans le casier d'un camarade.

Comme Spencer détaillait l'expression perturbée d'Ali, une pensée se fit jour dans son esprit. *Je devrais peut-être piquer le morceau d'Ali.* Il y avait fort à parier que tous les autres 6es laisseraient Ali récupérer le morceau dissimulé par son frère, bien que ce soit complètement injuste, et ne chercherait même pas à le lui subtiliser. Mais Spencer en avait assez que tout tombe toujours tout cuit dans le bec d'Ali.

Pendant ce temps, Emily avait eu la même idée. *Et si je lui volais son morceau?* songea-t-elle. Une émotion impossible à identifier la fit frissonner. Que dirait-elle à Ali si celle-ci la coinçait à un moment où elle était toute seule?

Et pourquoi pas moi? se demandait Hanna en mordillant un ongle déjà rongé jusqu'au sang. Mais... elle n'avait jamais rien volé de sa vie. Si elle réussissait, Ali l'inviterait-elle à faire partie de son cercle?

Ce serait épatant si j'arrivais à lui chiper ce morceau, songeait Aria tandis que sa main continuait à griffonner furieusement. Une ado femelle typique de Rosewood, détrônée par... une excentrique comme elle. La pauvre Ali devrait se mettre en quête d'un autre fragment de drapeau en lisant les énigmes et en faisant marcher sa cervelle, pour une fois.

La voix d'Ali brisa le silence :

— Je ne m'inquiète pas. Personne n'osera me le voler. Dès que je l'aurai récupéré, je le garderai sur moi en permanence. (Elle décocha un clin d'œil suggestif à Ian, puis fit voleter sa jupe.) Le seul moyen de me le prendre, ce sera de me tuer.

Ian se pencha vers elle.

— S'il faut vraiment en arriver là...

Un muscle frémit sous l'œil d'Ali, qui blêmit. Le sourire de Naomi Zeigler s'effaça. Ian arborait une grimace effrayante de froideur... puis, soudain, il se fendit d'un grand sourire comme pour dire : « Je plaisantais. »

Quelqu'un toussa. Ian et Ali jetèrent un coup d'œil dans sa direction. Le frère aîné d'Ali, Jason, descendait les marches du lycée et se dirigeait droit vers eux. Ses lèvres étaient pincées et ses épaules crispées, comme s'il avait entendu.

— Qu'est-ce que tu viens de dire ?

Jason s'arrêta à moins de un mètre de Ian. Un vent frais fit voleter quelques mèches de cheveux dorés sur son front.

Ian se balança d'avant en arrière dans ses Vans noires.

— Rien du tout. On déconnait.

Le regard de Jason s'assombrit.

— Tu en es sûr ?

— Jason ! siffla Ali, indignée. (Elle s'interposa entre les deux garçons.) Qu'est-ce qui te prend ?

Jason la foudroya du regard avant de reporter son attention sur l'affichette qu'elle tenait à la main, puis sur Ian. Les élèves qui les entouraient échangèrent des coups d'œil perplexes : ils ignoraient si la dispute était sérieuse ou non. Ian et Jason avaient le même âge, et ils jouaient tous les deux au foot. Peut-être Jason en voulait-il à son camarade de lui avoir piqué une opportunité de marquer durant le match contre l'équipe de Pritchard.

Comme Ian ne répondait pas, Jason secoua la tête.

— Après tout, je m'en fous.

Il fit volte-face et se dirigea à grands pas furieux vers une berline noire datant de la fin des années 1960 qui venait de s'arrêter dans le couloir de bus. Il se glissa à l'intérieur et lança : « Démarre ! » au conducteur juste avant de claquer la portière passager. La voiture cracha un nuage de fumée nauséabond et s'écarta du trottoir dans un crissement de pneus. Ian haussa les épaules et s'éloigna d'une démarche guillerette, avec un sourire victorieux.

Ali passa les mains dans ses cheveux. L'espace d'une seconde, elle parut perturbée, comme si quelque chose avait échappé à son contrôle. Mais cela ne dura pas.

— Jacuzzi chez moi? proposa-t-elle à sa cour en passant son bras sous celui de Naomi.

Ses amies la suivirent vers les bois qui s'étendaient derrière l'Externat, et à travers lesquels on pouvait couper pour arriver plus vite chez les DiLaurentis. Un morceau de papier désormais familier dépassait de la poche latérale de sa sacoche jaune. LA CAPSULE TEMPORELLE COMMENCERA DEMAIN. PRÉPAREZ-VOUS !

Oh, ils seraient tous prêts.

Quelques petites semaines plus tard, une fois la plupart des pièces du drapeau retrouvées et enterrées, les membres de la cour d'Ali changèrent. Son entourage habituel fut évincé et remplacé du jour au lendemain. Ali s'était trouvé quatre nouvelles meilleures amies : Spencer, Hanna, Emily et Aria.

Aucune des filles ne se demanda pourquoi Ali les avait choisies parmi l'ensemble de leur classe de 6e – elles craignaient de se porter la poisse. De temps en temps, elles repensaient à l'époque d'avant Ali : combien elles se sentaient seules et paumées, certaines qu'elles passeraient inaperçues dans l'histoire de l'Externat de Rosewood. Elles se remémoraient des moments particuliers, notamment, ce fameux jour de l'annonce de la Capsule temporelle. Une ou deux fois, elles se souvinrent de ce que Ian avait dit à Ali, et de l'étrange inquiétude que cela avait suscitée chez leur camarade – alors que d'habitude, rien ne semblait l'atteindre.

Enfin, elles ne s'appesantissaient généralement pas sur le passé. Elles trouvaient beaucoup plus agréable de planifier leur avenir. À présent, elles étaient les filles les plus en vue de l'Externat ! Cela leur conférait des tonnes de responsabilités excitantes et leur promettait des tas de bons moments.

Mais peut-être n'auraient-elles pas dû oublier ce jour si rapidement. Et peut-être Jason aurait-il dû se donner plus de mal pour protéger Ali. Parce que tout le monde sait ce qui s'est passé par la suite. Un an et demi plus tard, Ian a tenu sa promesse.

Il a tué Ali pour de bon.

1

MORTE ET ENTERRÉE

Emily Fields s'adossa au canapé en cuir noisette, triturant la peau desséchée par le chlore autour de l'ongle de son pouce. Assises près d'elle, ses anciennes meilleures amies Aria Montgomery, Spencer Hastings et Hanna Marin sirotaient un chocolat chaud Godiva. Elles se trouvaient dans la salle télé des Hastings qui abritait de nombreux appareils électroniques dernier cri, un écran plat de deux mètres et des enceintes avec un son surround. Un gros panier de friandises était posé sur la table basse, mais aucune d'entre elles n'y avait touché.

Face à elles, une femme du nom de Marion Graves était perchée sur la méridienne à carreaux, un sac-poubelle vide plié sur les genoux. Alors que les filles portaient de vieux jeans et des pulls en cachemire usés – ou, dans le cas d'Aria, une minijupe par-dessus un caleçon long rouge tomate –, Marion arborait un blazer en laine bleu marine visiblement onéreux et une jupe plissée assortie. Ses cheveux brun foncé brillaient; sa peau sentait le lait hydratant à la lavande.

— Très bien, dit-elle en souriant à Emily et aux autres. La dernière fois, je vous avais demandé d'apporter certains objets. Déposez-les tous sur la table basse.

Emily extirpa un porte-monnaie en cuir rose avec un E monogrammé sur le devant. Plongeant la main dans sa besace en peau de yack, Aria en tira un dessin jauni et froissé. Hanna sortit un morceau de papier plié qui ressemblait fort à un message. Et Spencer posa soigneusement à côté une photo en noir et blanc ainsi qu'un bracelet bleu tressé, à moitié effiloché.

Les yeux d'Emily se remplirent de larmes – elle reconnut le bracelet d'Ali instantanément. Cette dernière leur en avait fabriqué un chacune l'été qui avait suivi l'affaire Jenna Il était censé les lier à jamais, leur rappeler qu'elles ne devaient dire à personne que c'étaient elles qui avaient accidentellement rendu Jenna Cavanaugh aveugle. À l'époque, bien sûr, elles ignoraient que la *véritable* affaire Jenna était quelque chose qu'Ali leur cachait, et non quelque chose qu'elles cinq cachaient au reste du monde. Plus tard, elles avaient découvert que c'était Jenna qui avait demandé à Ali d'allumer la fusée et de rejeter la faute sur son demi-frère Toby. C'était l'une des nombreuses choses horribles qu'elles avaient apprises au sujet d'Ali après sa mort.

Emily déglutit péniblement. La boule de plomb logée dans sa poitrine depuis le mois de septembre recommençait à se faire sentir.

C'était le 2 janvier. Les cours reprendraient le lendemain, et Emily priait pour que ce semestre soit un peu moins agité que le précédent. Dès la minute où ses anciennes amies et elles avaient franchi l'arche de pierre de l'Externat de Rosewood pour commencer leur année de 1re, chacune d'elles avait reçu une série de messages étranges, simplement signés d'un « A ». Au début, elles avaient cru – et, dans le cas d'Emily, espéré – que « A » était Alison, leur amie disparue depuis des années. Mais des ouvriers avaient retrouvé le corps d'Ali dans un trou recouvert d'une dalle de béton, au fond de l'ancien jardin des DiLaurentis. Et les messages avaient continué, exhumant des secrets de plus en plus sombres et profondément enfouis. Deux mois de torture plus tard, elles avaient compris que derrière ce « A » se cachait en fait Mona Vanderwaal.

À l'époque du collège, Mona était une fan de l'émission *Fear Factor* qui espionnait Emily et les autres pendant leurs soirées pyjama du vendredi. Mais après la disparition d'Ali, elle s'était transformée en reine des abeilles – et elle était devenue la meilleure amie d'Hanna.

Au début de l'automne, elle avait volé le journal intime d'Alison, lu tous les secrets que celle-ci y avait écrits et décidé de s'en servir pour détruire leur vie comme, selon elle, Emily et les autres avaient détruit la sienne. Non seulement elles n'arrêtaient pas de se moquer d'elle, mais en plus des étincelles de la fusée qui avait aveuglé Jenna l'avaient également brûlée. La nuit où cette dernière avait fait une chute mortelle à la carrière de l'Homme flottant – manquant entraîner Spencer avec elle –, la police avait arrêté Ian Thomas pour le meurtre d'Ali.

Autrefois, le jeune homme était sorti en secret avec sa victime. Son procès commencerait à la fin de la semaine. Emily et les autres devraient témoigner contre lui, et même si ça s'annonçait un million de fois plus flippant que la fois où Emily avait dû chanter un solo pour le concert de Noël de l'Externat, au moins, ça signifierait que le cauchemar touchait réellement à sa fin.

Parce que tout ça faisait beaucoup à gérer pour des

adolescentes, leurs parents avaient décidé de demander l'aide d'une professionnelle. D'où la présence de Marion, la meilleure conseillère en stress post-traumatique de la région de Philadelphie. C'était le troisième dimanche qu'Emily et les autres avaient rendez-vous avec elle. Cette séance devait les amener à « lâcher prise » sur toutes les choses affreuses qui leur étaient arrivées.

Marion lissa sa jupe sur ses genoux en regardant les objets que les filles avaient déposés sur la table.

— Toutes ces choses vous rappellent Alison, n'est-ce pas?

Les filles acquiescèrent à l'unisson. Marion ouvrit le sac-poubelle noir.

— Mettons-les là-dedans. Après mon départ, je veux que vous alliez les enterrer dans le jardin de Spencer. Ce rituel symbolisera la mise au repos d'Alison. Ainsi, vous vous débarrasserez de tout le négativisme néfaste qui entourait votre amitié.

Marion parsemait toujours son discours d'expressions New Age comme « négativiste néfaste », « besoin spirituel de tourner la page » et « affronter le processus de deuil ». Pendant la séance précédente, les filles avaient dû psalmodier : « Ce n'est pas ma faute si Ali est morte », encore et encore, et boire du thé vert au goût de gazon qui était censé purifier leurs chakras. Marion les avait également encouragées à répéter des formules en se regardant dans le miroir, par exemple : « "A" est morte, et elle ne reviendra pas » ou « Personne d'autre ne me veut de mal. » Emily espérait que les mantras fonctionneraient. Elle ne souhaitait rien tant que voir sa vie revenir à la normale.

— Tout le monde debout, ordonna Marion en tendant le sac-poubelle. Allons-y.

Les filles se levèrent. La lèvre tremblante, Emily fixa

le porte-monnaie rose qu'Ali lui avait offert quand elles étaient devenues amies, en 6e. Peut-être aurait-elle dû apporter autre chose à cette séance de purification. Une des vieilles photos de classe d'Ali, par exemple – elle en avait des dizaines. Mais Marion attendait. Du menton, elle lui désigna le sac-poubelle. Réprimant un sanglot, Emily y laissa tomber le porte-monnaie.

Aria saisit son dessin – une esquisse au fusain d'Ali debout près des racks à vélos de l'Externat.

— Je l'ai fait avant même qu'on devienne amies.

Spencer tenait le bout du bracelet en fils de coton entre l'index et le pouce, comme s'il était couvert de morve.

— Adieu, chuchota-t-elle.

Hanna leva les yeux au ciel avant de jeter son bout de papier plié en quatre dans le sac. Elle ne prit pas la peine d'expliquer de quoi il s'agissait.

Emily regarda Spencer se pencher pour attraper la photo en noir et blanc. C'était un cliché pris sur le vif, qui montrait Ali près de Noel Kahn. Tous deux riaient aux éclats. Cette photo avait quelque chose de familier. Emily saisit le bras de Spencer avant que celle-ci ne la laisse tomber dans le sac-poubelle avec les autres objets.

— Où l'as-tu trouvée ?

— À la rédaction du livre de l'année, avant qu'ils me virent, admit Spencer d'un air penaud. Tu te souviens qu'ils avaient dédié une double page à la mémoire d'Ali ? J'ai ramassé cette photo par terre, dans la salle de montage.

— Ne la jette pas, supplia Emily, ignorant le regard sévère de Marion. Elle est vraiment bien.

Spencer haussa un sourcil et, sans un mot, posa la photo sur la console en acajou près d'une tour Eiffel en fer forgé.

De tout leur petit groupe, Emily était incontestablement

celle qui avait le plus de mal à gérer la mort d'Ali. D'une part, elle n'avait jamais eu d'autre meilleure amie – ni avant, ni après. D'autre part, Ali avait été son premier amour, la première fille qu'elle avait embrassée. Si ça n'avait tenu qu'à elle, elle ne l'aurait jamais enterrée. Elle aurait gardé des souvenirs d'elle sur sa table de chevet jusqu'à la fin des temps.

— C'est bon? (Marion fit la moue de ses lèvres couleur merlot. Elle ferma le sac-poubelle et le tendit à Spencer.) Promettez-moi que vous l'enterrerez. Ça vous fera du bien, je vous assure. Et je pense que vous devriez vous réunir mardi après-midi, d'accord? Ce sera votre premier jour de reprise après les vacances. J'aimerais que vous restiez en contact et que vous veilliez les unes sur les autres. Vous pouvez faire ça pour moi?

Les filles acquiescèrent d'un air maussade. Elles suivirent Marion le long du couloir en marbre, puis dans le hall d'entrée. La conseillère leur dit au revoir avant de grimper dans son Range Rover marine et de mettre en route les essuie-glaces pour ôter la neige accumulée sur son pare-brise.

La pendule sonna. Spencer referma la porte et pivota vers les autres, le fil en plastique du sac-poubelle pendant à son poignet.

— Alors? On va l'enterrer?

— Où ça? demanda Emily à voix basse.

— Pourquoi pas près de la grange? suggéra Aria en tripotant un trou dans son caleçon rouge. Après tout, c'est le dernier endroit où nous... l'avons vue.

Emily acquiesça, une grosse boule dans la gorge.

— Qu'en penses-tu, Hanna?

— Peu m'importe, marmonna cette dernière sur un ton monocorde, comme si elle s'ennuyait à mourir.

Les filles enfilèrent leur manteau et leurs bottes. En file indienne, elles traversèrent le jardin enneigé qui s'étendait derrière la maison des Hastings et se dirigèrent vers le fond de la propriété.

Pas une seule d'entre elles ne desserra les lèvres. Même si les messages de « A » les avaient rapprochées, Emily n'avait pas beaucoup vu les autres depuis l'arrestation de Ian. Elle avait tenté d'organiser des virées au centre commercial et des rendez-vous inter-promo au Steam, le bar de l'Externat, mais ses anciennes amies n'avaient pas eu l'air intéressées. Elle les soupçonnait de s'éviter pour la même raison qu'elles s'étaient éloignées les unes des autres après la disparition d'Ali : parce que ça leur faisait trop bizarre d'être ensemble sans Ali.

L'ancienne maison des DiLaurentis se trouvait sur leur droite. Les arbres et les buissons qui séparaient les deux propriétés étaient nus, et une couche de glace recouvrait le porche. L'autel à la mémoire d'Ali, composé de bougies, d'animaux en peluche, de fleurs et de photos racornies s'étalait toujours sur le trottoir de devant, mais les camionnettes de télévision et les cameramen qui avaient campé là pendant un mois après la découverte du corps de la jeune fille avaient heureusement disparu. Ces jours-ci, les journalistes rôdaient plutôt autour du tribunal et de la prison du comté de Chester, espérant dégoter des nouvelles fraîches sur le procès à venir.

Cette maison était également celle où habitait Maya Saint-Germain, l'ex-petite amie d'Emily. L'Acura de ses parents était garée dans l'allée, ce qui signifiait que toute la famille avait réemménagé là après avoir vidé les lieux le temps que la fureur médiatique se calme.

Emily sentit son cœur se serrer à la vue de la couronne de lierre qui ornait la porte d'entrée et des sacs-poubelles débordant de papier cadeau sur le trottoir. Quand elles sortaient ensemble, Maya et elles avaient discuté de ce qu'elles voulaient s'offrir pour Noël. Maya voulait un énorme casque comme ceux que portent les DJ, et Emily avait envie d'un iPod nano. Leur rupture était inévitable ; pourtant, ça lui faisait une drôle de sensation d'être totalement sortie de la vie de Maya.

Les autres avaient pris un peu d'avance sur elle ; elles approchaient du fond des deux jardins. Emily courut pour les rattraper, et le bout d'une de ses bottes s'enfonça dans une flaque de neige fondue.

Sur sa gauche, à la lisière des bois épais qui s'étendaient sur plus d'un kilomètre et demi, se dressait la grange des Hastings, l'endroit où les filles s'étaient réunies pour leur dernière soirée pyjama. À droite de la grange, dans le jardin des DiLaurentis, on apercevait le trou au fond duquel le corps d'Ali avait été retrouvé. Une partie du Scotch jaune utilisé par la police pour délimiter le périmètre était tombée et gisait maintenant à demi enfouie dans la neige, mais Emily distinguait de nombreuses empreintes fraîches – probablement celles de curieux.

Le cœur battant, la jeune fille osa détailler le trou. Il faisait si noir à l'intérieur... Ses yeux se remplirent de larmes comme elle imaginait Ian poussant sauvagement Ali dans le fond et l'abandonnant là pour l'éternité.

— C'est fou, non ? lança Aria à voix basse en regardant le trou, elle aussi. Penser qu'Ali était là pendant tout ce temps...

— Heureusement que tu as retrouvé la mémoire, Spence, ajouta Hanna en frissonnant dans l'air glacial de cette fin d'après-midi. Sinon, Ian serait toujours en liberté.

Aria pâlit, l'air inquiète. Emily se mordit l'ongle. Au moment de l'arrestation de Ian, elles avaient dit aux flics que tout ce qu'ils avaient besoin de savoir sur la nuit de la disparition d'Ali se trouvait dans le journal de leur amie – la dernière chose que l'adolescente avait écrite, c'est que le soir même, elle devait retrouver Ian avec qui elle sortait en secret. Elle lui avait posé un ultimatum : ou bien il rompait avec sa petite amie officielle (Melissa, la sœur de Spencer), ou bien elle racontait à tout le monde qu'ils étaient ensemble.

Mais ce qui avait vraiment convaincu les flics, c'était le souvenir réprimé jusque-là qui avait rejailli dans la mémoire de Spencer. Après s'être disputée avec Ali devant la grange des Hastings, son amie avait couru vers quelqu'un : Ian. C'était la dernière fois qu'on l'avait vue vivante, et personne n'avait eu de mal à deviner la suite.

Emily n'oublierait jamais la façon dont, quand on lui avait lu l'acte d'accusation, Ian avait osé plaider non coupable. Le juge l'avait renvoyé en prison sans possibilité de remise en liberté provisoire sous caution. Les huissiers avaient raccompagné le jeune homme, et Emily avait surpris le regard meurtrier qu'il avait lancé aux quatre anciennes amies d'Alison. « Vous ne vous en tirerez pas comme ça », semblaient dire ses yeux. De toute évidence, il les tenait pour responsables de son arrestation.

Emily poussa un petit gémissement, et Spencer lui jeta un regard sévère.

— Arrêtez. Nous ne sommes pas censées penser à Ian... ni à aucun autre aspect de cette affaire. (Elle s'arrêta au fond de la propriété, enfonçant son bonnet à oreillettes Fair Isle bleu et blanc un peu plus bas sur son front.) Ça vous va, comme endroit ?

Emily souffla sur ses doigts tandis que les autres hochaient la tête en silence. Spencer commença à creuser le sol à moitié gelé avec la pelle trouvée dans le garage. Quand le trou fut assez profond, elle y laissa tomber le sac-poubelle. Puis les quatre filles le recouvrirent en donnant des coups de pied dans la terre et la neige amassées autour.

— Vous croyez qu'on devrait dire quelque chose ? demanda Spencer en s'appuyant sur le manche de la pelle.

Les autres se regardèrent.

— Au revoir, Ali, articula enfin Emily tandis que ses yeux se remplissaient de larmes pour la millionième fois depuis un mois.

Aria lui jeta un coup d'œil et sourit.

— Salut, Ali.

Elle fixa Hanna, qui haussa les épaules mais marmonna :

— Bye, Ali.

Aria prit la main d'Emily, et tout à coup, celle-ci se sentit mieux. Son estomac se dénoua, et les muscles de son cou se détendirent. Elle n'avait pas remarqué à quel point ça sentait bon si près des bois – une odeur de fleurs. Elle avait l'impression qu'Ali, la merveilleuse Ali de ses souvenirs, était là, et qu'elle lui promettait qu'à partir de maintenant, tout irait bien.

Les trois autres affichaient un sourire placide, comme si elles éprouvaient le même sentiment. Marion avait peut-être raison concernant les vertus thérapeutiques de ce rituel. Il était temps d'enterrer cette affreuse histoire. L'assassin d'Ali avait été arrêté, et le cauchemar qui se cachait derrière la lettre « A » se trouvait derrière elles. Il ne leur restait qu'à savourer un avenir plus paisible et plus heureux.

Le soleil déclinait rapidement entre les arbres, parant le ciel et les congères de reflets mauves. Les ailes du moulin des Hastings tournaient lentement dans la brise, et un groupe d'écureuils se chamaillaient au pied d'un gros pin.

Si l'un d'eux grimpe à l'arbre, ça voudra dire que les choses se sont calmées pour de bon, décida Emily, s'adonnant une fois de plus au jeu superstitieux qu'elle pratiquait depuis des années. Et à cet instant, un écureuil fila à la verticale le long du pin – d'une traite jusqu'à la cime.

2

UNE JOYEUSE PETITE FAMILLE

Une demi-heure plus tard, Hanna Marin fit irruption chez elle, souleva son pinscher miniature, Dot, pour lui faire un câlin, et jeta sa besace en python sur le canapé du salon.

— Navrée d'être en retard, lança-t-elle.

La cuisine embaumait la sauce tomate et le pain à l'ail. Le père d'Hanna, sa fiancée Isabel et la fille de celle-ci, Kate, étaient déjà assis dans la salle à manger. Un grand plat en porcelaine rempli de pâtes et un saladier de laitue étaient posés au centre de la table ; une assiette à bord dentelé, une serviette en tissu et une flûte de Perrier attendaient devant la chaise vide d'Hanna.

Dès son arrivée le jour de Noël – quelques secondes, semblait-il, après l'embarquement de la mère d'Hanna dans l'avion qui la mènerait à Singapour où elle venait d'accepter un poste –, Isabel avait décidé que les dîners du dimanche auraient lieu dans la salle à manger, afin qu'ils deviennent « un moment privilégié en famille ».

Hanna s'affaissa sur sa chaise en essayant d'ignorer les

regards des autres convives. Son père lui adressa un sourire plein d'espoir. Isabel grimaça comme si elle essayait de retenir un pet ou était contrariée par le retard de sa future belle-fille. Kate, en revanche, pencha la tête sur le côté avec une expression compatissante. Hanna savait déjà qui des trois parlerait en premier.

Kate lissa ses cheveux châtains naturellement raides comme des baguettes et écarquilla ses yeux bleus avant de lancer :

— Tu étais avec ta conseillère en stress post-traumatique ?

Gagné.

— Uh-huh.

Hanna but une gorgée de Perrier.

— Comment ça s'est passé ? interrogea Kate sur le même ton qu'Oprah essayant de confesser un de ses invités. Ça t'aide ?

Hanna eut un reniflement hautain. En vérité, elle ne pensait guère de bien de ces séances avec Marion. Les trois autres pouvaient peut-être reprendre le cours de leur vie après Ali et « A » ; Hanna, elle, devait surmonter la mort non pas d'une, mais de deux meilleures amies.

À tout moment, de petites choses lui rappelaient Mona. Quand elle laissait Dot courir dans le jardin gelé avec le petit manteau pour chien Burberry que Mona lui avait offert en cadeau d'anniversaire l'année précédente. Quand elle ouvrait son dressing et voyait la jupe argentée Jill Stuart qu'elle avait empruntée à Mona et ne lui avait jamais rendue. Quand elle regardait dans le miroir pour réciter les stupides mantras de Marion et apercevait les boucles d'oreilles à breloques que Mona et elle avaient volées chez Tiffany au printemps dernier. Et aussi, la cicatrice en forme de Z sur son menton, à l'endroit où elle avait heurté le sol quand Mona l'avait renversée en voiture.

Hanna exécrait le fait que sa future demi-sœur connaisse les moindres détails de sa vie depuis l'automne dernier – et notamment, que sa meilleure amie avait tenté de la tuer. D'un autre côté, tout Rosewood était au courant; les médias locaux ne parlaient que de ça depuis des mois. Plus perturbant encore, tout le pays semblait atteint de « A »-mania. De la côte Est à la côte Ouest, des adolescents disaient avoir reçu des textos signés « A », qui s'avéraient avoir été envoyés par des camarades de classes jaloux ou des amoureux éconduits. Hanna aussi avait reçu des textos signés « A », mais qui annonçaient la couleur dès le début : « Je connais tous tes petits secrets! Achète trois sonneries pour un dollar! » Nul et archinul.

Kate continuait à fixer Hanna comme si elle s'attendait à ce que celle-ci lui ouvre son cœur. Hanna saisit un gros morceau de pain à l'ail et mordit dedans pour ne pas avoir à répondre. Depuis qu'Isabel et Kate s'étaient installées dans la maison, elle passait tout son temps enfermée dans sa chambre quand elle ne faisait pas de thérapie par le shopping au centre commercial ou n'était pas fourrée chez son petit ami, Lucas. Les choses avaient été un peu tendues entre eux avant la mort de Mona, mais depuis, Lucas la soutenait d'une façon incroyable. Ils étaient devenus inséparables.

Hanna préférait passer le minimum de temps chez elle, parce que son père ne perdait jamais une occasion de lui trouver des occupations à partager avec Kate : débarrasser ses vêtements de la penderie de la nouvelle chambre de Kate, sortir les poubelles, déblayer la neige devant la maison. Mais c'était à ça que servaient les femmes de ménage et les employés de la voirie, non? Si seulement ils avaient pu faire disparaître Kate avec les poubelles et la neige...

— Alors, vous êtes contentes de retourner au lycée demain? lança Isabel en enroulant des pâtes autour de sa fourchette.

Hanna haussa une épaule et sentit une douleur familière remonter le long de son bras droit – celui qu'elle s'était cassé quand Mona l'avait percutée avec son SUV. Un rappel supplémentaire que toute leur amitié n'avait été qu'une mascarade.

— Moi, oui, répondit Kate dans le silence. J'ai encore regardé la brochure de l'Externat aujourd'hui. Ils proposent vraiment des activités géniales. Ils montent quatre pièces par an!

M. Marin et Isabel rayonnèrent. Hanna serra les dents si fort que ses mâchoires commencèrent à s'engourdir. Depuis son arrivée, Kate ne parlait que de son impatience de rentrer à l'Externat. Mais peu importe – l'école était immense. Hanna avait bien l'intention de ne jamais l'y croiser.

— Enfin ça a l'air immense, déclara Kate en s'essuyant délicatement la bouche avec sa serviette. Chaque sujet est enseigné dans un bâtiment différent : une grange pour le journalisme, une bibliothèque pour les matières scientifiques, une serre… Je suis sûre que je vais me perdre. (Elle entortilla une mèche de cheveux châtains autour de son index.) J'adorerais que tu me fasses visiter, Hanna.

Hanna faillit éclater de rire. Kate était plus fausse qu'une paire de lunettes de soleil Chanel vendue quatre-vingt-dix-neuf cents sur eBay. Elle lui avait joué la même comédie du « Soyons bonnes amies » au Bec-Fin, et Hanna n'oublierait jamais de quelle façon cette soirée s'était terminée.

Quand Hanna s'était réfugiée dans les toilettes du restaurant, Kate l'avait suivie en faisant mine d'être inquiète. Hanna avait craqué et lui avait expliqué qu'elle venait de recevoir un message de Mona-alias-« A » l'informant que

Sean Ackard, dont elle croyait toujours être la petite amie, était à une soirée avec une autre fille. Kate avait compati et incité Hanna à partir au milieu du repas pour rentrer à Rosewood botter les fesses de Sean. Elle avait même promis de la couvrir. C'était à ça que servaient les presque demi-sœurs, non?

Non. Quand Hanna était retournée à Philadelphie, surprise! Kate avait mouchardé *et* raconté à M. Marin que sa fille se promenait avec du Percocet dans son sac à main. M. Marin avait été si furieux qu'il avait annulé la suite du week-end et refusé d'adresser la parole à Hanna pendant des semaines.

— Bien sûr qu'Hanna te fera visiter, déclara-t-il avec empressement.

Hanna serra les poings sous la table et tenta de prendre une mine désolée.

— J'aimerais bien, mais mon emploi du temps est vraiment plein à craquer.

M. Marin haussa un sourcil.

— Pourquoi pas avant le début des cours ou pendant l'heure du déjeuner?

Hanna aspira entre ses dents. *Merci de me soutenir.* Son père avait-il oublié que Kate l'avait poignardée dans le dos pendant leur dîner catastrophique au Bec-Fin – ce dîner qu'ils étaient censés passer en tête à tête? Non, il n'avait rien oublié : simplement, il ne voyait pas les choses sous cet angle. À ses yeux, Kate n'était pas une garce et une traîtresse, mais la perfection incarnée.

Hanna regarda tour à tour son père, Isabel et Kate. Elle se sentait si... impuissante. Tout à coup, elle éprouva un picotement familier dans le fond de la gorge. Repoussant sa chaise, elle se leva et tituba jusqu'à la salle de bains du rez-de-chaussée.

Penchée au-dessus du lavabo, elle fut saisie par plusieurs haut-le-cœur. *Ne fais pas ça*, tenta-t-elle de se raisonner. Elle avait réussi à ne (presque) pas se faire vomir ces derniers mois, mais Kate agissait sur elle comme un déclencheur.

La première fois que c'était arrivé, Hanna rendait visite à son père à Annapolis pour la première et dernière fois. Elle avait emmené Ali, et Ali et Kate s'étaient tout de suite entendues comme larrons en foire; elles s'étaient mises à bavarder avec animation pendant que, seule dans son coin, Hanna engloutissait une poignée après l'autre de pop-corn en se sentant grosse et hideuse. Son père l'avait traitée de petite cochonne, et ça avait été la goutte d'eau qui avait fait déborder le vase. Elle s'était précipitée à la salle de bains, avait attrapé la brosse à dents de Kate dans son verre et se l'était enfoncée dans la gorge.

Ali était entrée au milieu de sa deuxième crise de vomissements. Elle avait promis à Hanna de garder son secret, mais depuis, Hanna avait découvert beaucoup de choses sur elle. Ali gardait des tas de secrets pour des tas de gens – et s'en servait pour monter les gens les uns contre les autres. Par exemple, elle avait fait croire à ses meilleures amies que l'affaire Jenna était leur faute alors que Jenna et elle avaient tout orchestré depuis le début. Hanna n'aurait pas été surprise d'apprendre que ce jour-là, Ali s'était empressée de tout raconter à Kate.

Au bout de quelques minutes, la nausée s'estompa. Hanna prit une grande inspiration, se releva et sortit son BlackBerry de sa poche. Elle alla dans la fonction « messages » et se mit à taper. *Tu ne vas pas le croire. Mon père veut que je serve de comité d'accueil à Kate la psychopathe quand elle rentrera à l'Externat. Manucure d'urgence demain matin pour trouver un moyen de résoudre la crise ?*

Elle avait déjà passé en revue la moitié de ses contacts

quand elle réalisa qu'elle n'avait personne à qui envoyer son texto. Seule Mona venait avec elle chez l'esthéticienne.

— Hanna ?

Hanna fit volte-face. Son père avait entrouvert la porte.

— Ça va ? demanda-t-il, les sourcils froncés et l'air inquiet, avec une douceur qu'Hanna n'avait pas entendue dans sa voix depuis longtemps.

Il entra et posa sa main sur l'épaule de la jeune fille. Hanna déglutit et baissa la tête. Avant le divorce de ses parents, l'année de sa 5e, elle était vraiment proche de son père. Ça lui avait brisé le cœur qu'il quitte Rosewood pour s'installer à Annapolis avec Isabel et Kate. Elle avait imaginé qu'il échangeait sa vilaine petite fille grassouillette contre la ravissante et mincissime Kate.

Quelques mois plus tôt, quand Hanna séjournait à l'hôpital après son accident, Tom Marin lui avait promis d'être plus présent dans sa vie. Mais depuis son retour à Rosewood, il était trop occupé à redécorer la maison selon les goûts d'Isabel – des tonnes de velours et de glands – pour lui accorder beaucoup d'attention. Peut-être allait-il s'en excuser. Peut-être allait-il lui demander pardon de lui avoir tourné le dos à l'automne sans même écouter sa version de l'histoire... et de l'avoir laissée tomber pour Isabel et Kate pendant trois années entières.

M. Marin tapota maladroitement le bras de sa fille.

— Écoute. Ces derniers mois ont été terribles pour toi. Et je sais que la perspective de témoigner au procès de Ian vendredi doit être stressante. Je réalise aussi que l'emménagement d'Isabel et de Kate a été un peu... précipité. Mais, Hanna... c'est un changement énorme pour Kate. Elle a abandonné tous ses amis d'Annapolis pour venir ici, et c'est à peine si tu lui adresses la parole. Il faudrait que tu commences à la traiter comme ta sœur.

Le sourire d'Hanna s'évanouit. Il lui semblait que son père venait de lui taper sur la tête avec le porte-savon vert menthe posé sur le lavabo. Kate n'avait pas besoin de son aide – pas une seule seconde. Elle était comme Ali : belle, gracieuse, objet de toutes les attentions… et incroyablement manipulatrice.

Mais comme M. Marin baissait le menton, attendant qu'elle acquiesce, Hanna réalisa qu'il manquait un mot à sa dernière phrase. Un mot très révélateur de la façon dont les choses allaient se passer chez eux à partir de maintenant.

Hanna devait commencer à traiter Kate comme sa sœur, *sinon…*

3

Les débuts d'Aria sur la scène artistique

— Oh, beurk.

Aria Montgomery plissa le nez en voyant son frère Mike tremper un morceau de pain dans le caquelon en céramique plein de fromage suisse fondu. Mike fit tourner le pain dans le récipient, l'en ressortit et lécha le long fil gluant pendu à sa fourchette.

— Faut-il vraiment que tu transformes tout en allusion sexuelle ? protesta Aria.

Mike grimaça et poursuivit les préliminaires avec son bout de pain. Aria frissonna.

Elle n'arrivait pas à croire que ces très étranges vacances touchaient déjà à leur fin. Sa mère, Ella, avait décidé de leur préparer une fondue savoyarde maison avec l'appareil découvert à la cave, sous des cartons de décorations de Noël et le vieux circuit électrique Hot Wheels de Mike. Aria était presque certaine que l'appareil à fondue était un cadeau de mariage d'Ella et Byron, mais elle n'osait pas poser la question.

Elle évitait au maximum de parler de son père – et notamment, des heures étranges que Mike et elle avaient passées avec lui et sa petite amie Meredith au complexe de ski Patte d'Ours le jour du réveillon de Noël. Meredith était restée au chalet, à faire des étirements de yoga, à caresser son petit ventre de femme enceinte depuis et à supplier Aria de lui montrer comment tricoter des chaussons pour le bébé.

Les parents d'Aria s'étaient officiellement séparés quelques mois plus tôt, en partie parce que Mona-alias-« A » avait envoyé à Ella une lettre l'informant que son mari la trompait avec Meredith, et Aria était prête à parier que sa mère ne s'en était pas encore remise.

Mike lorgnait la bouteille de Heineken d'Ella.

— Tu es sûre que je ne peux pas en boire une petite gorgée ?

— Non, répondit sa mère. Pour la troisième fois.

Mike fronça les sourcils.

— J'ai déjà bu de la bière, tu sais.

— Pas dans cette maison, répliqua Ella en le foudroyant du regard.

— Pourquoi tiens-tu tellement à en boire ? interrogea Aria, curieuse. Ton premier rencard te rendrait-il nerveux ?

— Ce n'est pas un rencard, se défendit Mike en enfonçant son bonnet de snowboard Burton sur son front. C'est juste une copine.

Aria eut un sourire entendu. Aussi incroyable que cela puisse paraître, une fille avait flashé sur Mike. Elle s'appelait Savannah, et elle était en 2de au lycée public. Ils s'étaient rencontrés par l'intermédiaire d'un groupe Facebook consacré – surprise, surprise – au lacrosse. Apparemment, Savannah était aussi obsédée que Mike par ce sport.

— Mike a un rencard au centre commercial, chantonna

Aria. Tu comptes dîner une deuxième fois là-bas? À La Grande Muraille de Poulet de M. Wong, peut-être?

— Ferme-la, aboya Mike. On va prendre le dessert au Rive Gauche. Mais j'insiste : ce n'est pas un rencard. Tu te rends compte, elle va au lycée public. (Il avait prononcé ces mots sur le même ton que quelqu'un d'autre aurait dit « dans un égout rempli de sangsues ».) Je ne sors qu'avec des filles qui ont du fric.

Aria plissa les yeux.

— Tu es répugnant.

— Fais gaffe à ce que tu dis, Miss Shakespeare, ricana Mike.

Aria pâlit. « Shakespeare » était le surnom que Mike donnait à Ezra Fitz, l'ex-petit ami et ex-professeur d'anglais d'Aria. C'était l'autre sujet à propos duquel Mona-alias-« A » avait tourmenté la jeune fille. Avec un tact surprenant, les médias s'étaient abstenus de révéler les secrets des anciennes amies d'Alison DiLaurentis. Mais Aria soupçonnait Noel Kahn, qui jouait au lacrosse avec Mike et qui était le pire colporteur de ragots de l'Externat, d'avoir tout raconté à son frère. Elle avait fait promettre à Mike de ne rien dire à Ella, mais il ne pouvait s'empêcher de balancer quelques allusions de temps à autre.

Leur mère attrapa un morceau de pain.

— Moi aussi, je vais peut-être avoir un rencard, lâcha-t-elle soudain.

Aria baissa sa longue pique à fondue. Elle n'aurait pas été plus choquée si Ella lui avait annoncé qu'elle retournait s'installer à Reykjavik, où la famille Montgomery avait passé les trois années précédentes.

— Quoi? Quand?

Ella tripota son gros collier en turquoises.

— Mardi.

— Avec qui ?

Elle baissa la tête, révélant un bon centimètre de racines grises.

— Oh, juste quelqu'un avec qui j'ai discuté sur Match.com. Il a l'air sympa, mais bon. Je ne sais pas grand-chose sur lui. On a surtout parlé musique. On est tous les deux fans des Rolling Stones.

Aria haussa les épaules. En matière de rock des années 1970, elle préférait le Velvet Underground – Mick Jagger était plus mince qu'elle, et elle trouvait Keith Richards carrément terrifiant.

— Qu'est-ce qu'il fait dans la vie ?

Ella eut un sourire penaud.

— Je n'en ai pas la moindre idée. Je sais juste qu'il s'appelle Wolfgang.

— Wolfgang ? (Aria faillit en cracher le bout de pain qu'elle était en train de mâcher.) Comme Mozart ?

Ella devenait de plus en plus rouge.

— Je ferais peut-être mieux d'annuler.

— Non, non, vas-y ! se récria Aria. Je trouve ça super !

Et de fait, elle était contente pour sa mère. Pourquoi Byron aurait-il été le seul à s'amuser ?

— Moi, je trouve ça dégoûtant, intervint Mike. Les rencards devraient être interdits aux plus de quarante ans.

Aria l'ignora.

— Qu'est-ce que tu comptes mettre ?

Ella baissa les yeux vers sa tunique préférée. Elle était couleur aubergine, avec des fleurs brodées autour du col et ce qui ressemblait à une tache d'œuf près de l'ourlet.

— Ça. Tu crois que ça n'ira pas ? (Aria écarquilla les yeux et secoua la tête.) Je l'ai achetée dans ce joli petit village de pêcheurs danois, l'an dernier, protesta Ella. À cette vieille femme édentée. Tu étais avec moi !

— Il faut qu'on te trouve autre chose, décida Aria. Et qu'on te refasse une couleur. Et pitié, laisse-moi te maquiller. (Elle plissa les yeux, visualisant l'étagère de la salle de bains de sa mère. Généralement, celle-ci était encombrée d'aquarelles, de bidons de térébenthine et de bijoux à moitié finis.) Euh, est-ce que tu possèdes seulement de quoi te maquiller ?

Ella but une longue gorgée de bière.

— Ne devrait-il pas m'apprécier pour ce que je suis, sans tous ces artifices ?

— Tu seras toujours toi – en plus présentable, promit Aria.

Le regard de Mike faisait la navette entre sa mère et sa sœur. Soudain, son visage s'éclaira.

— Vous savez ce qui rend les femmes encore plus présentables, à mon avis ? Des implants en silicone !

Ella ramassa leurs assiettes et les porta jusqu'à l'évier.

— D'accord, dit-elle à Aria. Je te laisserai me maquiller pour mon rendez-vous. Mais pour l'instant, je dois emmener Mike au sien.

— Ce n'est *pas* un rencard ! geignit le jeune homme.

Il sortit de la pièce et monta l'escalier à grands pas furieux.

Aria et Ella gloussèrent sous cape. Puis elles échangèrent un regard timide tandis que quelque chose de chaleureux et de tacite passait entre elles.

Les derniers mois s'étaient révélés particulièrement difficiles pour la mère et la fille. Mona-alias-« A » ayant également mouchardé à Ella qu'Aria gardait le secret de son père depuis trois longues années, et Ella en avait été si bouleversée qu'elle avait aussitôt chassé sa fille de la maison. Mais elle avait fini par lui pardonner, et Aria se donnait beaucoup de mal pour que leur relation redevienne normale. Ce n'était pas encore tout à fait le cas. Il restait beaucoup de non-dits ; Aria et sa mère passaient très peu de temps seules toutes les deux, et Ella ne se confiait plus à elle comme autrefois. Mais leurs rapports s'amélioraient un peu plus chaque jour.

Ella haussa un sourcil et plongea la main dans la poche kangourou de sa tunique.

— Je viens juste de me souvenir. (Elle en sortit une carte rectangulaire sur laquelle s'entrecroisaient trois lignes bleues.) J'étais censée assister à ce vernissage ce soir, mais je n'aurai pas le temps. Tu veux y aller à ma place ?

Aria haussa les épaules.

— Je ne sais pas trop. Je suis crevée.

— Vas-y, la pressa sa mère. Tu vis quasiment en recluse ces derniers temps. Sortir un peu te ferait du bien.

Aria ouvrit la bouche pour protester, mais Ella n'avait pas tort. Elle avait passé toutes les vacances dans sa chambre, à tricoter des écharpes et à faire dodeliner la tête de la figurine à l'effigie de Shakespeare qu'Ezra lui avait donnée avant de quitter Rosewood en novembre. Chaque jour, elle espérait recevoir de ses nouvelles – un e-mail, un texto, n'importe quoi –, surtout depuis que Rosewood, Ali, ses anciennes amies et elle-même faisaient la une des journaux. Mais les mois passaient et Ezra ne donnait toujours pas signe de vie.

Aria pressa le coin de l'invitation dans le creux de sa main. Si sa mère était assez courageuse pour se remettre sur le marché de l'amour, elle pouvait bien se remuer elle aussi. Et quel meilleur moment pour commencer que tout de suite ?

Sur le chemin du vernissage, Aria dut passer dans l'ancienne rue d'Ali pour la seconde fois ce jour-là. La maison n'avait pas changé d'un poil. Celle des Hastings se trouvait juste après, et celle des Cavanaugh de l'autre côté de la rue. Aria se demanda si Jenna était à l'intérieur, en train de se préparer pour son retour à l'Externat. Elle avait entendu dire que la jeune fille recevrait uniquement des cours privés.

Pas un jour ne s'écoulait sans qu'Aria repense à leur dernière – mais aussi leur seule – conversation. Celle-ci avait eu lieu au studio d'art de Hollis, quand Aria avait succombé à une crise d'angoisse pendant un orage. Elle avait tenté de s'excuser pour ce que ses anciennes amies et elle avaient fait à Jenna la nuit de l'accident, mais Jenna lui avait révélé qu'Ali et elle avaient planifié ensemble le lancement de la fusée afin de se débarrasser pour de bon de son demi-frère Toby. Ali avait accepté de l'aider parce que, apparemment, elle aussi avait des problèmes de famille.

Un moment, Aria s'était demandé ce que ça signifiait exactement. Toby avait l'habitude de toucher Jenna de façon inappropriée – se pouvait-il que Jason en ait fait autant avec Ali ? Aria avait du mal à y croire. Elle n'avait jamais rien remarqué d'étrange entre eux. Et Jason se montrait toujours tellement protecteur vis-à-vis d'Ali…

Soudain, Aria réalisa. *Mais bien sûr !* Ali n'avait pas de problèmes avec Jason ; elle avait simplement prétendu le contraire pour gagner la confiance de Jenna et la pousser à tout lui déballer. Elle avait fait la même chose avec Aria, prétendant être horrifiée et compatissante quand son amie et elle avaient surpris Byron et Meredith en train de se peloter sur le parking de Hollis. Mais une fois en possession du secret d'Aria, elle n'avait cessé de le brandir au-dessus de sa tête telle une épée de Damoclès. Et elle avait fait la même chose aux autres – Hanna, Emily et Spencer.

Une seule question subsistait : pourquoi Ali s'intéressait-elle aux secrets de cette pauvre nulle de Jenna Cavanaugh ?

Un quart d'heure plus tard, Aria atteignit la galerie. Le vernissage avait lieu dans une vieille ferme au milieu des bois. Comme elle garait la Subaru d'Ella sur le gravier et descendait, la jeune fille entendit un bruissement. Il faisait tellement noir ici…

Quelque chose émit un étrange couinement dans les fourrés. Puis la végétation bruissa de nouveau. Aria recula d'un pas.

— Il y a quelqu'un ? demanda-t-elle tout bas.

Deux yeux curieux lui rendirent son regard depuis l'autre côté d'une palissade en bois branlante.

Un instant, le cœur d'Aria cessa de battre. Puis elle réalisa que les yeux étaient entourés de fourrure blanche. Ce n'était qu'un alpaga. D'autres petites créatures se rapprochèrent en battant de leurs cils immenses. Aria sourit et poussa un soupir de soulagement. Le fermier devait les élever. Après des mois de harcèlement, elle avait du mal à se défaire de l'impression paranoïaque que quelqu'un observait le moindre de ses faits et gestes.

L'intérieur de la maison sentait le pain tout juste sorti du four, et la stéréo jouait une chanson de Billie Holiday en sourdine. Une serveuse portant un plateau de Bellini dépassa Aria, qui s'empara hâtivement d'un verre. Après avoir englouti son cocktail, elle promena un regard à la ronde.

Il y avait au moins cinquante tableaux accrochés aux murs, chacun accompagné d'une plaque indiquant le titre, le nom de l'artiste et le prix. Des femmes filiformes, aux cheveux foncés et effilés, se massaient en petits groupes près du buffet. Un type avec des lunettes à monture noire et une mine anxieuse discutait avec une grosse dame coiffée d'une choucroute couleur betterave. Un homme aux yeux écarquillés et aux cheveux gris frisottants sirotait ce qui ressemblait à un verre de bourbon, tout en chuchotant quelque chose à l'oreille d'un sosie de Sienna Miller.

Le cœur d'Aria accéléra. Ce n'étaient pas les collectionneurs que l'on croisait habituellement dans les vernissages de Rosewood – des gens comme les parents de Spencer, qui portaient un costard ou un sac Chanel à plusieurs milliers de dollars. Aria était à peu près sûre qu'il s'agissait d'authentiques amateurs d'art, peut-être venus tout droit de New York.

L'exposition rassemblait les œuvres de trois artistes différents, mais la majeure partie des invités s'agglutinait autour des toiles abstraites d'un certain Xavier Reeves. Aria s'approcha d'un de ses seuls tableaux qui n'était pas masqué par une énorme foule et prit sa plus belle pose de critique d'art – la main sur le menton, les sourcils froncés comme si elle réfléchissait. Le tableau représentait un grand cercle pourpre avec un cercle plus petit et plus foncé au milieu. *Intéressant*, songea la jeune fille. Mais honnêtement... ça ressemblait à un nichon violet géant.

— Que pensez-vous des coups de pinceau? murmura quelqu'un derrière elle.

Aria se retourna et découvrit les doux yeux bruns d'un grand jeune homme en pull rayé noir et jean indigo. Un frisson d'excitation la parcourut, et ses orteils la picotèrent dans ses ballerines en satin éculées. Avec ses pommettes saillantes et ses cheveux très courts hérissés sur le devant, cet inconnu lui rappelait Sondre, le musicien canon qu'elle avait rencontré en Norvège l'année précédente. Sondre et elle avaient passé des heures dans un bar de pêcheurs à Bergen, buvant du whisky maison et inventant des histoires sur le poisson empaillé accroché au mur lambrissé.

Aria considéra de nouveau la toile.

— Les coups de pinceau sont... très puissants.

— C'est vrai, acquiesça l'inconnu. Et chargés d'émotion.

— Clairement.

Aria était ravie d'avoir une vraie conversation de critique d'art, surtout avec un type aussi mignon. C'était agréable de parler avec quelqu'un qui n'était pas de Rosewood et qui avait d'autres sujets de préoccupation que le procès de Ian. Elle chercha autre chose à ajouter.

— Ça me fait penser à…

L'inconnu se pencha vers elle en grimaçant.

— Quelqu'un qui allaite ?

Aria écarquilla des yeux surpris. Ainsi, elle n'était pas la seule à voir la ressemblance.

— Ça ressemble un peu à un nichon, pas vrai ? glousса-t-elle. Mais je pense que nous sommes censés prendre ça au sérieux. La toile s'appelle *L'Impossibilité de l'espace entre toutes choses*. Xavier Reeves a probablement voulu représenter la solitude. Ou la lutte prolétarienne.

— Merde alors. (L'inconnu était si près d'Aria qu'elle sentait son haleine à la cannelle et au Bellini.) J'imagine que du coup, celle intitulée *L'Avancée inexorable du temps* ne représente pas vraiment un pénis, hein ?

Une femme âgée, qui portait des lunettes en forme d'yeux de chat, sursauta et leur jeta un regard outré. Aria se couvrit la bouche de sa main pour s'empêcher de rire. Elle remarqua que son nouvel ami avait une tache de rousseur en forme de croissant près de l'oreille gauche. Si seulement elle avait mis autre chose que le pull vert miteux qu'elle traînait depuis le début des vacances ! Et elle aurait probablement dû essuyer la tache de fromage sur son col.

L'inconnu finit son verre.

— Alors, comment vous appelez-vous ?

— Aria, répondit-elle en mâchouillant coquettement le touilleur fourni avec son Bellini.

— Enchanté de faire votre connaissance, Aria.

Un groupe de gens passa près d'eux, poussant le nouvel ami d'Aria plus près d'elle. La jeune fille sentit sa main lui cogner doucement la taille, et ses joues s'empourprèrent. L'avait-il touchée par accident, ou l'avait-il fait exprès ?

Le bel inconnu saisit deux verres pleins et lui en tendit un.

— Vous travaillez ici, ou vous êtes toujours étudiante ?

Aria ouvrit la bouche et hésita. Elle se demandait quel âge avait ce garçon. Il semblait assez jeune pour aller à la fac, et elle l'imaginait bien vivant dans l'une des maisons victoriennes au charme désuet près de Hollis. Mais elle avait supposé la même chose à propos d'Ezra...

Avant qu'elle ne se décide à répondre, une femme en tailleur pied-de-poule moulant s'interposa entre eux. Avec ses cheveux noirs hérissés, elle présentait une ressemblance plus que flagrante avec Cruella d'Enfer des *101 Dalmatiens*.

— Je peux vous l'emprunter ? demanda-t-elle en glissant une main sous le coude du jeune homme, qui lui pressa affectueusement les doigts.

— Bien sûr.

Aria s'écarta, un peu déçue.

— Désolée, ajouta Cruella avec un sourire d'excuse. (Son rouge à lèvres était si foncé qu'il paraissait presque noir.) Mais comme vous devez le savoir, Xavier est très demandé.

— Xavier ? (L'estomac d'Aria lui tomba dans le fond des chaussettes. Elle saisit le bras libre de son nouvel ami.) Vous êtes... l'artiste ?

Xavier s'immobilisa, une lueur malicieuse dans les yeux.

— Démasqué, chuchota-t-il en se penchant vers elle. Et au fait, ce tableau représente *vraiment* un nichon.

Sur ce, Cruella l'entraîna. Marchant côte à côte, il lui murmura quelque chose à l'oreille d'un air suave. Tous deux s'éloignèrent en gloussant pour se mêler à l'élite artistique de la côte Est, qui continuait à s'extasier sur les tableaux de Xavier – ce jeune peintre si brillant et si inspiré !

En le voyant sourire et serrer la main de ses admirateurs, Aria regretta qu'il n'y ait pas un trou de souris dans lequel elle aurait pu disparaître. Elle avait enfreint la règle première des vernissages : ne jamais discuter des œuvres exposées avec un inconnu. Et surtout, ne jamais dénigrer le chef-d'œuvre d'une étoile montante du monde de l'art.

Mais à en juger par le petit sourire en coin que Xavier venait juste de lancer dans sa direction, son interprétation ne l'avait peut-être pas offensé. Et cette idée rendait Aria très, très heureuse.

4

DERNIÈRE DE LA CLASSE

Le lundi matin, penchée sur son bureau en cours d'anglais renforcé, Spencer Hastings se dépêchait de griffonner quelques phrases avant la fin du temps imparti pour son interro sur *Le soleil se lève aussi.* Elle voulait ajouter deux ou trois citations extraites d'un des essais critiques de Hemingway qui figuraient à la fin du roman, histoire de marquer quelques points avec sa prof, Mme Stafford. Ces jours-ci, elle devait se battre pour faire oublier ses récentes erreurs de jugement.

Le haut-parleur fixé au mur crépita.

— Mme Stafford? appela Mme Wagner, la secrétaire du lycée. Pourriez-vous envoyer Spencer Hastings chez le proviseur, s'il vous plaît?

Les treize autres élèves levèrent le nez de leur copie, fixant Spencer comme si elle était venue à l'école uniquement vêtue de son ensemble culotte-soutien-gorge Eberjay en dentelle bleue acheté chez Saks pendant les soldes d'après Noël. Mme Stafford, qui aurait pu être la jumelle de

Martha Stewart[1] mais n'avait certainement jamais cassé un œuf ni brodé un tablier de toute sa vie, posa son exemplaire corné d'*Ulysse.*

— Très bien, vas-y, dit-elle en lançant à Spencer un regard qui signifiait : « Qu'est-ce que tu as encore fait? »

Et la jeune fille ne put s'empêcher de se poser la même question.

Elle se leva, fit discrètement la respiration du feu telle qu'on la lui avait enseignée à son cours de yoga et déposa sa copie à l'envers sur le bureau de Mme Stafford.

Elle ne pouvait pas en vouloir à sa prof de la traiter ainsi. Spencer avait été la première élève de l'Externat de Rosewood nominée pour une Orchidée d'or – un prix prestigieux qui récompensait les meilleures dissertations du pays dans différentes matières. C'était un tel honneur, qu'il lui avait valu de faire la une du *Philadelphia Sentinel.* Après la dernière phase de la sélection, un juge avait appelé la jeune fille pour l'informer qu'elle avait gagné. Et Spencer avait craqué, avouant qu'elle avait plagié un vieil essai d'économie de sa sœur Melissa.

À présent, tous ses profs se demandaient si elle avait également triché dans leur matière. Elle n'était plus en lice pour le titre de major de sa promo, et le lycée lui avait demandé de démissionner de ses postes de vice-présidente du conseil des élèves et d'éditrice en chef du livre de l'année. L'administration avait même menacé de la renvoyer, mais M. et Mme Hastings avaient fait une donation assez conséquente à l'Externat pour enterrer l'affaire.

Spencer comprenait l'indignation générale. Mais après toutes les interros où elle avait assuré, tous les comités

1. Considérée comme la référence en matière d'art de vivre aux États-Unis. *(N.d.T.)*

qu'elle avait dirigés, tous les clubs qu'elle avait créés, ne méritait-elle pas un peu d'indulgence ? Ne pouvait-on comprendre qu'elle soit bouleversée par la découverte du corps d'Ali à quelques mètres de son propre jardin ? Par les messages horribles que lui avait envoyés cette tarée de Mona Vanderwaal qui s'était fait passer pour sa meilleure amie ? Par le fait que Mona ait essayé de la pousser dans le vide à la carrière de l'Homme flottant, lorsqu'elle avait refusé de jouer à être « A » avec elle ?

Les gens auraient quand même pu lui témoigner un minimum de reconnaissance : après tout, c'était grâce à elle que l'assassin d'Ali se trouvait désormais en prison. Mais non. Tout ce qui leur importait, c'est qu'elle avait terni la réputation de l'Externat.

Spencer referma la porte de la salle de cours et se dirigea vers le bureau du proviseur. Comme d'habitude, le couloir embaumait la cire senteur pinède et un mélange pas forcément heureux de divers parfums et eaux de Cologne. Des centaines de flocons en papier couverts de paillettes étaient encore suspendus au plafond. Tous les mois de décembre, l'école primaire organisait un concours du plus beau flocon ; les œuvres primées étaient exposées jusqu'à la fin de l'hiver. Plus jeune, Spencer était anéantie quand sa classe perdait. Les juges annonçaient les résultats juste avant le début des vacances, de sorte que ça lui gâchait son Noël.

D'un autre côté, Spencer était *toujours* anéantie quand elle perdait. Elle avait encore du mal à digérer le fait qu'Andrew Campbell ait été élu président du conseil des élèves à sa place, que l'année de leur 5ᵉ, Ali se soit vu offrir le poste qui lui revenait de droit au sein de l'équipe senior de hockey sur gazon – la JV Team –, et qu'elle n'ait pas décoré un seul morceau du drapeau de la Capsule temporelle en 6ᵉ. Même si elle avait pu rejouer toutes les années suivantes, ça n'avait jamais eu autant d'importance pour elle. D'un autre côté, Ali n'avait pas décoré de morceau du drapeau non plus, ce qui l'avait quelque peu aidée à avaler la pilule.

— Spencer ?

Quelqu'un venait d'apparaître à l'angle du couloir. *Quand on parle du loup*, songea Spencer, maussade. C'était Andrew Campbell, M. le Président en personne. Il s'approcha d'elle en repoussant ses cheveux blonds mi-longs derrière ses oreilles.

— Pourquoi erres-tu toute seule dans les couloirs ?

Ce qu'il peut être curieux ! Bien sûr, il devait être ravi que Spencer ne soit plus dans la course pour le titre de major de promo. La poupée vaudou à son effigie qu'il gardait sous son lit – Spencer en était convaincue – avait finalement accompli son dessein. Il devait également penser que sa camarade méritait ce qui lui arrivait, que c'était une sorte de punition karmique pour l'avoir invité à Foxy et lâché dès leur arrivée sur place.

— Je suis convoquée chez le proviseur, répondit Spencer sur un ton glacial, espérant contre toute probabilité qu'il ne s'agissait pas d'une mauvaise nouvelle.

Elle accéléra, les talons de ses bottes claquant sur le parquet en bois poli.

— Moi aussi, je vais par là, déclara joyeusement Andrew en lui emboîtant le pas. M. Rosen veut me parler du voyage en Grèce que j'ai fait pendant les vacances. (M. Rosen était le conseiller de l'ONU.) Je suis parti avec le Club des Jeunes Dirigeants de Philadelphie. D'ailleurs, je croyais que tu devais venir aussi.

Spencer eut envie de lui assener deux gifles sur ses joues perpétuellement rouges. Après la débâcle de l'Orchidée d'or, le CJDP l'avait aussitôt rayée de la liste de ses membres. Et elle était certaine qu'Andrew le savait.

— Il y a eu un conflit d'intérêts, répondit-elle sèchement.

Ce qui était vrai : elle avait dû garder la maison pendant que ses parents se rendaient à Beaver Creek, dans le Colorado, où ils avaient un chalet. Ils n'avaient pas jugé utile de l'inviter à venir avec eux.

— Oh. (Andrew la dévisagea avec curiosité.) Quelque chose ne va pas?

Spencer s'arrêta, stupéfaite, et leva les mains au ciel.

— Évidemment que quelque chose ne va pas. En fait, rien ne va. Tu es content?

Andrew eut un mouvement de recul. Il cligna plusieurs fois des yeux et finit par réaliser.

— Oooh. L'Orchidée d'or. Zut. J'avais complètement oublié. (Il secoua la tête.) Pardonne-moi. Je suis un idiot.

— Si tu le dis.

Spencer serra les dents. Andrew pouvait-il vraiment avoir oublié cette histoire? C'était presque pire que de l'imaginer ressassant son triomphe pendant toutes les vacances de Noël. Spencer foudroya du regard le flocon joliment découpé qui surplombait la fontaine à eau pour handicapés. À l'école primaire, Andrew était très fort en confection de flocons. Spencer et lui passaient déjà leur temps à se battre pour voir qui serait le meilleur des deux.

— Ça m'est complètement sorti de la tête, bredouilla le jeune homme, sa voix montant dans les aigus. C'est pour ça que j'ai été tellement surpris de ne pas te voir en Grèce. Dommage que tu ne sois pas venue. Dans le groupe, il n'y avait personne d'aussi... Je ne sais pas. Cool et intelligent.

Spencer tripota les glands en cuir de son sac-seau Coach. C'était la chose la plus gentille qu'on lui ait dite depuis longtemps, mais venant d'Andrew... ça ne passait pas.

— Il faut que j'y aille, marmonna-t-elle.

Et pressant le pas, elle se hâta de gagner le département administratif.

— Il vous attend, dit la secrétaire quand Spencer fit irruption par la double porte vitrée.

La jeune fille se dirigea vers le bureau de M. Appleton, dépassant le requin en papier mâché qui était un vestige de la dernière parade du Jour des Fondateurs. Que pouvait bien lui vouloir le proviseur? Peut-être avait-il réalisé qu'il s'était montré trop dur envers elle et souhaitait-il lui présenter des excuses. Peut-être voulait-il lui permettre de revenir dans la course pour le titre de major de promo ou lui réattribuer son rôle dans la pièce du lycée.

Le club de théâtre montait *La Tempête*, mais juste avant les vacances de Noël, l'administration avait informé Christopher Briggs, le metteur en scène, qu'il n'était pas autorisé à utiliser des lances à incendie pour simuler les éléments déchaînés. Christopher avait littéralement explosé, arrêté la production et lancé un casting pour *Hamlet*. Et comme tous les comédiens apprenaient de nouveaux rôles, Spencer n'avait pas manqué une seule répétition.

Mais lorsqu'elle referma soigneusement la porte du bureau derrière elle et se tourna vers le proviseur, le sang de Spencer se glaça dans ses veines. Ses parents étaient assis côte à côte dans des fauteuils de cuir à dossier droit. Veronica Hastings portait une robe en laine noire; son visage était rouge et bouffi par les larmes. Peter Hastings était en costume trois-pièces et mocassins cirés. Il serrait les dents si fort que les muscles de sa mâchoire semblaient sur le point de se rompre.

— Ah, lança le proviseur Appleton en se levant de sa chaise. Je vous laisse en famille.

Il sortit de la pièce et referma la porte derrière lui.

Le silence résonna aux oreilles de Spencer.

— Qu-que se passe-t-il? demanda-t-elle en s'asseyant lentement dans un fauteuil vide.

Son père se dandina, mal à l'aise.

— Ta grand-mère est morte ce matin.

Spencer cligna des yeux.

— Nana?

— Oui, répondit sa mère à voix basse. Elle a fait une crise cardiaque. (Elle croisa les mains sur ses genoux, adoptant d'instinct une posture de femme d'affaires.) La lecture du testament aura lieu demain, parce que ton père doit se rendre en Floride pour s'occuper de la succession avant ses funérailles lundi prochain.

— Oh, mon Dieu! chuchota Spencer.

Elle resta assise en silence, attendant que les larmes viennent. Quand avait-elle vu sa grand-mère pour la dernière fois? Avec ses parents et sa sœur, elle avait passé quelques jours dans sa maison de plage, dans le New Jersey, deux mois auparavant, mais Nana ne s'y trouvait pas : elle était en Floride. Ça faisait des années qu'elle ne montait plus dans le nord.

Le problème, c'est que Spencer avait été confrontée à de nombreux décès ces derniers temps – et de gens beaucoup plus jeunes. Nana avait vécu quatre-vingt-onze années heureuses et bien remplies. Et puis, elle n'avait pas toujours été la plus affectueuse des grands-mères. Bien sûr, elle avait généreusement fait installer une immense salle de jeux pour Spencer et Melissa dans sa maison de plage, et elle l'avait remplie de maisons de poupées, de Petits Poneys et d'énormes seaux de Lego. Mais elle se raidissait toujours quand Spencer voulait la prendre dans ses bras; elle jetait à peine un œil aux cartes d'anniversaire que sa petite-fille lui confectionnait, et elle rouspétait chaque fois que Spencer abandonnait un avion en Lego sur le dessus de son piano à queue Steinway. Parfois, Spencer se demandait si sa grand-mère aimait réellement les enfants, ou si la salle de jeux n'était qu'un moyen pour elle de se débarrasser de ses petites-filles.

Mme Hastings but une grande gorgée de son *latte* Starbucks.

— Nous étions en réunion avec M. Appleton quand nous avons appris la nouvelle, dit-elle après avoir avalé.

Spencer se raidit. Ses parents étaient déjà là ?

— De quoi parliez-vous ? De moi ?

— Non, répondit sèchement sa mère.

Spencer renifla. Mme Hastings referma son sac et se leva. M. Hastings l'imita en consultant sa montre.

— Il faut que j'y retourne.

Le cœur de Spencer se serra. Elle aurait voulu qu'ils la réconfortent, mais à cause du scandale de l'Orchidée d'or, ils la tenaient à distance depuis plusieurs mois. Ils savaient qu'elle avait volé l'essai de sa sœur, mais ils lui avaient demandé de garder le silence et d'accepter quand même son prix. Bien qu'ils refusent toujours de l'admettre aujourd'hui. Quand Spencer avait fini par avouer son plagiat, ils avaient fait mine d'être aussi surpris et choqués que les autres.

— Maman ? demanda-t-elle d'une voix brisée. Papa ? Vous pourriez... rester encore quelques minutes ?

Sa mère hésita, et le cœur de Spencer se gonfla. Puis Mme Hastings passa son écharpe en cachemire autour dc son cou, prit la main de son mari et sortit, laissant sa fille seule dans le bureau.

5

RELÈVE DE LA GARDE

Le lundi pendant la pause déjeuner, Hanna se dirigea d'un pas guilleret vers la salle de travaux manuels. Rien de tel que de commencer un nouveau semestre en étant à tomber à la renverse. Elle avait perdu deux kilos pendant les vacances de Noël et ses cheveux auburn brillaient, grâce au masque régénérant à l'ylang-ylang qu'elle s'était payé avec la carte de crédit de son père – celle qui était réservée aux urgences. Quatre ou cinq garçons tous en pull de l'équipe de hockey sur glace s'adossèrent à leur casier pour la regarder passer. L'un d'eux alla jusqu'à la siffler.

Et ouais, songea Hanna, éminemment satisfaite, en leur faisant un petit coucou. Elle était toujours capable de faire tourner les têtes.

Bien entendu, il y avait eu quelques moments où elle ne s'était pas sentie au sommet de sa forme. Et un autre se profilait à l'horizon. Le déjeuner était le moment idéal de la journée pour voir et être vu, mais Hanna ne savait pas trop où aller. Elle avait pensé qu'elle mangerait avec Lucas, mais son petit ami devait rejoindre son groupe de débat. Dans le temps, Mona et elle campaient au Steam, sirotant des Americano et critiquant le sac ou les chaussures de leurs camarades. Puis, après avoir englouti leur yaourt 0 % et leur eau pétillante, elles allaient se planter devant le miroir dans les toilettes du bâtiment de langues pour retoucher leur maquillage. Mais ce jour-là, Hanna avait soigneusement évité ces deux endroits. Elle ne voulait pas s'asseoir seule à une table, et son maquillage était impeccable.

Avec un gros soupir, elle jeta un regard envieux à un groupe de filles qui se dirigeaient gaiement vers la cafétéria. Elle aurait bien voulu traîner avec elles ne fût-ce que quelques minutes. Mais ça avait toujours été le problème avec Mona : leur amitié ne laissait de place à aucune autre. À présent, Hanna ne pouvait se défaire de l'impression que pour tout le reste du lycée, elle était la-fille-dont-la-meilleure-amie-a-tenté-de-la-tuer.

— Hanna ! appela quelqu'un. Hou hou !

La jeune fille s'arrêta et plissa les yeux. À l'autre bout du couloir, une grande silhouette mince lui faisait coucou. Un goût amer lui emplit la bouche. *Kate.*

Ça lui donnait la nausée de voir sa pseudo-demi-sœur portant le blazer bleu marine et la jupe plissée de l'Externat de Rosewood. Elle n'avait qu'une envie : s'enfuir à toutes jambes. Mais Kate lui fonçait déjà dessus malgré les huit centimètres des talons de ses bottes. Son expression était aussi joyeuse et amicale que celle d'un personnage de Disney, et son haleine sentait la menthe comme si elle venait de s'enfiler une pleine boîte de pastilles.

— Je t'ai cherchée partout !

— Hum, grogna Hanna, regardant autour d'elle en quête d'une diversion.

Elle se serait contentée de ce débile de Mike Montgomery, malgré sa langue bien pendue, voire de son puceau d'ex-copain, Sean Ackard. Mais les seules personnes présentes dans le hall étaient les membres de la chorale, qui venaient d'entonner un chant grégorien. *Trop bizarre.*

Puis, du coin de l'œil, Hanna vit une grande fille aux cheveux noirs qui portait d'énormes lunettes de soleil Gucci franchir l'angle du couloir précédée d'un golden retriever.

Jenna Cavanaugh.

Un frisson lui parcourut l'échine. Récemment, elle avait découvert tant de choses sur la jeune aveugle ! Par exemple : qu'elle était amie avec Mona et que cette dernière lui avait rendu visite la nuit de l'accident. Elle avait assisté à toute la scène. Autrement dit, elle savait depuis le début que c'était Ali qui avait lancé la fusée.

Hanna n'en revenait toujours pas. Toutes ces heures que Mona avait passées chez elle, toutes ces vacances de Pâques dans les Caraïbes, toutes ces virées shopping et ces séances de spa... Et pendant tout ce temps, elle n'avait jamais soupçonné que c'était la fusée responsable de la cécité de Jenna qui avait également brûlé sa nouvelle meilleure amie.

— Qu'est-ce que tu fais pendant la pause ? pépia Kate, faisant sursauter Hanna. Tu es libre pour une visite guidée ?

Hanna se remit à marcher.

— Je suis occupée, lâcha-t-elle sur un ton hautain. (Au diable son père et ses injonctions.) Va au secrétariat et dis-leur que tu es perdue. Je suis sûre qu'ils pourront te fournir un plan.

Sur ce, elle tenta de contourner Kate, mais celle-ci lui emboîta le pas. L'odeur de son gel douche à la pêche chatouilla les narines d'Hanna – qui décida sur-le-champ que la pêche avait le parfum le plus écœurant du monde.

— Et si on allait prendre un café ? suggéra Kate. Je t'invite.

Hanna plissa les yeux. Si Kate pensait qu'elle se laisserait avoir par la flatterie, elle se mettait le doigt dans l'œil.

Au début de leur année de 4e, Mona avait gagné l'amitié d'Hanna en la couvrant de compliments – et vu la façon dont ça s'était terminé…

Mais même si son expression était chaleureuse au point d'en être agaçant, il semblait évident que Kate ne tolérerait pas de refus. Hanna réalisa que si elle s'obstinait à repousser ses avances, Kate risquait d'aller raconter des bobards à son père, comme au Bec-Fin. Avec un énorme soupir, elle repoussa ses cheveux derrière son épaule.

— D'accord, capitula-t-elle.

Les deux jeunes filles rebroussèrent chemin jusqu'au Steam. La stéréo diffusait un morceau de Panic at the Disco; les deux machines à espresso tournaient à plein régime, et l'endroit grouillait d'élèves. Dans un coin, les membres du club de théâtre discutaient des auditions à venir pour *Hamlet*. À présent que Spencer Hastings était interdite de scène, Hanna avait entendu dire qu'une seconde talentueuse prénommée Nora pourrait bien décrocher le rôle d'Ophélie. Quelques filles plus jeunes se massaient, bouche bée, autour d'une vieille affichette mettant la population de Rosewood en garde contre le fameux rôdeur. Personne ne l'avait revu depuis la fin de l'affaire « A »; aussi la police avait-elle conclu qu'il s'agissait de Mona. Plusieurs joueurs de l'équipe de foot étaient adossés à l'un des jeux vidéo. Hanna crut sentir leur regard lui brûler le dos, mais quand elle se retourna pour leur faire signe, elle réalisa son erreur. C'était Kate qu'ils mataient – ses longues jambes, son ventre plat, ses fesses rebondies et son bonnet C.

Tandis que les deux filles se plaçaient dans la file d'attente et que Kate étudiait la carte accrochée au-dessus du comptoir, Hanna entendit des murmures peu discrets à l'autre bout de la salle. Elle fit volte-face. Naomi Zeigler et Riley Wolfe – ses plus anciennes et pires ennemies – la fixaient depuis la grande table en bois qui était jadis la place attitrée d'Hanna et de Mona.

— Salut, Hanna, chantonna Naomi en lui faisant coucou.

Elle s'était fait couper les cheveux pendant les vacances de Noël. Désormais, elle les portait courts et ébouriffés à la Agyness Deyn – mais le style qui allait si bien à la top model lui donnait l'air d'une tête d'épingle.

Riley Wolfe, qui avait attaché ses cheveux cuivrés en un chignon de danseuse, fit également un signe en direction d'Hanna tandis que son regard se braquait tel un rayon laser sur la cicatrice en forme de Z sur son menton.

L'estomac d'Hanna se tordit, mais elle refréna son envie de masquer sa cicatrice d'une main. Ni des quantités astronomiques de fond de teint et de poudre, ni les meilleurs traitements au laser n'avaient pu la faire disparaître complètement.

Kate suivit le regard d'Hanna à travers la pièce.

— Oh ! La blonde est dans mon cours de français. Elle a l'air super gentille. Ce sont des amies à toi ?

Avant qu'Hanna puisse répondre : « Absolument pas », Naomi agita la main en direction de Kate et articula : « Salut. » Kate fonça vers la grande table en bois tandis qu'Hanna traînait quelques pas en arrière, faisant mine d'être très absorbée par la lecture de la carte du Steam qu'elle connaissait pourtant par cœur. Ce n'était pas comme si ça l'intéressait de savoir ce que Naomi et Riley allaient dire à Kate. Ce n'était pas comme si ça avait la moindre importance...

— Tu es nouvelle, pas vrai ? lança Naomi à Kate.

— Oui, répondit celle-ci avec un grand sourire. Kate Randall. Je suis la demi-sœur d'Hanna. Enfin, sa future demi-sœur. Je viens d'arriver à Rosewood. Avant, j'habitais Annapolis.

— On ne savait pas qu'Hanna avait une future demi-sœur ! s'exclama Naomi avec une grimace qui rappela à Hanna celle des citrouilles d'Halloween.

— Et bien si. Moi, dit Kate, écartant les bras en un geste théâtral.

— J'adore tes bottes, intervint Riley. Ce sont des Marc Jacobs ?

— Vintage, admit Kate. Je les ai trouvées à Paris.

Vous comprenez, je suis une grande voyageuse, singea mentalement Hanna.

— Mason Byers se renseignait sur toi tout à l'heure, annonça Riley d'un air entendu.

Les yeux de Kate s'illuminèrent.

— Mason ? Lequel est-ce ?

— Un des plus canons, la rassura Naomi. Tu veux t'asseoir ?

Elle pivota et s'empara d'une chaise à la table d'à côté occupée par plusieurs filles de l'orchestre – sans demander la permission, et en jetant un sac à dos par terre au passage. Kate regarda Hanna par-dessus son épaule, haussant un sourcil comme pour dire : « Pourquoi pas ? » Hanna recula en secouant vigoureusement la tête.

Riley fit la moue. Elle portait un gloss irisé.

— Tu te trouves trop bien pour t'asseoir avec nous, Hanna ? lança-t-elle d'une voix dégoulinante de sarcasme. À moins que tu fasses un régime sans amies maintenant que Mona n'est plus là...

— Peut-être que l'idée de copiner avec quelqu'un d'autre la fait vomir, insinua Naomi en donnant un léger coup de coude à Riley.

Kate jeta un coup d'œil à Hanna, puis reporta son attention sur Naomi et Riley. On aurait dit qu'elle se retenait d'éclater de rire. La poitrine d'Hanna se comprima comme si son soutien-gorge avait brusquement rétréci de trois tailles. Faisant de son mieux pour ignorer ces pestes, elle se détourna, leva le menton et sortit en ondulant des hanches.

Mais une fois à l'abri dans la foule qui se déversait du café, elle se décomposa. « Régime sans amies. » « Fait vomir. » Elle pouvait compter sur Kate pour se lier immédiatement d'amitié avec ses pires ennemies. En ce moment même, Naomi et Riley étaient sans doute en train de lui raconter la fois où « A » avait forcé Hanna à leur avouer qu'elle avait un problème de boulimie *et* que Sean Ackard avait repoussé ses avances quand elle avait voulu coucher avec lui pendant la soirée de Noel Kahn. Hanna imaginait très bien Kate rejetant la tête en arrière pour mieux s'esclaffer.

Furieuse, elle rebroussa chemin vers la salle de travaux manuels, distribuant des coups de coude aux 3es qui la gênaient. Même si elle était censée haïr Mona, en cet instant, elle aurait donné n'importe quoi pour la récupérer. Quelques mois plus tôt, quand Naomi et Riley l'avaient asticotée au sujet de sa boulimie, Mona était rapidement intervenue pour étouffer la rumeur dans l'œuf et leur rappeler qui commandait à l'Externat. Ça avait été jouissif.

Malheureusement, Hanna n'avait plus de meilleure amie pour surveiller ses arrières. Et peut-être n'en aurait-elle plus jamais.

6

Miracle à l'église

Le lundi après-midi après l'entraînement de natation, Emily gravit lourdement l'escalier conduisant à la chambre qu'elle partageait avec sa sœur Carolyn. Elle ferma la porte derrière elle et se laissa tomber sur son lit. L'entraînement n'avait pas été si dur ; pourtant, elle se sentait épuisée, comme si ses membres étaient en plomb.

Elle alluma la radio et tourna le bouton. En passant sur la fréquence d'une station d'info, elle entendit un nom familier qui lui glaça le sang. Elle s'arrêta pour écouter.

— Le procès de Ian Thomas s'ouvrira vendredi matin à Rosewood, disait une journaliste sur un ton vif, très professionnel. Toutefois, M. Thomas continu à nier toute implication dans la mort d'Alison DiLaurentis, et des sources proches du bureau du procureur affirment qu'il ne passera peut-être pas en jugement pour cause de preuves insuffisantes.

Emily se redressa brusquement. La tête lui tournait. *Preuves insuffisantes ?* Bien sûr que Ian niait avoir brutalement assassiné Ali, mais comment pouvait-on le croire ? Surtout avec le témoignage de Spencer.

Emily repensa à une interview que Ian avait donnée depuis sa cellule de la prison du comté de Chester, et qu'elle avait vue sur Internet quelques semaines plus tôt. « Je n'ai pas tué Alison, s'était-il obstiné à répéter. Pourquoi les gens pensent-ils que je l'ai tuée ? Pourquoi quelqu'un essaierait-il de faire croire une chose pareille ? » De la sueur perlait sur son front ; il était pâle et avait les joues creuses.

À la fin de l'interview, il avait marmonné : « Quelqu'un veut me faire porter le chapeau. Quelqu'un cache la vérité. Il paiera pour ça. » Le lendemain, quand Emily avait voulu regarder la vidéo une deuxième fois, celle-ci avait disparu.

La jeune fille monta le volume et attendit au cas où la journaliste ajouterait quelque chose, mais celle-ci était déjà passée à la météo.

Quelqu'un toqua doucement à la porte de la chambre. Mme Fields passa la tête à l'intérieur.

— Le dîner est prêt. J'ai fait des macaronis au fromage maison.

Emily serra son morse en peluche préféré contre sa poitrine. D'habitude, elle pouvait engloutir une casserole entière des macaronis au fromage de sa mère, mais ce jour-là, elle avait mal au ventre.

— Je n'ai pas faim, marmonna-t-elle.

Mme Fields entra dans la chambre en s'essuyant les mains sur son tablier couvert de dessins de poulets.

— Tu te sens bien ?

— Uh-huh, mentit Emily avec un sourire forcé.

Toute la journée, elle avait lutté contre une forte envie d'éclater en sanglots. Elle avait tenté d'être forte quand ses amies et elles avaient effectué leur rituel pour enterrer le souvenir d'Ali, la veille. Mais au fond, elle avait détesté ça. Elle ne pouvait admettre que ce soit fini pour de bon. *Game over.* Elle était incapable de dire combien de fois elle avait voulu s'échapper de l'Externat, rouler jusque chez Spencer, déterrer son porte-monnaie rose et ne plus jamais le lâcher.

Toute la journée, elle s'était sentie mal à l'aise. Elle avait passé le plus clair de son temps à éviter Maya, redoutant une confrontation avec son ex-petite amie. Et à la piscine, elle avait enchaîné les longueurs comme un robot. Elle ne parvenait pas à dépasser son envie d'arrêter la natation. D'autant que son ancien petit ami Ben et le meilleur ami de celui-ci, Seth Cardiff, n'avaient pas cessé de la fixer avec des ricanements qui masquaient mal leur amertume. Ils ne se remettaient toujours pas du fait qu'elle préfère les filles.

Mme Fiels fit la moue – sa façon de dire : « Je ne te crois pas. » Elle pressa la main de sa fille.

— Pourquoi ne m'accompagnerais-tu pas à la collecte de fonds de la Sainte-Trinité tout à l'heure ?

Emily haussa un sourcil soupçonneux.

— Tu veux que je vienne à l'église avec toi ?

D'après ce qu'elle avait cru comprendre, l'Église catholique et les lesbiennes allaient à peu près aussi bien ensemble que les rayures et les carreaux.

— Le père Tyson m'a demandé de tes nouvelles, répondit Mme Fields. Et pas à cause de ton homosexualité, ajouta-t-elle très vite. Il s'inquiétait pour toi, avec tout ce qui est arrivé au semestre dernier. Et la collecte de fonds devrait être amusante : il va y avoir de la musique et une vente aux enchères silencieuse. Ça t'aidera peut-être à trouver la paix.

Emily s'appuya contre l'épaule de sa mère. Elle appréciait l'attention.

Quelques mois plus tôt, Mme Fields ne voulait même plus lui adresser la parole, et encore moins l'emmener où que ce soit. Emily se réjouissait de dormir de nouveau dans son petit lit douillet à Rosewood plutôt que dans un lit de camp, chez son oncle et sa tante archipuritains qui habitaient une ferme bourrée de courants d'air au fin fond de l'Iowa – là où ses parents l'avaient envoyée pour exorciser ses soi-disant démons homosexuels. Et elle se réjouissait également que Carolyn dorme de nouveau dans leur chambre au lieu de l'éviter de peur d'attraper les germes du lesbianisme.

Peu lui importait de n'être plus amoureuse de Maya. Et peu lui importait que tout l'Externat soit au courant de ses penchants, ou que la plupart des garçons passent leur temps à l'espionner dans l'espoir de la surprendre en train de peloter une autre fille. Parce que les lesbiennes passaient leur temps à se tripoter, c'était bien connu...

Non, tout ce qui comptait, c'étaient les efforts que faisait sa famille pour l'accepter. À Noël, Carolyn lui avait offert un poster de la championne olympique Amanda Beard en deux-pièces de compétition pour remplacer sa vieille affiche de Michael Phelps en Speedo microscopique. Son père lui avait acheté une grosse boîte de thé au jasmin parce qu'il avait lu sur Internet que « les, euh, filles comme toi » préféraient le thé au café. Jake et Beth, son frère et son autre sœur aînée, s'étaient cotisés pour lui prendre l'intégrale de *The L Word* en DVD. Ils avaient même proposé d'en regarder quelques épisodes avec elle après le repas du réveillon. Tout cela mettait Emily légèrement mal à l'aise – elle frémissait en imaginant son père faire des recherches en ligne sur les lesbiennes –, mais pas autant que cela la rendait heureuse.

Le revirement à 180° de sa famille lui donnait envie de faire des efforts, elle aussi. Et sa mère n'avait pas forcément tort. Tout ce que voulait Emily, c'était que sa vie redevienne comme avant les drames en série des derniers mois. Les Fields fréquentaient la Sainte-Trinité, la plus grosse église catholique de Rosewood et ce, d'aussi loin que remontaient les souvenirs de la jeune fille. Se rendre là-bas lui remonterait peut-être le moral.

— D'accord, dit Emily en se levant. Je viens.

— Parfait. (Mme Fields rayonnait.) On part dans trois quarts d'heure.

Sur ce, elle sortit de la chambre.

Emily se dirigea vers la fenêtre et s'accouda au rebord. La lune s'était levée au-dessus des arbres ; les champs de maïs qui s'étendaient derrière la maison étaient couverts de neige immaculée, et dans le jardin de ses voisins, une épaisse couche de glace s'était formée sur le toit du portique de jeux en forme de château.

Soudain, quelque chose de blanc fila entre les tiges de maïs mortes. Emily se redressa, tous les sens en alerte. Elle se supposa que ça n'était qu'un cerf, mais ne put le vérifier : quand elle plissa les yeux pour mieux voir, elle ne distingua que des ténèbres.

La Sainte-Trinité était l'une des plus vieilles églises de Rosewood. La pierre du bâtiment s'effritait par endroits, et dans le cimetière attenant, les pierres tombales étaient de guingois, comme des dents mal alignées.

Pour Halloween, l'année de leur 5ᵉ, Ali avait raconté à ses amies l'histoire du fantôme d'une adolescente qui hantait les rêves de sa petite sœur. Elle les avait mises au défi de s'introduire dans le cimetière à minuit pour psalmodier « les os de ma sœur morte » vingt fois de suite sans hurler ni s'enfuir. Seule Hanna, qui aurait traversé la cour de l'Externat toute nue pour prouver à Ali combien elle était cool, avait tenu jusqu'au bout.

L'intérieur de l'église sentait comme dans les souvenirs d'Emily : un curieux mélange de moisissure, de jus de viande et d'urine de chat. Au plafond et sur les murs, des vitraux très beaux mais un peu effrayants dépeignaient toujours les mêmes scènes bibliques. Emily se demanda si Dieu la regardait en ce moment et s'indignait qu'elle ose mettre les pieds dans un endroit pareil. Elle espéra qu'il ne déclencherait pas une pluie de sauterelles sur Rosewood par sa faute.

Mme Fields fit signe au père Tyson, le gentil prêtre aux cheveux blancs qui avait baptisé Emily, lui avait enseigné les dix commandements et l'avait rendue accro au *Seigneur des Anneaux*. Puis elle prit deux gobelets de café sur la table dressée près d'une statue de la Vierge Marie et entraîna sa fille vers l'estrade.

Comme elles s'installaient derrière un homme de haute taille et ses deux jeunes enfants, Mme Fields parcourut le programme musical.

— Le groupe qui va jouer s'appelle Carpe Diem. Oh, les musiciens sont tous élèves de 1re à l'Académie de la Sainte-Trinité ! C'est amusant, non ?

Emily grogna. Pendant les vacances d'été entre le CM1 et le CM2, ses parents l'avaient envoyée en colonie au Camp catholique des Longs Pins. Jeffrey Kane, un de ses moniteurs, chantait dans un groupe qui avait joué le dernier soir de son séjour. Ils avaient repris des vieilles chansons de Creed, et pendant tout le « concert », Jeffrey avait roulé des yeux et grimacé comme s'il avait une épiphanie. Emily n'osait pas imaginer ce que pouvait donner un groupe de lycéens catholiques baptisé Carpe Diem.

Des accords de guitare emplirent l'église. Un énorme baffle bloquait partiellement la vue de la scène, aussi Emily ne vit-elle que le type aux cheveux en bataille qui jouait de la batterie. Musicalement, Carpe Diem semblait plus proche du « rock emo » que de Creed. Et quand le chanteur attaqua le premier couplet, Emily fut surprise de constater qu'il avait une belle voix.

Elle se décala pour mieux voir. Un type dégingandé se tenait derrière le micro, une guitare acoustique en bandoulière. Il portait un T-shirt beige usé, un jean noir et les mêmes Vans bordeaux qu'Emily. Et dire que celle-ci s'était attendue à un clone de Jeffrey Kane !

À côté d'elle, une fille se mit à chanter. En écoutant les paroles, Emily réalisa que Carpe Diem reprenait un de ses morceaux préférés d'Avril Lavigne, « Nobody's Home ». Elle l'avait écouté en boucle dans l'avion qui l'emmenait en Iowa, avec l'impression d'être la fille paumée dont parlait la chanson.

À la fin, le type dégingandé s'écarta du miro et scruta la foule. Son regard bleu clair se posa sur Emily, et il sourit. Une décharge électrique traversa la jeune fille depuis le sommet de son crâne jusqu'au bout de ses orteils, comme si son café avait contenu dix fois plus de caféine que d'habitude.

Elle jeta un coup d'œil méfiant à la ronde. Sa mère était retournée vers le buffet pour discuter avec ses amies de la chorale, Mme Jamison et Mme Hart. Quelques vieilles dames se tenaient très droites sur les bancs de devant, comme si elles étaient à la messe, fixant la scène d'un air perplexe. Près du confessionnal, le père Tyson riait de bon cœur à ce que venait de lui dire un de ses paroissiens.

C'était étonnant que personne n'ait rien vu. Emily n'avait éprouvé ça que deux fois auparavant : la première, quand elle avait embrassé Ali dans sa cabane. Et la deuxième, quand elle avait embrassé Maya dans la cabine de Photomaton de Noël Kahn juste après la rentrée. Mais c'était sans doute parce qu'elle avait beaucoup nagé tout à l'heure. À moins qu'elle fasse une allergie au nouveau parfum de PowerBar qu'elle avait testé avant l'entraînement.

Le chanteur posa sa guitare et agita la main pour saluer la foule.

— Je m'appelle Isaac, et voici Keith et Chris, lança-t-il en désignant les autres musiciens. On va faire une petite pause, mais on revint très vite.

Il jeta un nouveau coup d'œil à Emily et esquissa un pas vers elle. Le cœur battant la chamade, la jeune fille agita la main. Mais à cet instant, le batteur fit tomber une de ses cymbales. Isaac se tourna vers lui.

— Espèce de gros balourd, dit-il en riant.

Et il lui donna un coup de poing amical dans l'épaule avant de le suivre derrière le rideau rose pâle qui conduisait aux coulisses improvisées.

Emily serra les dents. Pourquoi lui avait-elle fait coucou ?

— Tu le connais ? lança une voix envieuse derrière elle.

Emily pivota. Deux filles en uniforme de l'Académie de la Sainte-Trinité – chemisier blanc et jupe noire plissée – la fixaient d'un air peu amène.

— Euh, non, répondit-elle.

Satisfaites, les deux filles échangèrent un regard.

— Isaac est dans mon cours de maths, dit la blonde à sa copine. Il est tellement mystérieux ! Je ne savais même pas qu'il chantait dans un groupe.

— Il a une petite amie ? murmura la brune.

Emily se dandina d'un pied sur l'autre. C'étaient des versions catholiques d'Hanna Marin : super minces, avec de longs cheveux brillants, un maquillage parfait et des sacs Coach assortis. Emily porta une main à ses propres cheveux abîmés par le chlore et lissa son vieux pantalon en toile Old Navy, au moins une taille trop grand pour elle. Soudain, elle regrettait de ne pas s'être maquillée – non qu'elle le fasse d'habitude...

Évidemment, elle n'avait aucune raison de se sentir en compétition avec ces filles. Ce n'était pas comme si elle avait des vues sur le dénommé Isaac. Le courant électrique qui l'avait traversée et qui lui picotait encore le bout des doigts ne signifiait rien. C'était juste une coïncidence, ou une erreur. Voilà : une erreur.

À cet instant, quelqu'un tapa sur l'épaule d'Emily. La jeune fille sursauta et se retourna.

C'était Isaac. Et il lui souriait.

— Salut.

— Euh, salut, bredouilla Emily, ignorant les palpitations affolées de son cœur. Je m'appelle Emily.

— Isaac.

De près, il sentait le shampooing à l'orange Body Shop – celui-là même qu'Emily utilisait depuis des années.

— J'ai adoré votre reprise de « Nobody's Home », le félicita Emily. Cette chanson m'a vraiment aidée pendant mon dernier séjour dans l'Iowa.

— L'Iowa, hein ? J'imagine que ce n'est pas facile tous les jours là-bas, plaisanta Isaac. J'y suis allé une fois avec l'association pour la jeunesse catholique. Et toi, qu'est-ce que tu y faisais ?

Emily hésita en se grattant la nuque. Elle sentait les deux filles la fixer. Peut-être n'aurait-elle pas dû parler de l'Iowa, ni dire qu'elle se retrouvait dans une chanson aux paroles aussi tristes.

— Je rendais visite à ma famille, répondit-elle enfin, triturant le couvercle en plastique de son gobelet. Mon oncle et ma tante vivent près de Des Moines.

— Je comprends qu'on puisse se retrouver dans cette chanson. (Isaac s'écarta pour laisser passer des gamins de maternelle qui jouaient au chat.) Au début, quand je la reprenais, les gens se moquaient de moi parce qu'elle parle d'une fille. Mais moi, je pense qu'elle peut s'appliquer à n'importe qui. À un moment ou à un autre, tout le monde cherche sa place dans ce monde ; tout le monde se sent seul et incompris.

— C'est aussi ce que je crois, acquiesça Emily avec gratitude.

Par-dessus son épaule, elle jeta un coup d'œil à sa mère. Mme Fields était toujours absorbée par sa conversation avec ses amis. Tant mieux : Emily n'était pas sûre de supporter qu'elle l'observe à cet instant précis.

Isaac pianota sur le dossier du banc voisin.

— Tu ne vas pas à la Sainte-Trinité.

Emily secoua la tête.

— Non, je suis à l'Externat de Rosewood.

— Ah. (Isaac baissa timidement les yeux.) Écoute, il faut que je retourne sur scène dans une minute, mais on pourrait peut-être discuter de musique et d'autres trucs un peu plus tard ? Aller manger un bout ensemble ? Se promener ? Tu sais : un rencard.

Emily faillit s'étrangler avec son café. Un rencard ? Elle voulut le détromper : elle ne sortait pas avec des garçons. Mais ce fut comme si les muscles de sa bouche refusaient de prononcer les mots.

— Une promenade, par ce temps ? balbutia-t-elle en désignant la neige qui s'entassait de l'autre côté des fenêtres en verre teinté.

Isaac haussa les épaules.

— Pourquoi pas ? On pourrait faire de la luge. J'ai des bouées spéciales, et il y a une chouette colline derrière Hollis.

Emily écarquilla les yeux.

— Tu parles de la grande, près du bâtiment de chimie ?

Isaac repoussa ses cheveux en arrière et acquiesça.

— Oui, celle-là.

— Quand j'étais plus jeune, je traînais mes amies là-bas tout le temps.

Ses descentes en luge avec Ali et les autres comptaient parmi les plus beaux souvenirs hivernaux d'Emily. Mais à partir de la 5e, Ali avait décrété que la luge, c'était pour les bébés. Et Emily n'avait jamais trouvé personne d'autre qui veuille en faire avec elle.

Elle prit une grande inspiration et déclara :

— J'adorerais y aller avec toi.

Les yeux d'Isaac brillèrent.

— Génial !

Ils échangèrent leurs numéros de portable sous le regard ébahi des deux filles de la Sainte-Trinité. Puis Isaac dit au revoir à Emily, et celle-ci se dirigea vers sa mère en se demandant dans quel guêpier elle venait de se fourrer.

Elle ne pouvait pas avoir un rencard avec ce garçon. Ils allaient juste faire de la luge entre amis. La prochaine fois qu'elle le verrait, elle lui expliquerait tout de suite de quoi il retournait, histoire qu'il ne nourrisse pas de faux espoirs.

Mais alors qu'elle regardait Isaac se faufiler parmi la foule, s'arrêtant de temps à autre pour échanger quelques mots avec quelques jeunes ou quelques paroissiens plus âgés, Emily fut prise d'un doute. Désirait-elle vraiment qu'ils soient juste amis ? Tout à coup, elle ne savait plus du tout ce qu'elle voulait.

7

LA JOYEUSE FAMILLE HASTINGS

Tôt le mardi matin, Spencer gravit les marches du tribunal de Rosewood sur les talons de sa sœur, le vent lui cinglant le dos. Sa famille avait rendez-vous avec l'avocat des Hastings, Ernest Calloway, pour la lecture du testament de Nana.

Melissa lui tint la porte ouverte. Le hall du tribunal était empli de courants d'air et chichement éclairé. Seules quelques lampes diffusaient une lumière jaunâtre dans les couloirs voisins. Il était encore trop tôt pour que les employés et les magistrats soient arrivés.

Spencer frissonna d'appréhension. La dernière fois qu'elle avait mis les pieds ici, c'était pour l'inculpation de Ian. Et elle y reviendrait en fin de semaine pour témoigner à son procès.

Les pas des deux sœurs résonnaient sur le sol de marbre. La salle de conférences réservée par maître Calloway était encore fermée à clé; Spencer et Melissa étaient les premières.

Spencer s'adossa au mur et se laissa glisser jusqu'au tapis oriental, détaillant un grand portrait de William W. Rosewood. Au XVIIe siècle, cet homme à la mine constipée avait fondé la ville qui portait son nom en compagnie d'un group d'autres Quakers. Pendant plus d'un siècle, trois familles de fermiers s'étaient partagé la ville de Rosewood, qui comptait alors plus de vaches que d'habitants. Le centre commercial King James avait été construit à l'emplacement d'un immense pâturage.

Melissa imita sa cadette en se tamponnant les yeux avec un Kleenex rose. Elle n'arrêtait pas de pleurer depuis l'annonce de la mort de Nana. Les deux sœurs écoutèrent le vent souffler sur les fenêtres et faire trembler tout le bâtiment. Melissa but une gorgée du cappuccino qu'elle avait acheté au Starbucks en chemin.

— Tu en veux? proposa-t-elle à Spencer.

Elle accepta. Melissa était particulièrement sympa avec elle depuis quelque temps, alors que d'habitude elles ne cessaient de se disputer et d'essayer de se surpasser l'une l'autre (et en règle générale, c'était Melissa qui gagnait). Peut-être cela venait-il du fait que, pour une fois, leurs parents en voulaient presque autant à Melissa qu'à Spencer. Leur fille aînée avait menti à la police pendant des années, affirmant que Ian, avec qui elle sortait à l'époque, ne l'avait pas quittée la nuit où Ali avait disparu. En réalité, elle s'était réveillée vers vingt-trois heures – seule dans son lit. Elle avait eu peur d'en parler parce que Ian et elle étaient complètement soûls, et que ça aurait fichu un coup à sa réputation de Miss Perfection.

Tout de même, elle semblait encore plus prévenante que ces derniers jours, ce qui éveilla les soupçons de Spencer. Après avoir bu une longue gorgée de café, Melissa dévisagea prudemment sa cadette.

— Tu as écouté les infos ces derniers jours? Il paraît qu'il n'y a pas assez de preuves pour condamner Ian.

Spencer se raidit.

— J'ai entendu ça ce matin, oui.

Mais elle avait également entendu le démenti de Jackson Hughes, le substitut du procureur à Rosewood. Selon lui, les preuves ne manquaient pas, et justice devait être faite en mémoire de la victime de ce crime ignoble.

Spencer et ses anciennes amies avaient rencontré M. Hughes des tas de fois pour discuter du procès. Spencer l'avait vu plus souvent que les autres parce que, selon lui, son témoignage était capital : n'avait-elle pas vu Ali et Ian ensemble une seconde avant que l'adolescent disparaisse? M. Hughes lui avait expliqué quel genre de questions on lui poserait, comment elle devrait répondre, ce qu'elle devrait faire et ne pas faire. Ce n'était pas très différent de jouer dans une pièce, sauf qu'au lieu de récolter des applaudissements, le principal protagoniste irait en prison jusqu'à la fin de ses jours.

Melissa renifla, et Spencer lui jeta un coup d'œil. Sa sœur avait les yeux baissés, et elle pinçait les lèvres d'un air préoccupé.

— Quoi? demanda Spencer un peu brusquement, tandis que ses soupçons augmentaient.

— Tu sais pourquoi ils considèrent les preuves insuffisantes, pas vrai? chuchota Melissa.

Spencer secoua la tête.

— C'est à cause de l'Orchidée d'or, expliqua sa sœur en la surveillant du coin de l'œil. Tu as menti à propos de ton essai. Donc, ils doutent de ta... fiabilité.

La gorge de Spencer se serra.

— Mais ce n'est pas du tout la même chose!

Melissa pinça les lèvres et fixa délibérément la fenêtre.

— Tu me crois, n'est-ce pas? demanda Spencer sur un ton pressant.

Pendant longtemps, elle avait oublié tout ce qui s'était

passé la nuit de la disparition d'Ali. Puis cela avait commencé à lui revenir par bribes. Son dernier souvenir réprimé représentait deux silhouettes sombres dans les bois – Ali et Ian.

— Je sais ce que j'ai vu, insista-t-elle. Ian était là.

— Ce ne sont que des paroles, marmonna Melissa. (Puis elle jeta un coup d'œil à sa cadette en se mordant violemment la lèvre supérieure.) Il y a autre chose. (Elle déglutit.) Ian m'a… appelée hier soir.

— De la prison ?

Spencer éprouva la même sensation que la fois où Melissa l'avait poussée du gros chêne dans leur jardin – d'abord, une surprise mêlée d'incrédulité puis, quand elle avait touché terre, une douleur brûlante.

— Qu-qu'est-ce qu'il t'a dit ?

Tout était tellement silencieux dans le couloir qu'elle entendit Melissa avaler sa salive.

— Entre autres choses, que sa mère est très malade.

— Malade comment ?

— Elle a un cancer, mais je ne sais pas lequel. Ian est effondré. Il a toujours été proche de sa mère, et il craint que ce soit son arrestation qui ait tout provoqué.

Mais qui avait provoqué l'arrestation de Ian, sinon Ian lui-même ? songea Spencer en faisant sauter, d'une pichenette, une bouloche accrochée à son manteau en cachemire.

Melissa se racla la gorge et écarquilla ses yeux rougis.

— Il ne comprend pas pourquoi nous lui faisons ça, Spence. Il nous supplie de ne pas témoigner contre lui pendant son procès – il n'arrête pas de répéter que c'est un malentendu. Il n'a pas tué Ali. Au téléphone, il semblait si… désespéré.

Spencer en resta bouche bée.

— Ne me dis pas que tu comptes te rétracter ?

Une veine palpitait dans le cou de cygne de Melissa.

— J'ai du mal à y croire, c'est tout. Je sortais avec Ian à l'époque du meurtre. S'il a vraiment fait tout ça, comment ai-je pu ne rien soupçonner ?

Spencer acquiesça. Soudain, elle se sentait vidée. Dans le fond, elle comprenait Melissa. Ian et elle avaient formé un couple modèle au lycée, et Spencer se souvenait combien sa sœur avait été bouleversée quand Ian avait rompu avec elle au milieu de leur première année de fac.

Lorsqu'il était revenu à Rosewood à la fin de l'été pour entraîner l'équipe de hockey sur gazon de Spencer, Melissa et lui s'étaient très vite remis ensemble. Vu de l'extérieur, Ian était le petit ami idéal : attentif, gentil, honnête et sincère. Le genre de type qui aide les vieilles dames à traverser la rue. C'était un peu comme si Spencer sortait avec Andrew Campbell, et qu'Andrew se faisait arrêter pour avoir dealé du crack depuis sa Mini Cooper.

Une pelleteuse à neige gronda dehors, et Spencer releva aussitôt les yeux. Non qu'il y ait la moindre chance qu'elle sorte un jour avec Andrew Campbell. Ce n'était qu'un exemple. Parce qu'Andrew ne lui plaisait pas. Il avait juste le profil du parfait fils chéri de Rosewood.

Melissa voulut ajouter quelque chose, mais la porte du tribunal s'ouvrit au rez-de-chaussée, ouvrant le passage à M. et Mme Hastings. L'oncle de Spencer, Daniel, sa tante Geneviève, ses cousins Jonathan et Smith entrèrent à leur suite. Daniel, Geneviève, Jonathan et Smith semblaient épuisés, comme s'ils avaient traversé tout le pays pour venir là – alors qu'ils habitaient Haverford, à un quart d'heure de voiture de Rosewood.

Maître Calloway fut le dernier à pénétrer dans le hall. Il monta l'escalier d'un pas bondissant, ouvrit la salle de réunion et s'effaça devant ses clients. Mme Hastings dépassa

Spencer, tirant sur ses gants Hermès en daim et laissant derrière elle un sillage de Chanel N° 5.

Spencer s'assit dans l'un des fauteuils en cuir pivotants qui entouraient la grande table en bois de cerisier. Melissa s'installa à sa gauche. Leur père prit place face à elles, à côté de maître Calloway. Geneviève se tortilla pour ôter son manteau pendant que Jonathan et Smith éteignaient leurs BlackBerry et rajustaient leur cravate Brooks Brothers. Ils avaient toujours été très collet monté. Du temps où les deux familles fêtaient Noël ensemble, ils déballaient leurs cadeaux en faisant bien attention à ne pas déchirer le papier.

— Commençons, voulez-vous?

Maître Calloway remonta ses lunettes à monture en écaille de tortue sur son nez et tira un épais document d'une enveloppe en kraft. La lumière du plafonnier scintillait sur son crâne chauve. Il entama le préambule des dernières volontés de Nana, certifiant qu'elle était saine de corps et d'esprit quand elle avait rédigé cette dernière version de son testament.

Nana voulait que son patrimoine immobilier – son manoir de Floride, sa maison de plage et son appartement-terrasse de Philadelphie – ainsi que le plus gros de ses valeurs mobilières soient divisés entre ses enfants : le père de Spencer, oncle Daniel et tante Pénélope. Lorsque maître Calloway prononça le nom de cette dernière, tout le monde sursauta et se regarda avec stupéfaction, comme si Pénélope était là et que personne ne s'en était aperçu. Ce qui n'était évidemment pas le cas.

Spencer ne se souvenait même plus quand elle avait vu sa tante pour la dernière fois. Le reste de la famille se plaignait toujours d'elle. Pénélope était la petite dernière, et une éternelle célibataire. Elle passait d'une carrière à l'autre sans jamais se fixer, essayant tour à tour la création de vêtements ou le journalisme. Une fois, elle avait même lancé un site Internet de lecture de tarot depuis son bungalow de Bali.

Après ça, elle avait disparu, parcourant le monde, vidant le compte ouvert à son nom et négligeant de donner des nouvelles pendant des années. De toute évidence, le reste de la famille était horrifié qu'elle reçoive quoi que ce soit. Spencer se sentit soudain très proche de sa tante – chaque génération de Hastings avait peut-être besoin de son mouton noir...

— Quant à ses liquidités, poursuivit maître Calloway en tournant une page, elle lègue deux millions de dollars à chacun de ses petits-enfants naturels tels que listés ci-dessous.

Jonathan et Smith se penchèrent en avant. Spencer en resta bouche bée. *Deux millions de dollars ?*

Maître Calloway plissa les yeux.

— Deux millions de dollars à son petit-fils Smithson, deux millions de dollars à son petit-fils Jonathan et deux millions de dollars à sa petite-fille Melissa. (Il marqua une pause, et son regard effleura Spencer.) Hum, voilà, dit-il d'un air gêné. Il ne vous reste plus qu'à signer ici.

— Attendez ! s'exclama Spencer. (Tout le monde se tourna vers elle.) Je... je suis désolée, bredouilla-t-elle en passant une main dans ses cheveux pour masquer son embarras, mais je crois que vous avez oublié quelqu'un.

Maître Calloway ouvrit la bouche et la referma, comme les poissons rouges dans la mare au fond du jardin des Hastings. La mère de Spencer se leva brusquement, les yeux écarquillés. Geneviève se racla la gorge et fixa obstinément l'émeraude de trois carats qu'elle portait au majeur droit. Les énormes narines d'oncle Daniel frémirent.

Melissa et les cousins de Spencer se rassemblèrent autour du testament.

— Ici, dit l'avocat tout bas en leur désignant l'endroit où ils devaient signer.

— Euh, maître Calloway? appela Spencer, son regard faisant la navette entre l'avocat et ses parents. (Elle eut un petit rire nerveux.) Je suis bien mentionnée quelque part?

L'air hébétée, Melissa prit le testament des mains de Smith et le tendit à sa cadette. Spencer fixa la page un moment, le cœur battant à tout rompre.

Il n'y avait pas d'erreur. Nana avait légué deux millions de dollars à Smithson Pierpont Hastings, Jonathan Barnard Hastings et Melissa Josephine Hastings. Le nom de Spencer ne figurait nulle part.

— Que se passe-t-il? chuchota la jeune fille.

Son père repoussa brusquement son fauteuil et se leva.

— Spencer, tu devrais peut-être nous attendre dans ta voiture.

— Quoi? couina la jeune fille, horrifiée.

Son père lui prit le bras et l'entraîna vers le couloir.

— S'il te plaît, souffla-t-il entre ses dents. Va nous attendre en bas.

Spencer ne voyait pas quoi faire, sinon obéir. M. Hastings referma très vite la porte de la salle de réunion derrière elle, et le bruit se réverbéra dans le couloir de marbre désert. Spencer écouta sa propre respiration pendant quelques secondes. Puis, réprimant un sanglot, elle fit volte-face et s'élança vers l'escalier.

Une fois dans sa voiture, elle démarra et sortit en trombe du parking. Pas question qu'elle attende. Elle voulait laisser derrière elle le tribunal et tout ce qui venait de s'y passer – le plus vite possible.

8

LA DRAGUE SUR INTERNET, C'EST MERVEILLEUX, NON ?

Le mardi en début de soirée, Aria était assise sur un tabouret dans la salle de bains de sa mère, sa trousse à maquillage Orla Kiely posée sur les genoux. Elle jeta un coup d'œil à Ella dans le miroir.

— Oh, mon Dieu, non ! s'exclama-t-elle, écarquillant les yeux à la vue des deux rectangles orange sur les joues de sa mère. Tu as mis beaucoup trop de *terracotta*. Tu dois avoir l'air caressée par le soleil, pas calcinée.

Ella fronça les sourcils et s'essuya les joues avec un Kleenex.

— C'est le milieu de l'hiver ! protesta-t-elle. Qui peut bien se faire caresser par le soleil en cette saison ?

— Tu cherches à reproduire le look que tu avais en Crète ? Tu te souviens comme on avait bronzé pendant cette croisière ? Et...

Aria s'interrompit brusquement. Peut-être n'aurait-elle pas dû parler de la Crète. C'était l'époque où ses parents s'aimaient encore...

Mais Ella ne parut pas ébranlée par la mention de ces vacances familiales.

— Bronzage égale cancer de la peau, répliqua-t-elle. (Elle porta une main à ses gros bigoudis en éponge rose.) On les enlève quand ?

Aria consulta sa montre. Le rencard qu'Ella s'était dégoté sur Match.com, le mystérieux Wolfgang amateur des Rolling Stones, serait là dans un quart d'heure.

— Maintenant, je crois.

Elle défit le premier bigoudi. Une mèche des cheveux noirs d'Ella se déroula et lui tomba dans le dos. Aria ôta les autres bigoudis, secoua la bombe de laque et aspergea brièvement la tête de sa mère.

— Et voilà !

Ella s'examina dans le miroir.

— C'est très réussi.

En principe, Aria n'était pas très branchée coiffure et maquillage. Mais elle s'était bien amusée à préparer sa mère pour son rendez-vous. De plus, c'était la première fois qu'elle passait autant de temps seule avec Ella depuis son retour à la maison. Mieux encore, ça l'avait empêchée de penser à Xavier.

Deux jours déjà qu'elle se repassait leur conversation en boucle, essayant de déterminer si elle appartenait plutôt au registre du bavardage amical ou à celui du flirt. Les artistes étaient plus sensibles et démonstratifs que la moyenne – impossible de deviner leurs véritables intentions. Pourtant, Aria espérait qu'il l'appellerait. Elle avait noté son prénom et son numéro de portable dans le livre d'or de la galerie, en rajoutant un astérisque à côté. Les artistes regardaient bien ce genre de choses, non ? Aria imaginait déjà leur premier rendez-vous : il commencerait par une séance de peinture avec les doigts et cela se terminerait par des étreintes délicieusement salissantes sur le plancher du studio de Xavier.

Ella saisit un mascara et se pencha vers le miroir.

— Ça ne te dérange pas que je sorte avec un homme, tu en es sûre ?

— Bien sûr que non, ne t'inquiète pas.

En vérité, Aria craignait que ce rencard ne soit guère prometteur. Le type s'appelait Wolfgang, pour l'amour de Dieu ! Et s'il parlait en vers ? Si c'était lui qui se déguisait en Mozart pour le festival des Grands Compositeurs de l'Histoire organisé chaque année par le conservatoire de Hollis ? Et s'il débarquait en pourpoint de soie, collants blancs et perruque poudrée ?

Ella se leva et passa dans la chambre. Brusquement, elle s'immobilisa.

— Oh.

Elle fixait la robe bleu-vert qu'Aria avait déposée sur le lit. En début d'après-midi, la jeune fille avait fouillé la penderie de sa mère en quête d'une tenue appropriée pour un rencard, craignant de ne rien trouver parmi les dashikis, tuniques et autres robes de prière tibétaines qu'affectionnait Ella. Cette robe était reléguée au fond du placard, encore enveloppée d'une housse en plastique du pressing – simple et flatteuse, avec de minuscules découpes sur le bord du décolleté. Aria l'avait trouvée parfaite… mais à en juger l'expression de sa mère, elle s'était peut-être trompée.

Ella s'assit près de la robe et toucha le tissu soyeux.

— Je l'avais complètement oubliée, dit-elle d'une petite voix. Je l'avais portée à la soirée organisée en l'honneur de ton père quand il a été titularisé à Hollis. C'était la nuit où tu as dormi chez Alison DiLaurentis pour la première fois. Nous avions dû courir t'acheter un sac de couchage parce que tu n'en avais pas – tu te souviens ?

Aria se laissa tomber dans le fauteuil rayé qui occupait un coin de la pièce. Elle s'en souvenait parfaitement. C'était peu de temps après la vente de charité de l'Externat au cours de laquelle Ali était venue lui parler et lui avait demandé de l'aide pour trier tous les objets de luxe. Aria avait d'abord cru qu'elle tentait de lui jouer un mauvais tour. Pas plus tard que la semaine précédente, Ali avait proposé à Chassey Bledsoe d'essayer son nouveau parfum. En réalité, son vaporisateur était rempli d'eau boueuse et répugnante provenant de la mare aux canards de Rosewood.

Ella serra la robe contre elle.

— Je suppose que tu es au courant pour... Tu sais que Meredith est...

Elle mima un ventre de femme enceinte.

Aria se mordit la lèvre et acquiesça en silence. Elle avait tellement mal au cœur pour Ella. C'était la première fois que sa mère mentionnait la grossesse de sa jeune rivale. Depuis un mois, Aria se donnait beaucoup de mal pour éviter d'aborder le sujet, mais il fallait bien qu'il arrive sur le tapis un jour ou l'autre.

Ella soupira, les dents serrées.

— Je suppose qu'il est temps de me faire de nouveaux souvenirs dans cette robe. Temps de passer à autre chose. (Elle jeta un coup d'œil à sa fille.) Et toi, tu es passée à autre chose ?

Aria haussa un sourcil.

— Tu veux savoir si j'ai réussi à oublier Byron ?

Ella repoussa ses cheveux ondulés derrière ses épaules.

— Non, je parle de ton professeur, M. Fitz.

Aria porta une main à sa bouche.

— Tu... tu étais au courant ?

Du bout du doigt, Ella suivit la fermeture Éclair de la robe.

— Ton père m'en a parlé. (Elle eut un sourire gêné.) M. Fitz a été muté à Hollis. Byron a entendu dire qu'on lui avait demandé de quitter l'Externat à cause de toi. (De nouveau, elle jeta un coup d'œil à sa fille.) J'aurais aimé que tu m'en parles.

Aria fixa la grande toile abstraite accrochée au mur d'en face – un tableau d'Ella qui les représentait, son frère et elle, en train de flotter dans l'espace. Si elle n'avait rien dit à sa mère, c'était parce qu'à l'époque, celle-ci refusait de décrocher quand elle l'appelait.

Ella baissa les yeux d'un air penaud, comme si elle venait juste de réaliser.

— Il n'a pas... abusé de toi, j'espère ?

Aria secoua la tête et se cacha derrière ses cheveux.

— Non. C'était assez innocent.

Elle repensa aux rares fois où elle s'était trouvée seule avec Ezra : leur séance de pelotage frénétique dans la pénombre des toilettes du Snooker's, un baiser dans le bureau du jeune homme, au lycée, quelques heures volées dans son appartement du Vieil Hollis. Ezra avait été son premier amour, et elle avait cru qu'il l'aimait aussi. Quand il lui avait dit de reprendre contact avec lui lorsqu'elle serait majeure, Aria avait pensé qu'il proposait de l'attendre. Mais quelqu'un qui l'attendait lui aurait donné des nouvelles de temps à autre, pas vrai ? À présent, Aria se demandait si elle n'avait pas été affreusement naïve.

Elle prit une grande inspiration.

— Nous n'étions sans doute pas faits l'un pour l'autre. Mais j'ai peut-être rencontré quelqu'un depuis.

— Vraiment ? (Ella enleva ses pantoufles et ses chaussettes.) Qui ça ?

— Juste... quelqu'un, répondit Aria sur un ton léger.

(Elle ne voulait rien gâcher par trop d'optimisme.) Je ne suis pas encore sûre qu'il se passera quelque chose entre nous.

— C'est quand même super.

Ella caressa les cheveux de sa fille si affectueusement que les yeux d'Aria se remplirent de larmes. Enfin, elles recommençaient à se parler ! Peut-être que les choses allaient redevenir normales entre elles...

Ella prit la robe par le cintre et l'emporta dans la salle de bains. Au moment où elle ouvrait le robinet, on sonna à la porte.

— Merde. (Elle passa la tête dans la chambre, écarquillant ses yeux soulignés au crayon noir.) Il est en avance. Tu veux bien lui ouvrir ?

— Moi ? couina Aria.

— Dis-lui que je descends dans une seconde.

Et sans laisser à sa fille le temps de répondre, Ella claqua la porte.

Aria cligna des yeux. On sonna de nouveau. Elle se précipita vers la salle de bains.

— Je fais quoi s'il est vraiment moche ? chuchota-t-elle à travers la porte. Ou s'il a des poils qui lui sortent des oreilles ?

Ella éclata de rire.

— Ce n'est qu'un rencard, ma chérie.

Aria redressa les épaules et descendit. À travers le verre dépoli de la porte d'entrée, elle distingua une silhouette qui se dandinait d'un pied sur l'autre. Elle inspira profondément et ouvrit.

Un type aux cheveux courts se tenait sous le porche. Aria le reconnut aussitôt. Elle demeura muette un instant, incapable d'émettre le moindre son.

— Xavier ? s'étrangla-t-elle enfin.

— Aria ? (Le jeune homme plissa les yeux d'un air soupçonneux.) C'est vous qui... ?

— Bonsoir.

Ella apparut derrière sa fille, finissant d'attacher une de ses créoles en or. Sa robe bleu-vert la moulait à la perfection, et ses cheveux noirs lui tombaient en cascade dans le dos. Elle fit un grand sourire à Xavier.

— Vous devez être Wolfgang.

— Oh, mon Dieu, non. (Le jeune homme porta une main à sa bouche.) Ce n'est que mon pseudo Internet.

Son regard passait de la mère à la fille et *vice versa*. On aurait dit qu'il se retenait de rire. Dans la lumière du hall, il paraissait un peu plus âgé qu'au vernissage – une petite trentaine d'années au minimum.

— En fait, je m'appelle Xavier. Et vous êtes Ella ?

— Oui. (Ella posa une main sur l'épaule d'Aria.) Et voici ma fille, Aria.

— Je sais, répondit lentement Xavier.

Ella parut interloquée.

— Nous nous sommes rencontrés dimanche, intervint très vite Aria sur un ton encore choqué. À ce vernissage. Xavier était l'un des exposants.

— Vous êtes Xavier Reeves ? s'exclama Ella, ravie. Je voulais aller à votre vernissage, mais j'ai donné mon invitation à Aria. (Elle regarda sa fille.) J'ai été tellement occupée depuis que je ne t'ai même pas demandé comment c'était. Tu as aimé ?

Aria cligna des yeux.

— Je...

Xavier toucha le bras d'Ella.

— Elle ne peut pas dire du mal de mes toiles devant moi ! Vous lui demanderez après mon départ.

Ella gloussa comme si elle n'avait jamais rien entendu

d'aussi drôle. Puis elle passa un bras autour des épaules de sa fille. Aria sentit qu'elle tremblait. *Elle est nerveuse*, réalisa-t-elle. Ella avait craqué pour Xavier au premier regard.

— C'est une drôle de coïncidence, pas vrai ? grimaça Xavier.

— Une *merveilleuse* coïncidence, rectifia Ella.

Elle se tourna vers Aria d'un air interrogateur. La jeune fille se sentit obligée d'afficher le même sourire béat.

— Merveilleuse, acquiesça-t-elle.

Merveilleusement flippante, oui !

9

CE N'EST PAS DE LA PARANOÏA SI ON EN A VRAIMENT APRÈS TOI

Plus tard ce même mardi, Emily claqua la portière de la Volvo de sa mère et traversa l'immense jardin qui s'étendait devant la maison des Hastings. Elle avait séché la seconde moitié de l'entraînement de natation pour voir ses anciennes amies et, ainsi que l'avait suggéré Marion, s'assurer qu'elles allaient toutes bien.

Alors qu'elle s'apprêtait à sonner, son Nokia bipa. Emily le sortit de sa parka de ski jaune vif et consulta l'écran. Isaac lui avait envoyé une nouvelle sonnerie. Quand elle ouvrit le fichier, elle entendit sa chanson préférée de Jimmy Eat World, celle dans laquelle Jim Adkins disait : « *Can you still feel the butterflies*[1] *?* » Elle l'avait beaucoup écoutée en septembre, à l'époque où elle était en train de tomber amoureuse de Maya.

Salut Emily, disait le message d'accompagnement. *Cette chanson me fait penser à toi. On se voit demain à la colline !*

1. « Tu sens toujours les papillons ? », façon américaine de demander si quelqu'un est toujours ému et troublé. *(N.d.T.)*

Emily rosit de plaisir. Isaac et elle avaient échangé des textos toute la journée. Il lui avait parlé de son cours de catéchisme – donné par le père Tyson, qui l'avait également rendu accro au *Seigneur des Anneaux* – ; elle lui avait raconté le traumatisme de son exposé oral sur la bataille de Bunker Hill en histoire. Ils avaient comparé leurs séries télé et leurs livres préférés, et découvert qu'ils étaient tous les deux fans des films de M. Night Shyamalan malgré la médiocrité de leurs dialogues.

Emily n'avait jamais été le genre de fille scotchée à son portable pendant les cours – sans compter que c'était théoriquement interdit à l'Externat –, mais chaque fois qu'elle avait entendu biper son Nokia, elle n'avait pu s'empêcher de répondre immédiatement à Isaac.

Plusieurs fois dans la journée, elle s'était demandé ce qu'elle faisait et avait tenté d'analyser ses sentiments. Isaac lui plaisait-il ? Était-elle encore capable de s'intéresser à un garçon ?

Une branche craqua non loin d'elle. Emily reporta son attention sur la rue sombre et déserte.

L'air était froid, sans odeur. Une épaisse couche de glace avait fait passer du rouge au blanc le drapeau qui ornait la boîte aux lettres des Cavanaugh. Plus bas, la maison des Vanderwaal était inoccupée – la famille de Mona avait quitté la ville peu après le décès de la jeune fille. Un frisson parcourut l'échine d'Emily. Pendant tout ce temps, « A » avait vécu à quelques mètres de chez Spencer, et aucune d'entre elles ne s'en était doutée.

Emily laissa retomber son Nokia dans sa poche et appuya sur la sonnette des Hastings. Elle entendit un bruit de pas à l'intérieur, puis Spencer ouvrit la porte à la volée, ses cheveux blond foncé détachés.

— Les autres sont dans la salle télé, marmonna-t-elle.

Une odeur de beurre planait dans l'air. Perchées au bord du canapé, Aria et Hanna picoraient le contenu d'un saladier de pop-corn. La télé diffusait un épisode de *The Hills* mais sans le son.

— Alors, s'enquit Emily en se laissant tomber sur une chaise. On est censées appeler Marion ?

Spencer haussa les épaules.

— Elle a juste dit qu'on devait... discuter entre nous.

Les quatre filles se regardèrent en silence.

— J'espère que vous avez pensé à vos chants rituels, lança Hanna sur un ton faussement préoccupé.

— *Ommmmmmm*, fredonna Aria avant de se mettre à glousser.

Emily tira sur un fil de son blazer bleu marine. Elle avait presque envie de défendre Marion : après tout, la conseillère essayait jute de les aider.

Promenant un regard à la ronde, elle remarqua une photo appuyée contre le pied d'une grosse tour Eiffel en fer forgé. C'était un cliché en noir et blanc qui montrait Ali devant les garages à vélos de l'Externat, sa veste d'uniforme jetée sur le bras. La photo qu'Emily avait demandée à Spencer de ne pas brûler.

Emily étudia le cliché pris sur le vif. Celui-ci avait quelque chose de saisissant, de très réaliste. La jeune fille pouvait presque sentir la fraîcheur de l'air automnal et le parfum des pommiers aux fruits acides qui parsemaient la pelouse de l'Externat. Ali faisait face à la caméra, riant à gorge déployée. Dans sa main droite, elle tenait un prospectus. Emily plissa les yeux pour déchiffrer l'inscription. LA CAPSULE TEMPORELLE COMMENCERA DEMAIN. PRÉPAREZ-VOUS !

— Wouah.

Emily se leva d'un bond, saisit la photo et la brandit sous le nez de ses anciennes amies. Aria écarquilla les yeux.

— Vous vous souvenez de ce jour? Quand Ali a annoncé qu'elle allait trouver un des morceaux du drapeau?

— Quel jour? (Hanna déplia ses longues jambes et se pencha pour mieux voir.) Oh. Heuh.

Spencer se rapprocha, sa curiosité ayant pris le dessus sur sa mauvaise humeur.

— C'était l'émeute dans la cour. Tout le monde a vu l'affiche en même temps, se remémora-t-elle.

Emily n'y avait pas repensé depuis des années. Elle avait été si excitée d'apprendre que le jeu de la Capsule temporelle commencerait le lendemain! Puis Ali était sortie avec Naomi et Riley; elle avait fendu la foule, arraché le papier et annoncé qu'un des morceaux du drapeau lui appartenait déjà, ou presque.

Emily sursauta en se rappelant la suite.

— Les filles... Ian s'est approché d'Ali, vous vous souvenez?

Spencer acquiesça lentement.

— Il lui a fait remarquer en plaisantant qu'elle ne devrait pas s'en vanter, parce que quelqu'un risquait de le lui voler.

Hanna porta une main à sa bouche.

— Et Ali a répliqué que c'était impossible. Que si quelqu'un voulait lui prendre son morceau, il devrait...

— ... la tuer, acheva Spencer, livide. Et Ian a répondu quelque chose comme : « S'il faut vraiment en arriver là... »

— Oh, mon Dieu! souffla Aria.

L'estomac d'Emily bouillonnait. Les paroles de Ian avaient été étrangement prophétiques, mais comment auraient-elles pu deviner qu'elles devaient prendre le jeune homme au sérieux? À l'époque, tout ce qu'Emily savait de lui, c'était qu'il était l'élève auquel l'administration réclamait de l'aide quand elle avait besoin d'un volontaire pour surveiller les classes de primaire pendant la kermesse de fin d'année ou rassembler les plus petits dans la cafétéria lorsqu'une tempête de neige retardait le bus scolaire.

Ce jour-là, une fois qu'Ali s'était éloignée avec sa cour, Ian avait rebroussé chemin nonchalamment vers sa voiture. Ce n'était pas le comportement de quelqu'un qui préméditait un meurtre... ce qui rendait l'affaire encore plus flippante.

— Le lendemain matin, Ali paraissait tellement contente d'elle que tout le monde avait compris qu'elle l'avait trouvé, poursuivit Spencer, les sourcils froncés comme si cette injustice continuait à l'irriter.

Hanna fixait la photo.

— Je le voulais tellement, ce morceau de drapeau !

— Moi aussi, avoua Emily.

Elle jeta un coup d'œil à Aria, qui se dandina et évita soigneusement son regard.

— On avait toutes envie de gagner, résuma Spencer. (Elle s'adossa au canapé en serrant un coussin de satin bleu contre sa poitrine.) Sinon, on ne se serait pas pointées dans son jardin deux jours plus tard avec l'intention de le lui voler.

— Vous ne trouvez pas ça bizarre que quelqu'un ait mis la main dessus avant nous ? demanda Hanna en faisant tourner un gros bracelet en turquoises autour de son poignet. Je me demande ce qu'il est devenu...

Soudain, la sœur aînée de Spencer, Melissa, fit irruption dans la pièce. Elle portait un sweat-shirt beige trop grand et un jean pattes d'eph. Son visage rond avait une teinte cendreuse.

— Les filles, lança-t-elle d'une voix tremblante, en tendant un doigt vers la télé. Mettez les infos. Tout de suite.

Emily et les autres la fixèrent un instant sans réagir.

Frustrée, Melissa saisit la télécommande et appuya sur la touche 4.

Une foule dense apparut à l'écran. Des tas de journalistes brandissaient des micros sous le nez de quelqu'un. L'image bougeait comme si le cameraman était bousculé en tous sens.

Puis les têtes s'écartèrent. Emily distingua un jeune homme à la mâchoire carrée et aux yeux vert vif. C'était Darren Wilden, le plus jeune policier de Rosewood, celui qui avait aidé les filles à retrouver Spencer quand elle avait été enlevée par Mona.

La caméra se braqua ensuite sur un autre jeune homme, en costume froissé celui-là. Ces cheveux dorés un peu trop longs... Impossible de se méprendre. Emily sentit son corps se liquéfier.

— Ian ? chuchota-t-elle.

Aria lui agrippa la main.

Blanche comme un linge, Spencer dévisagea Melissa.

— Que se passe-t-il ? Pourquoi n'est-il pas en prison ?

Melissa secoua la tête en signe d'ignorance.

— Je n'en ai aucune idée.

Les cheveux de Ian brillaient comme ceux d'une statue de bronze polie, mais son visage était blême. Une journaliste de la 4e chaîne apparut ensuite à l'écran.

— Le médecin de la mère de M. Thomas a diagnostiqué un cancer du pancréas au stade terminal, expliqua-t-elle. Le juge Baxter vient de tenir une audience extraordinaire, et M. Thomas a été mis en liberté provisoire afin de pouvoir lui rendre visite.

— Quoi ? hurla Hanna.

Un gros titre défilait au bas de l'écran : LE JUGE BAXTER STATUE SUR LA DEMANDE DE MISE EN LIBERTÉ PROVISOIRE DANS L'AFFAIRE THOMAS.

Emily sentait son cœur battre dans ses tempes. L'avocat

de Ian, un type aux cheveux gris en costume rayé, se fraya un chemin à travers la foule pour venir se planter devant les caméras. Des flashs crépitèrent à l'arrière-plan.

— Le dernier souhait de la mère de mon client est de passer le peu de temps qui lui reste en compagnie de son fils, annonça-t-il. Et je suis ravi que le juge nous ait donné gain de cause. Ian restera assigné à résidence jusqu'au début de son procès, vendredi.

Emily sentit la tête lui tourner.

— Assigné à résidence? répéta-t-elle en lâchant la main d'Aria.

Les Thomas vivaient dans une grosse maison à moins d'un kilomètre et demi de chez les Hastings. Du temps où Ali était encore en vie et où Ian sortait avec Melissa, Emily l'avait entendu dire qu'il voyait le moulin des Hastings depuis la fenêtre de sa chambre.

— Ce n'est pas possible, lâcha Aria d'une voix blanche.

Les journalistes continuaient à agiter leurs micros sous le nez de Ian.

— Que pensez-vous de cette décision? Comment avez-vous vécu votre séjour en prison? Pensez-vous avoir été accusé à tort?

— Je n'ai pas tué Alison! s'exclama Ian. Et la prison était exactement telle que je l'imaginais – un enfer. (Il pinça les lèvres et regarda la caméra bien en face.) Je ferai tout ce qui sera en mon pouvoir pour ne jamais y retourner.

Un frisson parcourut l'échine d'Emily. Elle repensa à l'interview vidéo qu'elle avait regardée sur Internet avant Noël. « Quelqu'un veut me faire porter le chapeau. Quelqu'un cache la vérité. Il paiera pour ça. »

Les journalistes poursuivirent Ian tandis qu'il se dirigeait vers une limousine noire.

— Que voulez-vous dire par là ? Qui est coupable, à votre avis ? Avez-vous des révélations à nous faire ?

Ian ne répondit pas, se contentant de laisser son avocat l'entraîner vers la limousine.

Emily regarda les autres filles. Hanna était verte. Aria mâchouillait le col de son pull. Quant à Melissa, elle sortit en courant, faisant claquer la porte derrière elle. Spencer se leva et fit face à ses anciennes amies.

— Ça va aller, annonça-t-elle avec fermeté. Nous ne devons pas paniquer.

— Et s'il venait nous chercher ? chuchota Emily, le cœur battant la chamade. Il est tellement furieux... Et il nous croit responsables de son arrestation.

Un petit muscle frémit au coin de la bouche de Spencer.

La caméra zooma sur Ian tandis qu'il se glissait à l'arrière de la limousine. Un instant, son regard fou parut transpercer l'objectif, comme s'il parvenait à voir Emily et les autres. Hanna poussa un glapissement apeuré.

Les filles regardèrent Ian s'installer sur la banquette en cuir et prendre quelque chose dans la poche de sa veste. Puis son avocat claqua la portière derrière lui ; la caméra s'écarta, et la journaliste de la 4e chaîne réapparut à l'écran. Le gros titre clamait désormais : LE JUGE BAXTER ACCORDE LA LIBERTÉ PROVISOIRE À THOMAS.

Soudain, le Nokia d'Emily bipa, la faisant sursauter. Au même moment, une sonnerie s'éleva du sac à main d'Hanna. Le Treo d'Aria, posé sur ses genoux, se mit à vibrer tandis que le Sidekick de Spencer émettait deux notes aigrelettes, comme un vieux téléphone anglais.

À la télé, on ne voyait plus que les feux arrière de la limousine qui s'éloignait lentement. Emily échangea un coup d'œil avec ses anciennes amies et sentit tout le sang refluer de son visage. Elle fixa l'écran de son Nokia. « 1 nouveau message ».

D'un doigt tremblant, elle l'ouvrit.

Franchement, salopes… Vous croyiez que je vous laisserais vous en tirer aussi facilement ? Vous êtes loin d'avoir eu ce que vous méritiez. Et j'ai hâte de vous le donner. Bisous !

— A

10

LES LIENS DU SANG N'ONT DE SENS QUE POUR QUI FAIT RÉELLEMENT PARTIE DE LA FAMILLE

Quelques secondes plus tard, Spencer était au téléphone avec l'agent Wilden. Elle avait mis le haut-parleur pour que ses amies puissent écouter la conversation.

— C'est ça, oui, aboya-t-elle. Ian vient de nous envoyer un texto de menaces.

— Vous êtes certaines que c'est Ian? grésilla la voix de Wilden à l'autre bout du fil.

— Évidemment.

Spencer jeta un coup d'œil à ses amies, qui acquiescèrent avec vigueur. Après tout, qui d'autre aurait pu leur envoyer cela? Ian devait être furieux contre elles. Leurs dépositions l'avaient envoyé en prison, et leurs témoignages – surtout celui de Spencer – le condamneraient sans doute à y rester jusqu'à la fin de ses jours. Et puis, il cherchait quelque chose dans sa poche au moment où la portière s'était refermée sur lui.

— Je ne suis pas loin de chez vous, répliqua Wilden. J'arrive tout de suite.

Les filles entendirent sa voiture de patrouille remonter l'allée quelques minutes plus tard.

Wilden portait une épaisse doudoune du département de police de Rosewood qui sentait vaguement l'antimite. Comme d'habitude, son flingue était niché dans son holster, à côté de son talkie-walkie. Lorsqu'il ôta son bonnet de laine noire, Spencer vit que ses cheveux étaient plaqués contre son crâne.

— Je n'arrive pas à croire que le juge l'ait laissé sortir, siffla-t-il. Sérieusement, je n'arrive pas à y croire.

Il s'engouffra dans le hall tel le lion faisant les cent pas dans son enclos du zoo de Philadelphie.

Spencer haussa les sourcils. Elle ne l'avait pas vu aussi énervé depuis le lycée, le jour où le proviseur Appleton avait menacé de le renvoyer pour avoir tenté de voler sa Ducati vintage. Même la nuit de la mort de Mona, quand il avait dû faire un plaquage à Ian dans le jardin des Hastings pour l'empêcher de fuir, il était resté parfaitement stoïque.

Spencer trouvait cela rassurant qu'il soit aussi indigné qu'elles.

— Voici le texto, annonça-t-elle en brandissant son Sidekick sous le nez de Wilden.

Le jeune homme fronça les sourcils et étudia l'écran. Son talkie-walkie émit quelques sifflements, mais il les ignora.

Finalement, il rendit son portable à Spencer.

— Donc, vous pensez que ça vient de Ian?

— C'est évident, non? gémit Emily.

Wilden fourra les mains dans ses poches et se laissa tomber sur le canapé orné de petites roses.

— Je sais de quoi ça a l'air, commença-t-il prudemment.

Et je vous promets d'enquêter là-dessus. Mais vous devriez quand même envisager la possibilité que ce soit un *copycat*.

— Un *copycat*? glapit Hanna.

— Réfléchissez. (Wilden se pencha en avant, les coudes posés sur les genoux.) Depuis que votre histoire a fait la une des journaux, des tonnes de gens envoient des messages de ce genre signés « A ». Et même si nous avons essayé de protéger vos numéros de portables, il existe toujours des moyens de se procurer ce type d'information. (Il désigna le Sidekick de Spencer.) La personne qui a écrit ça a dû attendre la libération de Ian pour l'envoyer et faire croire que ça venait de lui, c'est tout.

— Mais... et si c'était vraiment Ian? insista Spencer. (Elle agita une main en direction de la télé restée allumée.) Et s'il voulait nous faire peur pour nous empêcher de témoigner contre lui?

Wilden lui adressa un sourire légèrement condescendant qui ne découvrit pas ses dents.

— Je comprends que vous puissiez arriver à de telles conclusions. Mais mettez-vous à la place de Ian. Même s'il est fou, il vient enfin de sortir de prison. La dernière chose qu'il veut c'est y retourner. Jamais il ne ferait quelque chose d'aussi stupide.

Spencer se passa une main sur la nuque. Elle se sentait aussi nauséeuse et désorientée que la fois où elle avait pu tester les machines d'entraînement des astronautes lors d'un voyage en famille au centre spatial Kennedy, en Floride.

— Mais il a tué Ali, balbutia-t-elle.

— Vous ne pourriez pas simplement l'arrêter une deuxième fois et le garder sous les verrous jusqu'à son procès? suggéra Aria.

— Les filles, la loi ne fonctionne pas comme ça, répliqua

Wilden. Je ne peux pas arrêter n'importe qui. Ce n'est pas à moi de décider qui va en prison ou pas.

Il fixa tour à tour chacun de leurs visages frustrés et mécontents.

— Écoutez, je surveillerai Ian personnellement, d'accord ? Et nous tâcherons de déterminer la provenance de ces textos. Nous trouverons la personne qui vous les envoie, et nous l'arrêterons, je vous le promets. D'ici là, tâchez de ne pas trop vous inquiéter. Quelqu'un s'amuse à vous faire peur, c'est tout. Probablement un pauvre idiot qui n'a rien de mieux à faire. Vous voulez bien essayer de ne plus y penser ?

Aucune des filles ne répondit. Wilden pencha la tête sur le côté.

— S'il vous plaît ?

Une sonnerie aiguë retentit à sa ceinture, qui les fit toutes sursauter. Il baissa les yeux et saisit son téléphone portable.

— Il faut que je réponde. On se voit plus tard.

Et avec un petit geste d'excuse, il se dirigea vers la sortie.

La porte se referma doucement derrière lui, emplissant le hall d'un courant d'air glacial. La maison était silencieuse à l'exception du murmure étouffé de la télévision. Spencer retournait son Sidekick dans ses mains.

— Il se peut que Wilden ait raison, murmura-t-elle sans trop y croire. Ce n'est peut-être qu'un *copycat*.

— Oui, acquiesça Hanna en déglutissant. J'ai déjà reçu plusieurs messages signés « A » depuis la mort de Mona.

Spencer serra les dents. Elle en avait reçu aussi – mais rien qui ne ressemble à ça.

— On fait comme d'habitude ? On se prévient si on reçoit d'autres messages ? suggéra Aria.

Les autres filles haussèrent les épaules pour signifier leur assentiment. Mais ce plan n'avait pas fonctionné la première fois. Spencer s'en souvenait bien : « A » lui avait envoyé des messages si personnels qu'elle s'était trouvée incapable de les partager avec ses anciennes amies, et ça avait été pareil pour les trois autres. Mais ces messages-là provenaient de Mona qui, grâce au journal intime d'Ali, connaissait tous leurs secrets et avait eu tout le loisir de fouiller dans leur vie privée. Ian était en prison depuis plus de deux mois. Que pouvait-il bien savoir sur elles, à part qu'elles le craignaient ? Rien. Et Wilden avait promis de s'en occuper.

Non que cela réconforte Spencer le moins du monde.

Il n'y avait rien à faire sinon raccompagner ses anciennes amies. Spencer les regarda descendre l'allée circulaire soigneusement déneigée en direction de leurs voitures. Le monde était absolument immobile, comme paralysé par l'hiver. Une rangée de longues stalactites pendait du toit du garage, scintillant dans la lumière des projecteurs.

Quelque chose remua près des arbres noirs qui séparaient le jardin des Hastings de celui des DiLaurentis. Puis Spencer entendit quelqu'un tousser, elle pivota en poussant un hurlement. Melissa se tenait derrière elle dans le hall, les mains plaquées sur son ventre, le visage blême comme si elle avait vu un fantôme.

— Tu m'as fait peur, souffla Spencer.

— Désolée, murmura Melissa. (Elle passa au salon, caressant au passage la harpe antique que Mme Hastings avait placée là.) J'ai entendu ce que tu as dit à Wilden. Vous avez reçu un nouveau message ?

Spencer haussa un sourcil soupçonneux. Melissa les avait-elle espionnées ?

— Si tu écoutais, pourquoi est-ce que tu n'as pas raconté à Wilden que Ian t'avait appelée de prison pour nous supplier de ne pas témoigner contre lui ? Après ça, Wilden nous aurait peut-être crues. Il aurait peut-être pu le renvoyer dans sa cellule.

Melissa pinça une des cordes de la harpe. Elle semblait... perdue et impuissante.

— Tu as vu Ian à la télé ? souffla-t-elle. Il était si maigre ! Comme si on ne lui avait pas donné à manger là-bas.

La rage et l'incrédulité submergèrent Spencer.

— Admets-le, cracha-t-elle. Tu crois que je mens à propos de ce que j'ai vu cette nuit-là comme j'ai menti à propos de l'Orchidée d'or. Tu préfères laisser Ian nous faire du mal plutôt qu'accepter qu'il ait tué Ali et qu'il mérite de retourner en prison.

Melissa haussa les épaules et pinça une autre corde. Une note aigrelette résonna dans la pièce.

— Je ne veux pas qu'on te fasse de mal, évidemment, mais... si tout ça était une erreur ? Si Ian n'était pas coupable ?

— Il l'est ! hurla Spencer, la poitrine en feu.

Melissa ne lui avait toujours pas répondu : est-ce qu'elle la soupçonnait de mentir ?

Sa sœur agita la main pour lui faire comprendre qu'elle ne voulait pas retomber dans cette discussion.

— En tout cas, je crois que Wilden a raison au sujet de ce message. Ça ne peut pas être Ian. Il ne serait pas assez stupide pour vous menacer. Il est peut-être bouleversé, mais certainement pas idiot.

Frustrée, Spencer se détourna vers la fenêtre au moment où la voiture de sa mère s'engageait dans l'allée et traversait le jardin. Quelques instants plus tard, la porte qui séparait le garage de la cuisine claqua, et les talons hauts de Mme Hastings résonnèrent sur le plancher de la cuisine. Melissa soupira et, sans rien ajouter, s'éloigna dans le couloir. Spencer l'entendit murmurer quelque chose à sa mère par-dessus un froissement de sacs en papier.

Le cœur de la jeune fille cognait douloureusement dans sa poitrine. Elle voulait se réfugier à l'étage, dans sa chambre, et ne plus penser à Ian ni à rien d'autre, mais c'était sa première opportunité d'interroger sa mère au sujet du testament de Nana. Roulant des épaules, elle prit une grande inspiration et se dirigea vers la cuisine.

Penchée au-dessus du comptoir, Mme Hastings sortait un pain au romarin encore tout frais d'un sac du supermarché Fresh Fields. Melissa revint du garage, une caisse de Moët & Chandon dans les bras.

— C'est en quel honneur, tout ce champagne? lança Spencer.

— Ben, pour la collecte de fonds, répondit Melissa comme si c'était une évidence.

Spencer fronça les sourcils.

— Quelle collecte de fonds?

Surprise, Melissa baissa le menton. Elle jeta un coup d'œil à leur mère, mais Mme Hastings continua à déballer des pâtes complètes et des légumes bio, les lèvres pincées.

— Celle qui aura lieu ici ce week-end, expliqua Melissa.

Spencer ne put retenir un couinement. Une collecte de fonds? D'habitude, c'était le genre de choses qu'elle faisait avec sa mère. Elle se chargeait des invitations, aidait à choisir le menu, traitait les réponses et concoctait même le programme musical – du classique et seulement du classique. C'était l'un des rares domaines dans lesquels elle surpassait Melissa. Peu de gens étaient assez obsessifs-compulsifs pour créer un dossier sur chaque invité et y noter qui détestait le veau ou qui se fichait d'être assis à côté des épouvantables Pembroke.

Spencer se retourna vers sa mère, le cœur battant.

— Maman ?

Mme Hastings fit volte-face. Elle toucha son bracelet en diamants d'un geste protecteur, comme si elle craignait que sa fille essaie de lui voler.

— Tu as... besoin d'aide pour organiser la collecte de fonds ?

La voix de Spencer se brisa.

Mme Hastings attrapa un bocal de gelée de mûres bio.

— J'arriverai à m'en sortir toute seule, merci.

Un nœud dur et froid s'était formé au fond du ventre de Spencer. Elle prit une grande inspiration.

— Je voulais te demander, à propos du testament de Nana... Pourquoi ne m'a-t-elle rien laissé ? Est-ce seulement légal de donner de l'argent à certains de ses petits-enfants et pas aux autres ?

Sa mère posa la gelée de mûres sur une étagère du garde-manger et ricana.

— Bien sûr que c'est légal. Dans ce pays, chacun dispose comme il veut de son patrimoine.

Et drapant sa cape en cachemire noire sur ses épaules, elle retourna vers le garage.

— Mais..., protesta Spencer.

Mme Hastings ne se retourna pas. En sortant, elle claqua la porte derrière elle. Les clochettes qui y étaient accrochées tintèrent bruyamment, faisant sursauter les deux chiens endormis.

Spencer s'affaissa. Cette fois, aucun doute ne subsistait. Elle était vraiment déshéritée. Peut-être ses parents avaient-ils parlé à Nana de la débâcle de l'Orchidée d'or. Peut-être l'avaient-ils encouragée à modifier son testament parce que Spencer avait déshonoré le nom des Hastings.

La jeune fille ferma les yeux, se demandant à quoi ressemblerait sa vie au même moment si elle s'était tue et avait accepté son prix. Aurait-elle pu participer à *Good Morning America*[1] avec les autres lauréats et recevoir les félicitations générales ? Aurait-elle vraiment pu s'inscrire dans une fac où elle aurait été admise sans autres conditions sur la base d'un essai qu'elle n'avait pas écrit – et dont elle ne comprenait pas un traître mot ? Si elle avait gardé le silence, parlerait-on d'acquitter Ian faute de preuves ?

Spencer s'appuya contre le plan de travail en granit et laissa échapper un petit gémissement pathétique. Melissa posa sur la table le sac en papier qu'elle venait de plier et s'approcha de sa sœur.

— Je suis vraiment désolée, Spence, dit-elle tout bas. (Elle hésita un instant, puis passa ses bras minces autour des épaules de sa cadette, qui était trop sonnée pour résister.) Ils ne devraient pas être si méchants avec toi.

Spencer se laissa tomber dans une des chaises qui entouraient la table de la cuisine. Elle prit une serviette en papier dans le distributeur et se tamponna les yeux.

Melissa s'assit près d'elle.

— Franchement, je ne comprends pas. J'ai beau retourner la question dans tous les sens, je ne vois vraiment pas pourquoi Nana ne t'aurait rien laissé.

— Elle me détestait, répondit Spencer d'une voix atone, son nez la picotant comme chaque fois qu'elle était sur le point d'éclater en sanglots. J'ai volé ton essai, et puis j'ai avoué ma faute. J'ai déshonoré toute la famille.

— Je ne crois pas que ce soit à cause de ça. (Melissa se pencha vers sa sœur, et Spencer sentit l'odeur de la crème solaire Neutrogena dont, en bonne maniaque, elle se badigeonnait tous les jours où même lorsqu'elle n'avait pas

1. Célèbre émission télévisée, diffusée tous les matins depuis 1975 – une véritable institution aux États-Unis. *(N.d.T.)*

l'intention de mettre le nez dehors.) Rien ne t'a frappée pendant la lecture du testament?

Spencer baissa sa serviette froissée.

— Tu veux dire, à part le fait que tout le monde ait reçu quelque chose, sauf moi?

Melissa rapprocha sa chaise en faisant racler les pieds sur le sol.

— Nana a laissé deux millions de dollars à, je cite : « chacun de ses petits-enfants naturels ».

Elle tapa trois fois sur la table pour souligner les trois derniers mots de sa phrase, tout en fixant Spencer comme si elle s'attendait à ce que celle-ci ait une révélation. Puis elle jeta un coup d'œil par la fenêtre. Leur mère était toujours en train de décharger la voiture.

— À mon avis, il y a beaucoup de secrets dans cette famille, chuchota Melissa. Des choses qu'on ne veut pas que nous sachions, toi et moi. Vu de l'extérieur, tout doit avoir l'air parfait. Mais...

Elle n'acheva pas sa phrase.

Spencer plissa les yeux. Elle ne voyait absolument pas où sa sœur voulait en venir, mais elle sentait la nausée la gagner.

— Tu vas cracher le morceau, oui?

Melissa se redressa.

— « Petits-enfants naturels », répéta-t-elle. Spence... tu n'as jamais pensé que tu étais peut-être adoptée?

11

SI TU NE PEUX PAS VAINCRE TON ENNEMIE, ALLIE-TOI AVEC ELLE

Le mercredi matin, Hanna s'enfouit sous sa couette pour étouffer le son des vocalises de Kate sous sa douche.

— Elle est tellement sûre qu'elle décrochera le rôle principal de la pièce, grommela-t-elle dans son BlackBerry. Je voudrais voir sa tête quand le metteur en scène lui annoncera que c'est du Shakespeare, pas une comédie musicale.

Lucas gloussa.

— Elle a vraiment menacé de dire à ton père que tu avais refusé de lui faire visiter le bahut ?

— Tacitement, grogna Hanna. Je peux venir habiter avec toi jusqu'à la fin de l'année scolaire ?

— J'aimerais bien, murmura Lucas. Mais il faudrait qu'on partage ma chambre.

— Ça ne me dérangerait pas, ronronna Hanna.

— Moi non plus.

Elle devina que son petit ami souriait à l'autre bout du fil.

Quelqu'un frappa à la porte, et Isabel passa la tête à l'intérieur. Avant de se fiancer avec M. Marin, elle avait été infirmière urgentiste, et elle portait toujours son vieil uniforme pour dormir. *Beurk.*

— Hanna ? (Ses paupières étaient encore plus tombantes que d'habitude.) Interdiction de téléphoner avant d'avoir fait ton lit, tu te souviens ?

Hanna se rembrunit.

— D'accord, grommela-t-elle entre ses dents.

Quelques secondes seulement après avoir porté ses valises Tumi à l'intérieur et remplacé les stores en bambou fabriqués sur mesure par des rideaux en panne de velours violette, Isabel avait instauré tout un tas de règles. Pas d'Internet après vingt et une heures, pas de téléphone tant que les corvées ménagères n'étaient pas finies. Pas de garçons à la maison en son absence et celle de M. Marin. Depuis, Hanna vivait quasiment dans un État policier.

— On me force à raccrocher, lança-t-elle dans son BlackBerry, assez fort pour que la dictatrice en uniforme d'infirmière l'entende.

— Pas grave, lui assura Lucas. J'ai réunion du club de photo ce matin, et si je ne me bouge pas, je vais être en retard.

Il fit un bruit de baiser et raccrocha.

Hanna remua ses orteils tandis que toute son irritation et ses soucis fondaient comme neige au soleil. Lucas était un bien meilleur petit ami que Sean Ackard. À lui seul, il compensait presque son absence de copines. Il comprenait qu'elle ait du mal à se remettre de ce que Mona lui avait fait, et il ricanait toujours quand elle lui racontait des anecdotes au sujet de Kate. Et puis, grâce à sa nouvelle coupe de cheveux et à sa sacoche Jack Spade venue remplacer son vieux sac à dos JanSport, il n'avait plus du tout l'air aussi ringard que quand elle avait commencé à sortir avec lui.

Une fois certaine qu'Isabel avait rebroussé chemin vers la chambre qu'elle partageait avec son père – double

« beurk » –, Hanna s'extirpa de son lit, tira vaguement sur sa couette, puis elle s'assit devant sa coiffeuse et alluma son poste de télévision.

Les haut-parleurs hurlèrent le générique du bulletin d'information matinal. ROSEWOOD RÉAGIT À LA LIBÉRATION PROVISOIRE DE THOMAS, pouvait-on lire sur le bandeau qui défilait au bas de l'écran. Hanna se figea. Elle ne voulait pas regarder, mais elle ne pouvait s'en empêcher.

Une journaliste rousse, petite et menue, s'était postée à l'entrée de la station de métro pour interroger les gens qui partaient au travail.

— C'est une honte, affirma une vieille dame maigre et hautaine qui portait un manteau en cachemire au col relevé. Ils n'auraient pas dû accorder une seule minute de liberté à ce garçon après ce qu'il a fait à cette pauvre petite !

La caméra se tourna vers une fille aux cheveux noirs âgée d'une vingtaine d'années. Son nom, Alexandra Pratt, apparut sous son visage. Hanna la reconnut. Autrefois, elle avait été la joueuse vedette de l'équipe de hockey sur gazon de l'Externat. Mais elle avait décroché son diplôme de fin d'études secondaires un an avant Ian, Melissa Hastings et Jason DiLaurentis, quand Hanna n'était encore qu'en 6e.

— Il est coupable, ça ne fait aucun doute, déclara-t-elle sans se donner la peine d'ôter ses énormes lunettes de soleil Valentino. Alison jouait parfois avec nous le week-end. Ian venait lui parler quand on avait fini. Je ne la connaissais pas plus que ça, mais je pense qu'il la mettait mal à l'aise. Elle était si jeune !

Hanna déboucha son tube de crème cicatrisante Mederma. Ce n'était pas ainsi qu'elle s'en souvenait. Ali rougissait, et son regard s'éclairait chaque fois que Ian se trouvait dans les parages. Durant une de leurs soirées pyjama, alors qu'elles s'entraînaient à embrasser – sur le coussin en forme de singe qu'Ali avait fabriqué en cours de travaux manuels –, Spencer avait fait avouer à chacune de ses amies qui elle avait envie d'embrasser pour de vrai. « Ian Thomas », avait lâché Ali sans réfléchir. Puis elle s'était couvert la bouche de sa main.

À présent, l'écran montrait la photo de classe de terminale de Ian. Son sourire était si éclatant, si large... si faux. Hanna détourna les yeux.

La veille, après un nouveau dîner tendu avec sa famille recomposée, elle avait repêché la carte de l'agent Wilden du fond de son sac. Elle voulait lui demander en quoi consisterait l'assignation à résidence de Ian. Le jeune homme serait-il attaché à son lit? Porterait-il un bracelet électronique comme Martha Stewart[1] ? Hanna voulait croire que Wilden avait raison au sujet du dernier message signé « A », qu'il s'agissait juste d'un *copycat*, mais elle ne serait jamais assez rassurée. Et puis, Wilden lui lâcherait peut-être quelques infos supplémentaires. Il avait toujours essayé de copiner avec elle du temps où il sortait avec sa mère.

Mais Wilden ne lui avait finalement servi à rien. « Désolé, Hanna, s'était-il excusé. Je n'ai pas le droit de discuter de cette affaire. » Alors que la jeune fille allait raccrocher, il s'était raclé la gorge. « Écoute, je suis aussi remonté que toi. Ian mérite de moisir en prison pendant très, très longtemps. »

Hanna éteignit la télé comme la présentatrice du journal enchaînait sur une histoire de colibacille découvert dans les laitues d'une épicerie locale.

Après avoir appliqué encore quelques couches de Mederma, de fond de teint et de poudre, elle décida qu'elle ne pouvait

1. Après cinq mois de prison pour délit d'initié, Martha Stewart (voir note 1, p. 57) s'est rendue dans sa propriété privée de Bedford, où elle est restée cinq mois sous surveillance par bracelet électronique.

pas faire davantage pour dissimuler sa cicatrice. Elle s'aspergea de parfum Narciso Rodriguez, tira sur sa jupe d'uniforme, jeta toutes ses affaires dans son cabas Fendi et descendit au rez-de-chaussée.

Kate était déjà assise à la table du petit déjeuner. Quand elle vit Hanna, un large sourire illumina son visage.

— Oh mon Dieu, Hanna ! s'écria-t-elle. Tom a acheté un melon blanc fantastique chez Fresh Fields hier soir. Il faut absolument que tu goûtes ça !

Hanna détestait que Kate appelle son père Tom, comme s'il avait leur âge. Elle-même se gardait bien d'appeler Isabel par son prénom. En fait, elle évitait de l'appeler tout court. Traversant la cuisine, elle alla se verser une tasse de café.

— Je déteste le melon blanc, répliqua-t-elle sèchement. Ça a un goût de sperme.

— Hanna ! la rabroua son père.

Hanna ne l'avait pas remarqué, mais il était debout près du plan de travail, où il finissait d'engloutir une tartine beurrée. Isabel se tenait près de lui, toujours vêtue de son horrible uniforme vert vomi, son bronzage artificiel plus orange que jamais.

M. Marin s'approcha des deux filles. Il posa une main sur l'épaule de Kate et l'autre sur celle d'Hanna.

— Je m'en vais. On se voit ce soir.

— Bye, Tom, lança Kate sur un ton doucereux.

M. Marin s'en fut, et Isabel remonta l'escalier en faisant claquer ses talons. Hanna parcourut du regard la première page du *Philadelphia Inquirer* que son père avait abandonné sur la table, mais malheureusement, tous les gros titres ne parlaient que de Ian et de sa libération provisoire.

Kate continuait à manger son melon. Hanna aurait voulu se lever et s'en aller, mais pourquoi aurait-ce été à elle de le faire ? Après tout, c'était *sa* maison.

— Hanna, dit Kate d'une petite voix triste.

Hanna leva les yeux et lui jeta un regard hautain.

— Hanna, je suis désolée, enchaîna très vite Kate. Je ne peux pas continuer comme ça. Rester l'une en face de l'autre et ne pas se parler… Je sais que tu m'en veux pour ce qui est arrivé cet automne au Bec-Fin. Je n'étais vraiment pas dans mon assiette à l'époque. Et je regrette sincèrement.

Hanna tourna une page du journal. Les avis de décès, super. Elle fit semblant d'être fascinée par la notice nécrologique d'Ethel Norris, âgée de quatre-vingt-cinq ans, chorégraphe d'une troupe de danse moderne de Philadelphie qui s'était éteinte dans son sommeil.

— Moi aussi, j'ai du mal à m'adapter à tous ces changements, poursuivit Kate d'une voix tremblante. Mon père me manque. Je voudrais qu'il soit toujours en vie. Je n'ai rien contre Tom, mais c'est bizarre de voir ma mère avec quelqu'un d'autre. Du coup, j'ai du mal à être heureuse pour eux. Ils ne se sont pas demandé ce que ça pouvait nous faire, n'est-ce pas ?

Hanna était tellement indignée qu'elle voulait lancer ce foutu melon contre le mur, pour le simple plaisir de le voir éclater. Tout ce qui sortait de la bouche de Kate était tellement prévisible ! On aurait dit qu'elle récitait un script téléchargé sur Internet.

Kate inspira longuement.

— Je suis désolée pour ce que je t'ai fait au Bec-Fin, mais il m'était arrivé quelque chose d'assez perturbant ce jour-là. N'empêche que je n'aurais pas dû me venger sur toi. (Il y eut un léger cliquetis comme elle posait sa fourchette.) Ça s'était passé juste avant le dîner. Je n'en avais pas encore parlé à ma mère, et j'étais sûre qu'elle allait très mal le prendre.

Intriguée malgré elle, Hanna fronça les sourcils et jeta un coup d'œil à Kate. *Des ennuis ?*

Kate repoussa son assiette

— L'été dernier, je sortais avec ce type, Connor. Une nuit, un des derniers week-ends avant la rentrée, on est allés... un peu loin. (Son front se plissa, et sa lèvre inférieure se mit à trembler.) Il m'a larguée le lendemain. Un mois plus tard, je suis allée chez le gynéco et j'ai découvert... des complications.

Hanna écarquilla les yeux.

— Tu étais enceinte ?

Kate secoua très vite la tête.

— Non. C'était... autre chose.

Hanna était à peu près sûre que si sa mâchoire tombait plus bas, elle n'allait pas tarder à toucher la table. Son esprit turbinait à un million de kilomètres à l'heure, essayant de deviner quelles pouvaient bien être les fameuses complications. Une MST ? Un troisième ovaire ? Un téton supplémentaire mal placé ?

— Et... ça va ?

Kate haussa les épaules.

— Maintenant, oui. Mais ça a été dur pendant un moment. J'ai vraiment eu peur.

Hanna plissa les yeux.

— Pourquoi tu me racontes ça ?

— Parce que je voulais t'expliquer pourquoi je m'étais comportée de la sorte, admit Kate. (Des larmes brillaient dans ses yeux.) S'il te plaît, ne le répète à personne. Ma mère est au courant, mais pas Tom.

Hanna but une gorgée de café. Elle était abasourdie par les révélations de Kate – et quelque peu soulagée, aussi. Miss Perfection avait failli. Et jamais elle n'aurait cru la voir pleurer un jour.

— Je ne dirai rien, promit-elle. Nous avons toutes nos petits problèmes.

Kate renifla si fort qu'Hanna trouva ça louche.

— Exact, acquiesça-t-elle. C'est quoi, le tien ?

Hanna posa sa tasse à pois, se demandant si elle devait lui répondre. À défaut d'autre chose, ça lui permettrait d'apprendre si Ali avait parlé ou pas.

— Je crois que tu le sais déjà. La première fois, c'est arrivé quand Alison et moi sommes venues à Annapolis.

Elle observa Kate du coin de l'œil pour voir si sa presque demi-sœur percutait. Kate planta sa fourchette dans un morceau de melon et jeta un regard gêné autour d'elle.

— Tu le fais encore ? demanda-t-elle à voix basse.

Hanna éprouva un mélange d'excitation et de déception. Ainsi, Ali s'était réellement empressée de tout lui raconter.

— Pas vraiment, marmonna-t-elle.

Les deux filles gardèrent le silence quelques minutes. Par la fenêtre, Hanna observa une grosse congère dans le jardin de ses voisins. Malgré l'heure matinale, les enfants aujourd'hui âgés de six ans qu'elle trouvait si pénibles étaient déjà dehors, lançant des boules de neige sur les écureuils.

Puis Kate pencha la tête sur le côté d'un air interrogateur.

— Je voulais te demander. C'est quoi le problème entre toi et Naomi et Riley ?

Hanna serra les dents.

— Qu'est-ce que ça peut te faire ? Ce sont tes nouvelles meilleures amies, non ?

Kate repoussa pensivement une mèche de cheveux châtains derrière son oreille.

— Je crois qu'elles voudraient faire la paix avec toi. Tu devrais leur laisser une chance.

Hanna ricana.

— Désolée, je ne parle pas aux filles qui m'insultent en public.

Kate posa ses coudes sur la table et se pencha en avant.

— Elles le font probablement parce qu'elles sont jalouses de toi. Si tu étais sympa avec elles, je suis sûre qu'elles seraient sympas avec toi. Et réfléchis : si on s'alliait avec elles, personne ne pourrait nous arrêter.

Hanna haussa un sourcil.

— « Nous »?

— Vois les choses en face, Hanna. (Les yeux de Kate pétillaient.) Toi et moi, on serait les reines de la bande.

Hanna cligna des yeux. Elle fixa la grille située au-dessus du plan de travail. Toute une batterie de cuisine, que sa mère avait achetée quelques années plus tôt chez Wiliams-Sonoma était suspendue là. Mme Marin avait laissé la plupart de ses affaires quand elle était partie à Singapour, et Isabel n'avait eu aucune réticence à se les approprier.

Kate n'avait effectivement pas tort. Naomi et Riley manquaient profondément de confiance en elles – et ce, depuis qu'Alison DiLaurentis les avait laissées tomber sans raison apparente l'année de leur 6e pour les remplacer par Hanna, Spencer, Aria et Emily. Ce serait agréable d'avoir une nouvelle cour... surtout si elle pouvait régner dessus.

— D'accord. Je marche, décida Hanna.

— Génial, conclut Kate.

Elle leva son verre de jus d'orange pour porter un toast. Hanna trinqua avec sa tasse de café. Les deux filles se sourirent et burent.

Puis Hanna reporta son attention sur le journal resté ouvert devant elle. Son regard se posa sur une publicité pour des croisières dans les Caraïbes. « Tous vos rêves deviendront réalité », y lisait-on.

J'espère bien.

12

C'EST JUSTE UNE QUESTION DE PERSPECTIVE

Le mercredi en début de soirée, Aria et Mike étaient assis au Rabbit Rabbit, le restaurant végétarien préféré de la famille Montgomery. Une odeur de basilic, d'origan et de tofu mélangés planait dans la salle. La stéréo diffusait une chanson de Regina Spektor, et l'endroit grouillait de mondes : des familles, des couples et des jeunes gens de leur âge. Après la libération de Ian et le nouveau message signé « A », Aria trouvait agréable d'être entourée par autant de gens.

Les sourcils froncés, Mike regarda autour de lui et releva la capuche de son immense sweat-shirt Champion.

— Je ne comprends pas pourquoi on est obligés de le rencontrer. Maman n'est sortie avec lui que deux fois, se plaignit-il.

Aria ne comprenait pas non plus. Quand Ella était rentrée de son rencard avec Xavier, la veille, elle n'avait pas arrêté de répéter combien ça avait été merveilleux, avec quelle facilité ils s'étaient liés. Apparemment, Xavier avait fait visiter son studio à Ella l'après-midi même, et en rentrant chez elle après les cours, Aria avait trouvé un petit mot de sa mère sur la table de la cuisine. Le message leur demandait, à Mike et à elle, de se rendre présentables et de la rejoindre au Rabbit Rabbit à dix-neuf heures tapantes. Oh, et Xavier serait là.

Qui aurait cru que ses deux parents puissent retomber amoureux aussi facilement? Ils n'étaient pas encore divorcés officiellement, pour l'amour de Dieu !

Bien sûr, Aria était heureuse pour sa mère, mais aussi un peu embarrassée. Elle avait tellement cru que Xavier s'intéressait à elle ! Elle était mortifiée d'avoir mal interprété leur conversation à la galerie.

Mike renifla bruyamment, arrachant la jeune fille à ses pensées.

— Ça sent la pisse de lapin ici, dit-il en mimant un haut-le-cœur.

Aria leva les yeux au ciel.

— Tu as les nerfs parce que maman a choisi un resto où ils ne servent pas d'ailes de poulet grillées, c'est tout.

Son frère froissa sa serviette en papier.

— Et alors ? C'est normal. Un homme viril comme moi ne peut pas se contenter de légumes.

Aria frémit. Elle ne savait pas ce qu'elle trouvait le plus répugnant : que Mike se prenne pour un homme, ou qu'il se qualifie de viril.

— Au fait, comment s'est passé ton rencard avec Savannah l'autre jour ?

Mike fit craquer ses doigts et feuilleta le menu.

— Si on te demande, tu n'auras qu'à répondre que tu ne sais pas.

Aria haussa un sourcil.

— Aha ! Cette fois, tu ne nies pas que *c'était* un rencard !

Mike haussa les épaules et planta sa fourchette dans

le cactus qui décorait le centre de la table. Aria saisit un crayon bleu fleur de maïs dans le pot voisin. Au Rabbit Rabbit, les clients étaient encouragés à dessiner derrière leurs sets de table en papier. Leurs œuvres étaient ensuite accrochées sur les murs du restaurant. Depuis le temps, les murs étaient entièrement recouverts; du coup les serveurs avaient dû attaquer le plafond.

— Vous êtes venus! s'écria Ella en entrant, accompagnée de Xavier.

Elle venait de se teindre les cheveux, et ces derniers brillaient dans la lumière. Le froid avait rosi les joues de Xavier; c'était adorable. Aria tenta de sourire, mais ne réussit qu'à grimacer.

Ella désigna Xavier d'un geste théâtral.

— Aria, vous vous connaissez déjà. Xavier, je te présente mon fils, Michelangelo.

Mike parut sur le point de se mettre à vomir.

— Personne ne m'appelle comme ça.

— Je ne dirai rien. (Xavier lui tendit la main.) Ravi de te rencontrer. (Il jeta un coup d'œil à Aria.) Et content de te revoir.

Trop gênée pour soutenir son regard, Aria lui adressa un sourire pincé. Pour s'occuper, elle scruta les murs, cherchant le dernier set de table qu'Ali avait décoré avant sa disparition. Ce jour-là, Ali était l'invitée des Montgomery. Elle avait dessiné un homme et une femme qui se tenaient la main sous un arc-en-ciel.

— Ils sortent ensemble en secret, avait-elle précisé à Aria.

C'était peu de temps après que les deux filles surprennent Byron en compagnie de Meredith... mais à bien y réfléchir, Ali avait peut-être voulu faire allusion à sa propre relation avec Ian.

Xavier et Ella ôtèrent leurs manteaux et s'assirent. Le jeune homme regarda autour de lui, visiblement amusé par les dessins sur les murs. Ella ne cessait de faire claquer sa langue, de tripoter nerveusement ses cheveux, ses bijoux ou sa fourchette. Au bout de quelques secondes de silence, Mike plissa les yeux et lança à Xavier :

— Vous avez quel âge, au juste?

Ella le foudroya du regard, mais Xavier répondit simplement :

— Trente-quatre ans.

— Vous savez que notre mère en a quarante, pas vrai?

— Mike, hoqueta Ella.

Mais Aria trouva cela mignon. Jamais encore elle n'avait vu son frère se comporter de façon aussi protectrice envers leur mère.

Xavier rit.

— Oui, je sais. Elle me l'a dit.

Une serveuse à la poitrine opulente, qui arborait des dreadlocks et un septum piercé, vint leur demander ce qu'ils voulaient boire. Aria commanda un thé vert; Xavier et Ella, un verre de cabernet. Mike voulut les imiter, mais la serveuse fit une moue désapprobatrice et se détourna sans rien dire.

Xavier détailla Aria et Mike.

— J'ai entendu dire que vous aviez vécu en Islande. Je connais bien le pays : j'y suis allé plusieurs fois.

— Vraiment? s'exclama Aria, surprise.

— Et laissez-moi deviner : vous avez adoré, coupa Mike sur un ton moqueur, tripotant le bracelet en caoutchouc de son équipe de lacrosse qu'il portait autour du poignet. Parce que c'est teeeellement culturel. Et si immaculé. Et que les gens sont beaucoup plus éduqués qu'ici.

Xavier se frotta le menton.

— En fait, j'ai trouvé ça bizarre. Qui a envie de se baigner dans de l'eau qui sent l'œuf pourri ? Et c'est quoi, cette obsession pour les chevaux nains ? Je ne comprends pas.

Les yeux de Mike faillirent lui sortir des orbites.

— C'est toi qui lui as dit de dire ça ? demanda-t-il à sa mère sur un ton accusateur.

Ella secoua la tête, l'air un peu affligée.

Ravi, Mike reporta son attention sur Xavier.

— *Merci.* C'est ce que je me tue à répéter à ma famille depuis des années. Mais noooon : ils adorent tous ces foutus canassons ! Ils les trouvent « trop mignons ». Alors que franchement, si une de ces miniatures se disputait avec le clydesdale[1] de la pub Budweiser… le clydesdale le pulvériserait. Il ne resterait rien du tout de ce petit cheval de pédé.

— Et comment, acquiesça Xavier avec vigueur.

Mike se frotta les mains, visiblement ravi.

Aria réprima un sourire en coin. Elle avait sa petite idée quant à la véritable raison pour laquelle son frère détestait les chevaux islandais. Quelques jours après leur arrivée à Reykjavik, Mike et elle s'étaient inscrits pour participer à une randonnée équestre sur une piste volcanique. Le garçon d'écurie avait pris soin d'attribuer à Mike le plus vieux, le plus gras et le plus lent de tous ses pensionnaires, mais dès l'instant où Mike s'était hissé sur la selle, son visage avait dangereusement pâli. Il avait prétexté une crampe à la jambe pour rester au centre équestre. C'était la première fois qu'il se plaignait d'une crampe à la jambe – et cela avait aussi été la dernière. Mais trois ans après, il refusait toujours d'admettre que les chevaux lui faisaient peur.

La serveuse apporta les boissons, tandis que Mike et Xavier continuaient à énumérer toutes les choses qu'ils

1. Race de chevaux de trait. *(N.d.T.)*

détestaient en Islande. Le requin faisandé qui était considéré comme un mets de choix. La croyance populaire selon laquelle des *huldufolk* – des elfes – vivaient dans les rochers et les falaises. Cette habitude qu'avaient les gens de s'appeler seulement par leur prénom, parce qu'ils descendaient tous des trois mêmes tribus vikings incestueuses.

De temps en temps, Ella jetait un coup d'œil à Aria. Sans doute se demandait-elle pourquoi sa fille ne prenait pas la défense de ce pays où elle s'était tant plue. Mais Aria n'était pas d'humeur.

À la fin du dîner, comme ils finissaient une assiette des fameux biscuits bio de la maison, l'iPhone de Mike sonna. Le jeune homme consulta l'écran et se leva.

— Je reviens, marmonna-t-il évasivement avant de se diriger vers la sortie.

Aria et Ella échangèrent un regard entendu. D'ordinaire, ça ne posait aucun problème à Mike de téléphoner à table, y compris si la conversation portait sur, disons, la taille des nichons d'une fille.

— Nous le soupçonnons d'avoir une petite amie, chuchota Ella à Xavier. (Puis elle se leva à son tour.) Je m'absente une minute, annonça-t-elle en se dirigeant vers les toilettes des dames.

Aria tripota la serviette posée sur ses genoux et fixa, impuissante, le dos de sa mère qui zigzaguait entre les tables. Elle brûlait d'envie de la suivre, mais ne voulait pas que Xavier en déduise qu'elle n'avait pas envie de rester seule avec lui.

Elle sentait le regard du jeune homme posé sur elle. Xavier but une longue gorgée de son deuxième verre de vin.

— Tu n'as pas dit grand-chose pendant le repas, fit-il remarquer.

Aria haussa les épaules.

— Je suis peut-être du genre taciturne.

— J'en doute.

Elle leva vivement les yeux vers lui. Xavier lui sourit, mais son expression restait difficile à déchiffrer. Il saisit un crayon vert foncé dans le pot et commença à gribouiller sur son set de table.

— Ça ne te dérange pas que je sorte avec ta mère? demanda-t-il.

— Euh non, répondit Aria en jouant avec la cuillère de son cappuccino.

Lui posait-il la question parce qu'il sentait qu'il lui plaisait? Ou parce qu'elle était la fille d'Ella, et qu'il voulait juste se montrer poli?

Xavier remit le crayon vert dans la tasse et en chercha un noir.

— Ta mère m'a dit que tu étais une artiste, toi aussi.

— Je suppose que oui, acquiesça Aria d'un air distant.

— Quelles sont tes influences? s'enquit Xavier.

La jeune fille se mordit la lèvre comme si elle s'apprêtait à répondre à une interro orale.

— J'aime les surréalistes. Vous savez : Klee, Max Ernst, Magritte, M.C. Escher.

Xavier grimaça.

— Escher, hein?

— C'est quoi le problème?

Il secoua la tête.

— Quand j'étais au lycée, tous les gamins de ma classe avaient un poster d'Escher dans leur chambre. Ils trouvaient que ça leur donnait l'air intello – profond. Wouah, des oiseaux qui se changent en poissons. Wouah, une main qui en dessine une autre. Des perspectives impossibles. *Trop mortel.*

Aria se radossa à sa chaise, amusée.

— Vous avez personnellement connu Escher, peut-être?

Il vous a filé un coup de pied quand vous étiez petit? Ou bien, il vous a volé vos petites voitures?

Xavier ricana.

— Il est mort au début des années 1970, je crois. Je ne suis pas si vieux.

— J'aurais pourtant juré le contraire, répliqua Aria en haussant un sourcil.

Xavier grimaça.

— C'est juste que... Escher est un vendu.

Aria secoua la tête.

— Il était brillant! Et comment peut-on être un vendu quand on est mort?

Xavier la fixa quelques secondes. Puis il sourit lentement.

— D'accord, mademoiselle la présidente du fan-club d'Escher. Je te propose un jeu. (Il fit tourner le crayon entre ses mains.) Chacun de nous dessine quelque chose qui se trouve dans cette pièce. Celui dont le dessin sera le plus réussi aura raison au sujet d'Escher. Et il aura droit au dernier biscuit, dit-il en désignant le plat. J'ai bien vu que tu lorgnais dessus. À moins que tu refuses de le manger parce que tu es au régime?

Aria s'esclaffa.

— Je n'ai jamais fait de régime de ma vie.

— C'est ce que disent toutes les filles, répliqua Xavier, les yeux brillants. Et elles mentent toutes.

— Comme si vous connaissiez quoi que ce soit aux filles, gloussa Aria.

Elle avait l'impression d'être dans son vieux film préféré, *The Philadelphia Story*, celui pendant lequel Katharine Hepburn et Cary Grant se chamaillaient sans cesse.

— D'accord, je veux bien jouer, consentit-elle en saisissant un crayon rouge. (Elle ne résistait jamais à l'opportunité de démontrer ses talents de dessinatrice.) Mais fixons un temps limité. Disons, une minute.

— Entendu. (Xavier jeta un coup d'œil à l'horloge en forme de tomate accrochée au-dessus du bar. L'aiguille des secondes arrivait justement sur le douze.) Go !

Aria regarda autour d'elle, cherchant un sujet. Elle arrêta son choix sur un vieil homme voûté au-dessus du comptoir, qui tenait une chope en céramique entre ses mains. Son crayon vola avec légèreté sur le set de table, capturant l'expression lasse mais paisible de son modèle. Elle eut juste le temps d'ajouter quelques détails avant que l'aiguille des secondes revienne sur le douze.

— C'est fini !

Xavier recouvrit son dessin avec ses mains.

— Toi d'abord, déclara-t-il.

Aria poussa son set de table vers lui. Il hocha la tête, impressionné, son regard faisant la navette entre le portrait et son modèle.

— Comment as-tu réussi à faire ça en une minute ?

— J'ai des années d'entraînement, répondit Aria. Plus jeune, je passais mon temps à croquer les autres élèves de mon école en secret. Est-ce que ça signifie que le biscuit est à moi ? (De l'index, elle toucha la main de Xavier qui masquait toujours son dessin.) Pauvre M. Peintre Abstrait. Le vôtre est tellement raté que vous n'osez pas me le montrer, c'est ça ?

— Pas tout à fait.

Xavier écarta lentement ses mains de son set de table, révélant le portrait toutes en lignes douces et en ombres habiles d'une ravissante jeune fille. Le modèle avait des cheveux noirs et portait de grosses créoles. La ressemblance était flagrante.

— Oh.

Aria déglutit péniblement. Xavier avait même reproduit le petit grain de beauté sur sa joue et les taches de rousseur qui constellaient son nez. C'était comme s'il l'avait détaillée pendant tout le dîner en prévision de ce moment.

Une forte odeur de sésame s'échappa de la cuisine, soulevant l'estomac d'Aria. D'un côté, elle trouvait ça gentil que le petit ami de sa mère essaie d'avoir de bons rapports avec elle. De l'autre côté... son dessin avait quelque chose de perturbant.

— Il ne te plaît pas ? demanda Xavier, surpris.

Aria ouvrait la bouche pour répondre quand elle entendit une sonnerie dans son sac.

— Excusez-moi, marmonna-t-elle.

Elle sortit son Treo : « 2 nouveaux MMS ». Elle posa ses mains autour de l'écran pour le protéger des reflets.

Xavier l'observait toujours attentivement, aussi Aria s'efforça-t-elle de retenir un hoquet. Quelqu'un lui avait envoyé une photo d'elle et du jeune homme pendant le vernissage du dimanche. Ils se tenaient tout près l'un de l'autre, et les lèvres de Xavier effleuraient presque l'oreille d'Aria. La photo suivante les montrait assis au Rabbit Rabbit quelques instants plus tôt, au moment où Aria avait touché la main de Xavier pour lui faire découvrir son dessin. Ils semblaient très complices. Mises côte à côte, les deux images peignaient un portrait assez convaincant.

Une boule dans la gorge, Aria promena un regard à la ronde. Mike bavardait toujours avec animation de l'autre côté de la porte vitrée. Ella sortait juste des toilettes. Le vieil homme qu'elle avait dessiné était en proie à une quinte de toux.

Son téléphone sonna une troisième fois. D'une main tremblante, Aria ouvrit le texto qu'elle venait de recevoir. C'était un poème.

Les artistes aiment les ménages à trois
Ta mère est peut-être comme eux – ou pas.
Si tu ne dis rien sur moi,
Je ne dirai rien sur toi.

— A

Le Treo d'Aria lui échappa des mains. La jeune fille se leva brusquement, manquant renverser son verre d'eau.

— Il faut que j'y aille, bredouilla-t-elle en s'emparant du dessin de Xavier et en le fourrant dans son sac.

— Quoi ? Pourquoi ?

Xavier ne comprenait pas.

— Parce que. (Aria enfila son manteau et désigna le biscuit abandonné au milieu du plat en forme d'épi de maïs.) Il est à vous. Beau boulot.

Puis elle se détourna si vite qu'elle faillit bousculer une serveuse qui portait un énorme plateau de tofu frit. *Copycat* ou pas, les photos envoyées par le nouveau « A » prouvaient une chose : plus elle mettrait de distance entre elle et le petit ami de sa mère, mieux cela vaudrait.

13

ÉTRANGE ALCHIMIE DERRIÈRE LE BÂTIMENT DE CHIMIE

Au même moment le mercredi soir, alors que la lune s'élevait au-dessus des arbres et que les énormes projecteurs s'allumaient dans le parking de la fac de Hollis, Emily se tenait au sommet de la colline derrière le bâtiment de chimie, un *snow tube* – ou luge-bouée – en forme de donut à la main.

— Tu es sûr de vouloir faire la course avec moi ? lança-t-elle sur un ton provocateur à Isaac. Je suis la lugeuse la plus rapide de tout Rosewood.

— Qui a décrété ça ? (Les yeux du jeune homme pétillaient.) Tu ne m'as encore jamais affronté !

Emily saisit les poignées violettes du snow tube.

— Le premier arrivé à ce gros arbre, en bas, a gagné. Attention… Prêts…

— Partez !

Isaac la prit de vitesse, sautant sur sa bouée et dévalant la colline.

— Hé ! protesta Emily en se laissant tomber à plat ventre sur sa propre bouée.

Elle plia les genoux pour éviter que le bout de ses bottes ne la freine et dirigea sa luge vers la partie la plus raide de la pente. Malheureusement, Isaac avait eu la même idée. Elle s'approcha de lui à une vitesse effrayante, et ils se percutèrent à mi-hauteur de la colline. Éjectés, ils roulèrent dans la neige molle. La luge d'Isaac poursuivit sa course sans lui, filant droit dans les bois.

— Hé ! s'exclama le jeune homme en la désignant au moment où il dépassait l'arbre choisi par Emily. Techniquement, j'ai gagné !

— Tu as triché, bougonna Emily avec une rancœur feinte. Mon frère aussi partait toujours avant moi quand on faisait la course. Ça me rendait folle.

— Dois-je en déduire que je te rends folle, moi aussi ? suggéra Isaac avec un sourire malicieux.

Emily baissa les yeux vers ses mitaines en polaire rouge.

— Je ne sais pas, murmura-t-elle. Peut-être.

Elle sentit ses joues déjà rougies par le froid s'empourprer. À l'instant où elle s'était garée dans le parking du bâtiment de chimie et avait aperçu Isaac debout près de sa camionnette avec deux luges dans les mains, son cœur s'était mis à battre la chamade.

Habillé chaudement, le jeune homme était encore plus craquant qu'en T-shirt et en jean. Son bonnet de laine marine était enfoncé très bas sur son front, plaquant ses cheveux sur ses oreilles et faisant ressortir le bleu de ses yeux. Il y avait des rennes tricotés sur les paumes de ses gants, et il avait admis d'un air penaud que sa mère lui en tricotait une nouvelle paire chaque année. Quant à la façon dont il enroulait son écharpe autour de son cou, en faisant deux tours et en recouvrant chaque centimètre carré de peau... Ça lui donnait l'air à la fois doux et vulnérable.

Emily voulait croire que l'électricité qu'elle ressentait était juste due à l'excitation de se faire un nouvel ami... ou éventuellement à l'hypothermie, puisque le thermomètre de la Volvo de sa mère indiquait qu'il faisait moins sept degrés. Mais en réalité, elle était incapable de voir clair dans ses propres émotions.

— Je ne suis pas venue ici depuis des siècles. (Après un moment de silence, le regard rivé sur le bâtiment de chimie au pied de la colline Emily continua :) C'est mon frère et ma sœur qui ont trouvé cet endroit. Maintenant, ils sont à la fac en Californie. Je ne comprends pas comment ils peuvent vivre dans un endroit où il ne neige jamais.

— Tu as de la chance d'avoir des frères et sœurs. Moi, je suis fils unique, révéla Isaac.

— Quand j'étais petite, j'aurais bien aimé être fille unique, grogna Emily. Il y avait toujours trop de monde chez moi. Et je n'avais jamais de vêtements neufs – juste les vieilles frusques de mes aînés.

Isaac secoua la tête.

— Crois-moi, tu te serais ennuyée. Dans mon quartier, il n'y avait pas beaucoup d'autres enfants ; alors, je devais jouer tout seul. Je partais faire de longues balades pendant lesquelles je me prenais pour un explorateur. Je commentais à voix haute tout ce que j'étais en train de faire. « À présent, Isaac le Magnifique traverse un torrent en crue. À présent, Isaac le Magnifique découvre une montagne. » Les gens qui m'ont entendu à l'époque ont dû croire que j'étais fou.

— Isaac le Magnifique, hein ? gloussa Emily, qui trouvait ça incroyablement mignon. Moi, je trouve que les frères et sœurs, c'est très surfait. Je ne suis pas si proche des miens.

En fait, il y a eu pas mal de tension entre nous ces derniers temps.

Isaac se cala en appui sur un coude et lui fit face.

— Pourquoi?

La neige commençait à traverser le jean et le caleçon long qu'Emily portait dessous. La jeune fille pensait à la façon dont ses aînés avaient réagi en découvrant qu'elle sortait avec Maya. Non seulement Carolyn avait flippé, mais Jake et Beth l'avaient éliminée de la liste des gens auxquels ils envoyaient des blagues par e-mail.

— Oh, de banales histoires de famille. Rien de très intéressant, finit-elle par bredouiller.

Isaac acquiesça, puis se leva et annonça qu'il ferait mieux d'aller récupérer son *snow tube* dans les bois avant qu'il fasse nuit. Emily le regarda descendre la colline en piétinant la neige. Quelque chose la perturbait. Pourquoi n'avait-elle pas dit la vérité à Isaac? Pourquoi cela lui avait-il semblé si... risqué?

Puis un mouvement attira son attention vers le parking désert du bâtiment de chimie. Une voiture décrivit un large cercle autour des emplacements vides et s'arrêta sous un projecteur au pied de la colline, non loin de l'endroit où Emily avait percuté Isaac. « Département de Police de Rosewood », pouvait-on lire sur la carrosserie. Emily plissa les yeux et reconnut le jeune homme brun qui conduisait. C'était l'agent Wilden. Le front plissé d'inquiétude, il aboyait quelque chose dans son téléphone.

Emily l'observa un moment. Quand elle était enfant, Carolyn et elles montaient souvent la petite télé portable de la cuisine dans leur chambre pour regarder les films d'horreur diffusés en fin de soirée, avec le son réglé le plus bas possible. Emily était un peu rouillée pour lire sur les lèvres, mais il lui semblait bien avoir vu Wilden dire à son correspondant de « se tenir à l'écart ».

Le cœur d'Emily battait à tout rompre. « Se tenir à l'écart »? Au même moment, Wilden aperçut la jeune fille. Il écarquilla les yeux. Au bout d'une seconde, il la salua d'un mouvement de tête et se retourna.

Emily s'agita, mal à l'aise, se demandant si Wilden était venu là pour régler une affaire personnelle. C'était idiot de penser que toute son existence tournait autour de l'affaire Ali.

Quand son téléphone, qu'elle avait glissé dans l'une des poches à fermeture Éclair de sa parka, se mit à sonner, Emily poussa un glapissement. Les nerfs à vif, elle sortit son Nokia. Le nom d'Aria s'affichait sur l'écran.

— Salut, soupira Emily, soulagée, en prenant l'appel de son amie. Quoi de neuf?

— Tu as reçu d'autres textos bizarres? demanda Aria d'une voix tendue.

Comme Emily changeait de position, la neige craqua sous elle. Elle regarda Isaac disparaître entre les pins aux aiguilles denses en quête de sa luge.

— Non.

— Eh bien, moi si. À l'instant. Et la personne a pris une photo de moi, Emily. Ce soir. Elle sait qui nous sommes et ce que nous faisons.

Une bourrasque de vent gifla Emily, lui faisant monter les larmes aux yeux.

— Tu en es sûre?

— J'ai appelé Wilden au commissariat il y a vingt minutes, poursuivit Aria, mais il a dit qu'il était sur le point d'entrer en réunion et qu'il ne pouvait pas me parler.

— Attends. (Perplexe, Emily se frotta la mâchoire.) Wilden n'est pas au commissariat. Je l'ai vu il y a une minute.

Elle baissa les yeux vers le parking du bâtiment de chimie, il ne restait pas la moindre trace de la voiture de police. Le nœud dans l'estomac d'Emily se serra un peu plus. Wilden avait dû dire à Aria qu'il était en train de patrouiller. La jeune fille avait certainement mal compris, c'est tout.

— Où es-tu, au juste ? s'enquit Aria.

Isaac ressortit des bois avec son *snow tube*. Il leva les yeux vers Emily et lui fit coucou de sa main libre. Emily déglutit.

— Il faut que j'y aille, lança-t-elle brusquement. Je te rappelle.

— Attends ! (Aria semblait inquiète.) Je ne t'ai même pas...

Emily referma son Nokia, coupant la jeune fille au milieu de sa phrase. Isaac brandit la luge au-dessus de sa tête d'un air triomphant.

— Isaac le Magnifique a dû arracher sa luge des griffes de l'ours qui s'en était emparé ! cria-t-il.

Emily se força à rire et tenta de se ressaisir. Il devait y avoir une explication logique au message reçu par Aria. Ça ne pouvait pas être grave.

Isaac se laissa tomber sur son *snow tube* et dévisagea soigneusement Emily.

— Tu ne m'as pas dit ce que j'avais gagné.

Emily renifla et s'autorisa à se détendre pour profiter de l'instant.

— Que dirais-tu du titre de Plus Gros Tricheur du Monde ? Ou d'une boule de neige en pleine figure ?

— Et toi, que dirais-tu de ça ? demanda Isaac.

Avant qu'Emily comprenne ce qui lui arrivait, il se pencha vers elle et l'embrassa doucement. Quand il s'écarta, Emily porta ses mains à sa bouche. Elle sentait le goût des pastilles qu'Isaac avait avalées, et ses lèvres la picotaient comme si un insecte l'avait piquée.

Voyant son expression, Isaac écarquilla les yeux.

— Tu n'en avais peut-être pas envie.

Emily eut un sourire béat.

— Si, si, répondit-elle faiblement.

Et les mots avaient à peine franchi ses lèvres qu'elle sut qu'ils étaient sincères.

Avec un petit sourire ravi, Isaac prit une de ses mains gantées. La tête d'Emily lui tourna comme si elle venait d'enchaîner plusieurs manèges à sensation dans un parc d'attractions.

Soudain, son téléphone sonna de nouveau.

— Désolée. Une de mes amies vient juste de m'appeler, expliqua-t-elle en ressortant son Nokia. Je lui ai plus ou moins raccroché au nez. Ça doit encore être elle.

Elle baissa les yeux vers l'écran. « 1 nouveau message ».

Son sang ne fit qu'un tour. Elle promena un regard à la ronde, mais Isaac et elle étaient seuls sur la colline plongée dans la pénombre. Lentement, elle ouvrit le message.

Salut, Em!

La Bible ne dit-elle pas que les bons chrétiens ne devraient pas embrasser les filles comme toi? Alors, QFA – Que Fera A? Je ne confesserai pas tes péchés si tu ne confesses pas les miens.

Bisous!

—A

14

VIVA HANNA !

Un peu plus tard le mercredi soir, Hanna attendait dans l'entrée du Rive Gauche, le bistrot français du centre commercial King James, serrant et desserrant les poings. La voix de Serge Gainsbourg susurrait dans les haut-parleurs ; l'air sentait l'entrecôte frites, le fromage de chèvre fondu et le Dior J'Adore.

En fermant les yeux, Hanna pouvait presque imaginer qu'elle était revenue à l'hiver précédent et que Mona se tenait à ses côtés. Tout allait encore bien : le corps d'Ali n'avait pas été retrouvé au fond d'un trou, il n'y avait pas d'affreuse cicatrice sur son menton, pas de Ian assassin en liberté provisoire, pas de messages d'un nouveau « A ». Mona et elle étaient toujours les meilleures amies du monde, occupées à admirer leur reflet dans les miroirs suspendus au-dessus des tables et à dévorer le dernier numéro de *Elle* ou de *Us Weekly*.

Évidemment, Hanna était déjà revenue ici depuis la mort de Mona – Lucas y travaillait le week-end, et il lui servait toujours des Coca light avec un trait de rhum. Mais ce soir-là, ce n'était pas non plus son petit ami qui se tenait près d'elle. C'était... Kate.

Sa presque demi-sœur était sur son 31. Un bandeau de soie noire retenait ses cheveux châtains. Elle portait une robe vermillon à taille Empire, ainsi qu'une paire de bottes Loeffler Randall en cuir brun foncé. Quant à Hanna, elle avait opté pour ses escarpins Marc Jacobs préférés (ceux en cuir noir), un pull en cachemire fuchsia à col bénitier, un jean slim et son rouge à lèvres Nars. Ensemble, elles éclipsaient totalement ces pauvres Naomi et Riley qui se terraient tels des nains de jardin derrière la table d'Hanna.

La jeune fille les foudroya du regard. Avec ses cheveux super courts et son cou épais, Naomi ressemblait à une tortue. Le museau de rat de Riley frémit lorsqu'elle essuya ses lèvres inexistantes avec une serviette.

Kate jeta un coup d'œil à Hanna et comprit aussitôt à quoi elle pensait.

— Souviens-toi : ce ne sont plus tes sœurs ennemies, lui dit-elle discrètement.

Hanna poussa un soupir. En théorie, elle était d'accord avec le plan de Kate. Mais en pratique...

Kate lui fit face. Elle mesurait sept ou huit centimètres de plus qu'Hanna, de sorte qu'elle devait baisser les yeux quand elle lui parlait.

— Nous avons besoin d'elles comme amies, déclara-t-elle calmement. L'union fait la force.

— C'est juste que...

— Sais-tu seulement pourquoi tu les détestes?

Hanna haussa les épaules. Elle les détestait parce que c'étaient des langues de vipère... et parce que Ali les détestait. Cependant, Ali ne s'était jamais donné la peine d'expliquer à ses nouvelles amies ce que les anciennes avaient bien pu faire de si horrible pour qu'elle les laisse tomber du jour au lendemain. Et ce n'était pas comme si elles avaient pu le demander directement à Naomi et à Riley : Ali leur avait fait promettre de ne jamais, jamais adresser la parole à ces dernières.

Kate posa les mains sur ses hanches.

— Allez, viens. Il faut le faire.

Hanna grogna et foudroya sa presque demi-sœur du regard. Au coin de ses lèvres, elle devinait une bosse minuscule – un bouton en train de sortir, ou… ? Depuis la veille, elle s'interrogeait sur le secret auquel Kate avait fait allusion pendant le petit déjeuner. La jeune fille avait couché avec un garçon, et cela avait entraîné des complications. L'herpès pouvait certainement être qualifié de complication, non ?

— D'accord, d'accord, grommela Hanna.

Kate sourit, lui reprit la main et l'entraîna vers la table de Naomi et de Riley. Les deux filles les aperçurent ; elles saluèrent Kate mais détaillèrent Hanna d'un air soupçonneux. Kate fonça droit vers la banquette et se laissa tomber sur le siège de velours rouge.

— Comment ça va, les filles ? couina-t-elle en embrassant l'air deux centimètres à côté de leurs joues.

Naomi et Riley s'extasièrent sur elle quelques instants, admirant sa robe, son bracelet et ses bottes, poussant vers elle les frites auxquelles elles n'avaient pas touché. Puis Naomi jeta un coup d'œil à Hanna qui était restée debout près du chariot des desserts.

— Qu'est-ce qu'*elle* fait là ? demanda-t-elle à voix basse.

Kate enfourna une frite dans sa bouche. C'était, avait remarqué Hanna, le genre de fille qui pouvait toujours s'envoyer des maxi-portions sans prendre un gramme. *Salope.*

— Hanna est venue parce qu'elle a quelque chose à vous dire, annonça Kate.

Riley haussa un sourcil épilé.

— Ah oui ?

Kate acquiesça, croisant ses mains devant elle.

— Elle veut s'excuser pour toutes les crasses qu'elle vous a faites ces dernières années.

Quoi ?

Hanna était trop choquée pour émettre le moindre son. Kate avait dit qu'elles devaient se montrer sympas, pas ramper devant ces pétasses ! Pourquoi aurait-elle dû présenter des excuses à Naomi et à Riley ? Après tout, elles lui avaient fait largement autant de vacheries.

— Elle veut repartir à zéro avec vous, poursuivit Kate. Elle m'a confié qu'elle ne se souvenait même plus pourquoi vous vous disputiez à la base.

Hanna jeta à sa presque demi-sœur un regard qui aurait pu geler de la lave en fusion. Mais Kate ne broncha pas. *Fais-moi confiance*, pouvait-on lire sur son visage. *Ça va marcher.*

Hanna s'approcha de Naomi et de Riley en passant une main dans ses cheveux.

— D'accord, marmonna-t-elle, les yeux baissés. Je m'excuse.

— Super, roucoula Kate. (Elle dévisagea les deux autres d'un air encourageant.) Alors, on fait la paix ?

Naomi et Riley échangèrent un regard, puis sourirent.

— On fait la paix ! s'exclama Naomi, si bruyamment que les convives de la table voisine en parurent agacés. Mona nous a bien eues, nous aussi. Elle était tout sucre tout miel jusqu'à ton accident de voiture – et juste après, elle nous a laissées tomber sans raison !

— Enfin, il y avait une raison, c'est juste que nous ne la connaissions pas à l'époque, corrigea Riley en levant un index docte. Elle voulait se réconcilier avec toi pour que personne ne soupçonne que c'était elle qui t'avait renversée.

— Quand j'y pense, gémit Naomi en pressant une main sur sa poitrine. Cette fille était diabolique.

Hanna frémit. Étaient-elles vraiment obligées de parler de ça maintenant?

— Bref, on compatit à ta douleur, Hanna, enchaîna Naomi. Et nous aussi, on s'excuse d'avoir été désagréables avec toi. Considère la hache de guerre comme enterrée!

Tout excitée, elle rebondissait sur la banquette en parlant.

— Génial! s'exclama Kate.

Elle donna un coup de coude à Hanna, qui se força à sourire.

— Alors, qu'est-ce que tu attends pour t'asseoir? lança Naomi, rayonnante.

Hanna s'exécuta prudemment, avec l'impression d'être un chihuahua qui venait de rentrer dans le jardin d'un rottweiller énervé. Ça semblait trop facile.

— On était en train de feuilleter le dernier *Teen Vogue*, annonça Riley en poussant un magazine écorné vers les nouvelles venues. Il y a une soirée de charité ce week-end. Il faut absolument se procurer les plus belles robes avant toutes les pétasses qui y assisteront.

Hanna remarqua la date sur la couverture. Elle haussa un sourcil méfiant.

— Le numéro de février n'est censé sortir que fin janvier.

Riley but une gorgée de son Perrier-cranberry.

— Ma cousine bosse là-bas. Ce n'est qu'un exemplaire de démonstration, mais le numéro est déjà bouclé. Elle me l'envoie toujours à l'avance. Parfois, elle me refile même ses invitations pour des ventes privées locales, le genre de truc réservé aux élites.

Kate avait les yeux comme des soucoupes.

— Cool !

Riley tourna quelques pages du magazine et désigna une robe de cocktail noire très courte.

— Oh, mon Dieu ! ça t'irait super bien, Hanna.

Mue par la curiosité, Hanna se pencha pour regarder de quoi il était question.

— C'est de qui ?

— Et ça, ça ferait ressortir tes yeux, Kate, s'extasia Naomi en tapotant de l'index un fourreau BCBG bleu canard. Chez Prada, ils ont des escarpins en satin exactement de la même couleur. Tu as déjà été au magasin Prada ? Il est juste là, précisa-t-elle en désignant du menton un coin de la galerie.

Kate secoua la tête. Naomi se plaqua une main sur la bouche d'un air faussement horrifié. Kate gloussa et reporta son attention sur le magazine.

— Je parie qu'on est censée venir avec un cavalier ? murmura-t-elle en effleurant le papier glacé. Le problème, c'est que je ne connais personne ici.

— Ne t'en fais pas pour ça. (Naomi leva les yeux au ciel.) Tous les garçons du bahut ne parlent que de toi.

Riley tourna une page.

— Toi, Hanna, tu as déjà quelqu'un.

Hanna se raidit. Était-ce du sarcasme qu'elle décelait dans la voix de Riley ? Et que signifiait ce vilain sourire sur le visage de Naomi ?

Soudain, elle réalisa : ces pestes allaient faire une remarque désobligeante sur Lucas. À propos de tous les clubs auxquels il appartenait, du gilet bizarre qu'il devait porter dans son boulot de serveur, ou du fait qu'il ne jouait pas dans l'équipe de lacrosse. Sans parler de cette rumeur ridicule – et totalement infondée –, lancée par Ali des années auparavant, selon laquelle il était hermaphrodite.

Hanna serra les poings. Elle se doutait bien que le coup du « pardonné et oublié », c'était trop beau pour être vrai.

Pourtant, Naomi lui souriait gentiment. Riley fit claquer sa langue.

— Il y en a qui ont de la chance.

Une serveuse à l'allure de mannequin vint apporter l'addition. De l'autre côté de la salle, un couple d'une vingtaine d'années était assis sous l'affiche préférée d'Hanna, celle où figurait un diable vert dansant avec une bouteille d'absinthe.

Hanna observa Naomi et Riley par en dessous. Ces deux filles étaient ses ennemies depuis aussi loin que remontaient ses souvenirs. Mais soudain, les raisons pour lesquelles Mona et elle passaient leur temps à les vanner ne semblaient plus si valables. Les leggings que Riley affectionnait tant avaient fini par devenir à la mode – et elle en portait déjà bien avant que Rachel Zoe, la styliste des stars, en affuble Lindsay Lohan. Quant à la nouvelle coupe de Naomi, elle était assez chic. Et osée, ce qui ne gâchait rien.

Hanna baissa les yeux vers le magazine. Tout à coup, elle se sentait d'humeur magnanime.

— Riley, tu serais canon avec cette Foley et Corinna, dit-elle en désignant une robe émeraude.

— C'est justement ce que je pensais. Les grands esprits se rencontrent ! (Riley tapa dans la main d'Hanna. Puis elle plissa les yeux.) Les boutiques ne ferment pas avant une heure. Ça vous branche d'aller faire un tour chez Saks ?

Le visage de Naomi s'éclaira.

— Qu'est-ce que vous en dites, les filles ?

Hanna eut l'impression qu'on venait de l'envelopper dans un grand plaid en cachemire. Elle était au Rive Gauche avec une bande de copines, prête à dévaliser Saks. Toutes ses inquiétudes des minutes précédentes fondirent comme neige au soleil. Pourquoi perdre du temps à ressasser sa rancœur et ses craintes quand elle pouvait s'éclater avec ses nouvelles meilleures amies ?

Elle repensa au rêve qu'elle avait fait quand elle était à l'hôpital après son accident, celui où Ali s'était penchée sur elle pour chuchoter que tout allait s'arranger. Peut-être faisait-elle allusion à cet instant…

Alors qu'elle se baissait pour ramasser son sac et suivre les autres dehors, Hanna remarqua que l'écran de son BlackBerry était allumé. Elle avait reçu un nouveau texto.

Elle leva les yeux. Kate était occupée à enfiler son manteau de princesse, Naomi signait l'addition et Riley se remettait du gloss. Les serveurs tourbillonnaient dans la salle, prenant les commandes et débarrassant les assiettes vides. Repoussant ses cheveux derrière son épaule, Hanna ouvrit le texto.

Chère Petite Cochonne,

Ceux qui oublient le passé sont condamnés à le revivre. Tu te souviens de ton malheureux « accident » ? Parle de moi à qui que ce soit et je ferai en sorte que cette fois, tu ne te réveilles jamais. Mais pour te prouver que je suis de bonne volonté, laisse-moi te dire une chose : quelqu'un parmi tes proches n'est pas vraiment qui il prétend être.

Bisous,

— A

— Hanna ?

Hanna recouvrit précipitamment l'écran de son BlackBerry. Kate se tenait à quelques pas d'elle, près du bar au comptoir en marbre.

— Tout va bien ?

Hanna prit une grande inspiration et, lentement, les

taches qui dansaient devant ses yeux disparurent. Elle laissa retomber son téléphone dans son sac. Que cet usurpateur aille se faire voir. N'importe qui avait pu entendre parler de cette histoire de Petite Cochonne et de son accident. Elle avait récupéré sa place, sur la première marche du podium, et personne ne pourrait gâcher son plaisir.

— Très bien, pépia-t-elle en tirant la fermeture Éclair de son sac.

Puis elle traversa le Rive Gauche à grands pas décidés pour rejoindre les autres.

15

MÊME DANS LES BIBLIOTHÈQUES, ON N'EST PLUS EN SÉCURITÉ

Spencer fixa sans réagir la fumée qui s'échappait de sa cafetière en acier inoxydable. Face à elle, Andrew Campbell tourna une page de leur énorme manuel d'économie avancée et tapota un paragraphe marqué au surligneur.

— Ça explique de quelle façon la Réserve fédérale contrôle le flux monétaire. Par exemple, si une période de récession menace, elle baisse le taux d'intérêt des emprunts. Tu te souviens quand on en a parlé en classe?

— Mmmh, marmonna vaguement Spencer.

La seule chose qu'elle savait au sujet de la Réserve fédérale, c'est que lorsque celle-ci abaissait les taux d'intérêt, ses parents étaient excités comme des puces : ça signifiait que leurs actions allaient monter et que Mme Hastings pourrait redécorer son salon une fois de plus.

Mais Spencer ne se souvenait absolument pas avoir parlé de ça en classe. Son cours d'économie lui inspirait la même frustration, le même sentiment d'impuissance que ce rêve récurrent où elle était prisonnière d'une pièce souterraine dans laquelle l'eau montait lentement. Chaque fois qu'elle tentait de composer le 911, les chiffres du téléphone se déplaçaient sur le clavier. Puis les touches se changeaient en nounours de guimauve, et l'eau se refermait au-dessus de sa tête.

Il était plus de vingt heures le mercredi soir. Spencer et Andrew se trouvaient dans l'une des salles d'étude privées de la Bibliothèque publique de Rosewood, en train de réviser le dernier chapitre de leur programme. Comme Spencer avait plagié l'essai d'économie de sa sœur, l'administration de l'Externat avait décrété que si elle n'obtenait pas un A à ses examens semestriels dans cette matière, elle serait renvoyée de son cours. Ses parents n'étaient pas prêts à lui payer un professeur particulier, et ils ne lui avaient toujours pas rendu ses cartes de crédit. Alors, Spencer avait craqué et appelé Andrew, qui avait les meilleures notes de la classe dans cette matière. Curieusement, le jeune homme avait accepté de l'aider malgré les tonnes de devoirs d'anglais, de maths et de chimie qu'ils avaient pour le lendemain.

— Et ça, c'est l'équation qui permet de calculer un taux de change, poursuivit Andrew en tapotant un autre paragraphe dans son manuel. Ça te dit quelque chose ? On va faire quelques problèmes concrets pour l'utiliser.

Une mèche d'épais cheveux blonds lui tomba devant les yeux comme il tendait la main vers sa calculatrice. Spencer crut détecter la senteur de noisette du Facial Fuel de Kiehl's, son savon masculin préféré. Andrew l'utilisait-il depuis toujours, ou était-ce un achat récent ? Spencer était à peu près sûre de n'avoir rien senti le soir de Foxy – la dernière fois qu'elle s'était trouvée aussi près de lui.

— Allô Spencer ? Ici la Terre, appela Andrew en agitant une main devant son visage.

Spencer cligna des yeux.

— Désolée, balbutia-t-elle.

Andrew croisa ses mains sur le manuel.

— Tu as écouté ce que j'ai dit ?

— Évidemment, répondit Spencer.

Mais quand elle essayait de s'en souvenir, des choses très différentes lui revenaient à l'esprit. Le message signé « A » que ses anciennes amies et elles avaient reçu après la libération provisoire de Ian. Le procès qui devait s'ouvrir le surlendemain. La collecte de fonds que sa mère organisait sans elle. Ou pire, la possibilité qu'elle ne soit pas réellement une Hastings.

Melissa n'avait guère d'éléments pour étayer cette théorie. Une fois, quand elles étaient petites, leur cousin Smith avait dit à Spencer qu'elle avait été adoptée. Mais il voulait probablement la faire enrager. Geneviève lui avait donné une tape sur les fesses et l'avait envoyé dans sa chambre. Quant à Melissa, elle ne se souvenait pas avoir vu leur mère enceinte pendant neuf mois.

Ce n'était pas grand-chose, mais plus elle y pensait, plus Spencer avait la conviction qu'une pièce très importante du puzzle venait de se mettre en place. Leurs cheveux blond foncé mis à part, Melissa et elle ne présentaient aucune ressemblance physique. Et Spencer s'était toujours demandé pourquoi leur mère avait réagi aussi violemment la fois où elle avait surpris Spencer, Ali et les autres en train de jouer aux « Sœurs secrètes » quand elles étaient en 6e. Elles s'étaient inventé une histoire selon laquelle leur mère biologique était une femme très riche qui connaissait plein de monde et voyageait beaucoup. Malheureusement, elle était schizophrène (parce que ce mot leur plaisait) et avait perdu ses cinq ravissantes filles à l'aéroport de Kuala Lumpur (parce ce nom leur plaisait aussi).

En règle générale, Mme Hastings faisait comme si Spencer

et ses amies n'existaient pas. Mais ce jour-là, elle était très vite intervenue, leur déclarant que ce n'était pas bien de se moquer des malades mentaux ou des mères qui abandonnaient leurs enfants. Pourtant, ce n'était qu'un jeu...

Et ça aurait expliqué beaucoup d'autres choses. Pourquoi ses parents avaient toujours préféré Melissa. Pourquoi elle les décevait constamment. En réalité, il ne s'agissait peut-être pas de déception – peut-être la snobaient-ils parce qu'elle n'était pas réellement une Hastings.

Mais pourquoi ne lui avaient-ils rien dit? L'adoption n'était pas quelque chose de scandaleux. Kirsten Cullen était adoptée; sa mère biologique vivait en Afrique du Sud. Chaque année à la rentrée scolaire, Kirsten apportait des photos de ses vacances d'été à Cape Town, où elle était née, et toutes les filles de la classe de Spencer en verdissaient de jalousie. À l'époque, Spencer se surprenait vraiment à souhaiter avoir été adoptée, elle aussi. Ça semblait si exotique!

Par la fenêtre en forme de hublot qui donnait sur la bibliothèque, la jeune fille fixa l'énorme mobile bleu – une œuvre d'art moderne – pendu au plafond.

— Désolée, dit-elle à Andrew. Je suis un peu stressée.

Son camarade fronça les sourcils.

— À cause de l'examen d'éco?

Spencer inspira et se prépara à lui dire de se mêler de ses affaires. Mais il semblait sincèrement intéressé, et il avait accepté de l'aider alors qu'elle ne le méritait pas. Elle repensa à l'horrible soirée de Foxy. Andrew était tout excité à l'idée d'être son cavalier, et quand il avait découvert qu'elle se servait de lui, il s'était mis en colère. Toute cette histoire avec « A » et Toby Cavanaugh était arrivée lorsque Andrew avait découvert qu'elle sortait déjà avec quelqu'un d'autre. Spencer s'était-elle seulement excusée pour sa conduite?

La jeune fille reboucha ses surligneurs multicolores et entreprit de les ranger dans leur pochette plastique en prenant bien garde à les tourner tous dans le même sens. À l'instant où elle remettait le bleu fluo en place, quelque chose en elle se mit à bouillonner, comme si elle était une reproduction miniature de volcan sur le point d'entrer en éruption pendant le concours de sciences.

— Hier, j'ai reçu le dossier de candidature pour le programme d'été pré-universitaire de Yale, et ma mère l'a jeté avant même que je puisse y jeter un coup d'œil, lâcha-t-elle soudain. (Elle ne pouvait pas parler à Andrew de Ian ni de « A », mais ça lui ferait du bien de parler de quelque chose.) Elle a dit qu'il n'y avait aucune chance pour qu'ils m'acceptent, de toute façon. Et... mes parents organisent une collecte de fonds pour l'Externat ce week-end, mais ma mère ne m'en a même pas informée. D'habitude, je l'aide à organiser ce genre d'événement. Et puis, ma grand-mère est morte lundi et...

— Ta grand-mère est morte? (Andrew écarquilla les yeux.) Pourquoi n'as-tu rien dit?

Coupée dans son élan, Spencer cligna des yeux. Pourquoi aurait-elle dit à Andrew que sa grand-mère était morte? Ce n'était pas comme s'ils étaient amis...

— Je ne sais pas. Mais bref, elle a laissé un testament, et je ne suis pas dedans. Au début, j'ai cru que c'était à cause de l'affaire de l'Orchidée d'or, puis ma sœur m'a fait remarquer que le testament mentionnait ses « petits-enfants naturels ». Au début, je n'ai pas voulu y croire. Mais plus j'y réfléchis, plus ça me paraît logique. J'aurais dû m'en douter.

Andrew secoua la tête.

— Ralentis un peu. Je ne comprends pas. Tu aurais dû te douter de quoi?

Spencer prit une grande inspiration.

— Pardon, dit-elle doucement. « Petits-enfants naturels » signifie que l'un de nous ne l'est pas. Donc, que j'ai été adoptée.

Elle pianota de ses ongles vernis sur le gros bureau en acajou de la salle d'étude. Quelqu'un avait gravé les mots « Angela est une pute » dans le bois. Ça lui faisait bizarre d'avoir prononcé à voix haute : « J'ai été adoptée. »

— Peut-être que c'est une bonne chose, poursuivit-elle en étendant ses longues jambes sous la table. Peut-être que ma vraie mère se soucierait de moi, elle. Peut-être que je pourrais me tirer de Rosewood.

Andrew gardait le silence. Spencer lui jeta un coup d'œil, se demandant si elle avait dit quelque chose de choquant. Finalement, le jeune homme planta son regard dans le sien.

— Je t'aime, déclara-t-il.

Les yeux de Spencer faillirent lui sortir des orbites.

— Excuse-moi ?

— C'est un site Web, poursuivit Andrew sans se troubler. (Sa chaise craqua comme il s'y radossait.) Jetaime.com ou peut-être que « aime » s'écrit juste « M »; je n'en suis pas sûr. Il met en contact les enfants adoptés avec leur mère biologique. C'est une des filles qui participait au voyage en Grèce qui m'en a parlé. L'autre jour, elle m'a écrit pour me dire que ça avait marché. Elle rencontre sa mère biologique la semaine prochaine.

— Oh.

Légèrement embarrassée, Spencer fit mine de lisser sa jupe parfaitement repassée. Non, elle n'avait pas cru qu'Andrew lui faisait une déclaration. Bien sûr que non.

— Tu veux t'inscrire ? (Andrew commença à ranger ses livres dans son sac à dos.) Si tu n'es pas adoptée, ils ne trouveront rien, c'est tout. Et si tu l'es... peut-être qu'ils retrouveront ta mère.

— Hum. (La tête de Spencer lui tournait.) Pourquoi pas ? D'accord.

Andrew traversa la librairie en trombe, se dirigeant vers la salle d'informatique. Spencer le suivit.

La bibliothèque était presque vide à l'exception de quelques étudiants, de deux garçons qui traînaient près de la photocopieuse, se demandant sans doute s'ils allaient photocopier leur visage ou leurs fesses, et d'un groupe de femmes d'âge mûr qui portaient toutes le même chapeau bleu, comme si elles appartenaient à une secte. Spencer crut voir quelqu'un se dissimuler précipitamment derrière le rayon des biographies, mais quand elle regarda de nouveau, il n'y avait personne.

La salle d'informatique se trouvait à l'avant du bâtiment, entourée sur trois côtés par d'énormes baies vitrées. Andrew s'assit devant un ordinateur et Spencer tira une chaise pour se mettre près de lui. Le jeune homme remua la souris, et l'écran s'alluma.

— D'accord. (Il tapa quelque chose et fit pivoter l'écran vers Spencer.) Tu vois ?

« Nous réunissons les familles », était-il inscrit en haut de la page, en lettres roses calligraphiées. La colonne de gauche montrait des photos et des témoignages de gens qui avaient déjà eu recours aux services du site. Spencer se demanda si la copine d'Andrew se trouvait parmi eux, et si elle était jolie. Non que ça ait la moindre importance.

Spencer cliqua sur le lien « Pour vous inscrire ». Une nouvelle page s'ouvrit, avec un questionnaire permettant au site d'identifier sa mère biologique.

Elle reporta son attention sur les témoignages. « Je pensais ne jamais retrouver mon fils, écrivait Sadie, 49 ans. Maintenant qu'on se connaît, on s'entend super bien ! » Une dénommée Angela, âgée de 24 ans, déclarait : « Je me suis toujours demandé qui était ma vraie mère. À présent que je l'ai trouvée, on va monter une affaire de création de bijoux ensemble ! »

Spencer savait que le monde n'était pas aussi rose, que les choses ne s'arrangeaient pas toujours aussi bien. Mais elle ne pouvait s'empêcher d'espérer. Elle déglutit.

— Et si ça marchait ?

Andrew enfonça les mains dans les poches de son blazer.

— Tant mieux pour toi, non ?

Spencer se frotta la mâchoire, prit une grande inspiration et commença à taper son nom, son numéro de portable et son adresse e-mail. Elle indiqua sa date et son lieu de naissance, lista les maladies infantiles qu'elle avait eues et ses petits problèmes de santé, avant de renseigner son groupe sanguin.

Quand elle arriva à la question : « Merci d'expliquer pourquoi vous effectuez cette recherche », ses doigts demeurèrent en suspension au-dessus du clavier tandis qu'elle rassemblait ses pensées. « Parce que mes parents me détestent », avait-elle envie de répondre. « Parce que je ne suis rien pour eux. »

Andrew s'agita à côté d'elle. « Par curiosité », finit par taper Spencer. Puis elle prit une grande inspiration et appuya sur « Envoi ».

« Twinkle, Twinkle, Little Star », une célèbre comptine anglaise, s'égrena par les minuscules haut-parleurs de l'ordinateur, et sur l'écran apparut une image animée d'une cigogne volant autour du monde comme en quête de la mère biologique de Spencer.

La jeune fille fit craquer ses articulations. Elle avait du mal à croire ce qu'elle venait de faire.

Elle promena un regard à la ronde. Tout lui paraissait étrangement nouveau, désormais. Elle fréquentait cette bibliothèque depuis sa plus tendre enfance, mais jamais elle n'avait remarqué que toutes les peintures à l'huile qui ornaient la salle d'informatique représentaient des paysages sylvestres. Ni que la pancarte fixée derrière la porte disait : « INTERDICTION D'ALLER SUR FACEBOOK OU SUR MYSPACE ». Jamais elle n'avait vraiment regardé le plancher de bois couleur sable, ni les énormes lampes pentagonales majestueusement suspendues au plafond.

Quand elle reporta son attention sur Andrew, celui-ci lui parut étrangement nouveau lui aussi – mais d'une façon positive. Spencer rougit. Elle se sentait si vulnérable, tout à coup !

— Merci.

— De rien. (Andrew se leva et s'appuya contre le chambranle de la porte.) Ça va, tu te sens moins stressée ?

Spencer hocha la tête.

— Oui, un peu.

— Tant mieux. (Andrew sourit et consulta sa montre.) Je dois y aller, mais je te verrai en classe demain.

Spencer le regarda traverser la bibliothèque, agiter la main pour saluer Mme Jamison derrière son comptoir et franchir le tourniquet. Puis elle pivota de nouveau vers l'ordinateur et se connecta sur sa boîte mail. Le site qui « réunissait les familles » lui avait envoyé un message de bienvenue, la prévenant qu'elle aurait des résultats dans un délai compris entre quelques jours et six mois.

Alors que Spencer allait se déconnecter, un autre message arriva dans sa boîte de réception. Le nom de l'expéditeur était un micmac de lettres et de chiffres, et l'objet du message tenait en trois mots : « Je te surveille ! »

Le dos de Spencer la picota. Elle ouvrit le message et le déchiffra, les yeux plissés.

Je croyais qu'on était d'accord, Spence. Je t'envoie un gentil petit mot, et tu te rues sur ton téléphone pour appeler les flics... Que faut-il que je fasse pour que vous vous taisiez ? Ne me tentez pas !

— A

— Oh, mon Dieu ! chuchota Spencer.

Il y eut un choc sourd derrière elle. La jeune fille pivota, les muscles tendus. Mais elle était seule. Un projecteur illuminait la cour de la bibliothèque, révélant l'absence d'empreintes sur la neige immaculée. Puis Spencer remarqua quelque chose à l'extérieur d'un des carreaux – une trace de buée qui s'estompait rapidement.

Son sang se glaça dans ses veines. « Je te surveille ! » Quelqu'un s'était trouvé là quelques secondes plus tôt... et elle ne s'en était même pas doutée.

16

LES GENS BIZARRES S'ATTIRENT ENTRE EUX

Le lendemain matin, Aria descendit l'escalier en se frottant les yeux. L'odeur du café bio qu'Ella achetait au marché fermier – un des rares produits pour lequel elle payait cher sans discuter – l'attira vers la cuisine. Sa mère était déjà partie au travail, mais Mike traînait encore à table, avalant un bol de Fruity Pebbles tout en tapant un message Twitter sur son iPhone.

Quand Aria vit qui était assis à côté de son frère, elle poussa un petit cri de surprise.

— Oh. (Alarmé, Xavier leva les yeux vers elle.) Salut.

Il portait un simple T-shirt blanc et un pantalon de pyjama à carreaux pour le moins familier. Aria crut d'abord que celui-ci avait été oublié par Byron, mais réalisa bientôt qu'il appartenait à Ella. Une chope publicitaire de la fac de Hollis – la préférée de Byron, dans le temps – était posée devant Xavier, près du *Philadelphia Inquirer* ouvert à la page des jeux. Aria pressa chastement ses bras contre sa poitrine.

Si elle avait su, elle aurait enfilé un soutien-gorge avant de descendre.

Dehors, quelqu'un klaxonna. Mike se leva en faisant racler les pieds de sa chaise, du lait lui coulant sur le menton.

— C'est Noël. (Il saisit son énorme sac de sport et jeta un coup d'œil à Xavier.) Ce soir, on joue à la Wii, d'accord?

— D'accord.

Aria consulta sa montre.

— Il est sept heures vingt.

Les cours ne commençaient pas avant une heure, et en général, Mike partait à la dernière minute.

— On veut faire l'ouverture du Steam pour avoir les meilleures places et pouvoir mater Hanna Marin et sa demi-sœur, expliqua le jeune homme, les yeux exorbités. Tu as vu cette nana? Je n'arrive pas à croire qu'elles vivent ensemble. Ça t'arrive de parler à Hanna de temps en temps? Tu sais si elles dorment dans le même lit?

Aria leva les yeux au ciel, exaspérée.

— Tu crois vraiment que je vais te répondre?

Mike hissa son sac sur son épaule et sortit dans le couloir, renversant au passage le totem grenouille qu'Ella avait déniché dans un bazar en Turquie. La porte d'entrée claqua bruyamment. Aria entendit le rugissement d'un moteur... puis plus rien.

La maison était terriblement calme. Seule la musique indienne qu'Ella écoutait le matin – et qu'elle laissait souvent allumée toute la journée, affirmant que les cithares avaient un effet apaisant sur les plantes et sur leur chat, Polo – troublait le silence.

— Tu veux un bout de journal? proposa Xavier.

Il brandissait la une. « Thomas jure de trouver le véritable assassin de DiLaurentis avant l'ouverture de son procès », pouvait-on lire en gros titre. Aria frissonna.

— Ça ira.

Très vite, elle se versa une tasse de café et rebroussa chemin vers l'escalier.

— Attends, lança Xavier.

Aria s'arrêta si brusquement qu'un peu de son café se renversa par terre.

— Je suis désolé si je t'ai mise mal à l'aise hier soir au restaurant, dit le jeune homme solennellement. C'était bien la dernière chose que je voulais. Et j'avais l'intention de partir avant que tu descendes ce matin, pour ne pas te faire flipper encore plus. Je sais à quel point cette situation doit être bizarre pour toi.

Aria voulait lui demander pourquoi au juste c'était censé être bizarre : parce qu'il lui plaisait ou parce qu'il sortait avec sa mère pas encore divorcée ? Elle hésita.

— C'est bon.

Elle posa sa tasse de café sur la table du téléphone, qui disparaissait sous un tas de prospectus et de cartes postales publicitaires des dernières expos de Xavier – visiblement, Ella avait bien fait ses devoirs. Puis elle rajusta son short de pyjama gris qui, en plus d'être beaucoup trop court, avait un énorme Pégase rose imprimé sur les fesses. Pourquoi avait-il fallu qu'elle dorme avec ça !

Elle songea au texto signé « A » qu'elle avait reçu au Rabbit Rabbit la veille. Wilden avait promis de l'appeler dès qu'il aurait localisé sa source. Aria espérait avoir de ses nouvelles le jour même, et pouvoir enfin tirer un trait sur cette affaire.

Bien sûr, elle avait envisagé de montrer les photos d'elle et de Xavier à sa mère avant que « A » ne la prenne de vitesse. Elle tenta de se représenter la scène. « Le truc, c'est que Xavier me plaisait avant que tu commences à sortir avec lui. Mais je ne pense plus du tout à lui de cette façon !

Alors, si quelqu'un t'envoie des messages ou des photos, ignore-les, d'accord? » Mais sa relation avec Ella était encore trop fragile pour qu'elle aborde le sujet, surtout si ce n'était pas un cas d'absolue nécessité.

En fait, Wilden avait probablement raison. Les messages devaient venir d'un mauvais plaisantin. Et Aria n'avait pas de raison d'en vouloir à Xavier : tout ce qu'il avait fait, c'était un portrait d'elle. Un très bon portrait. Même si Ella découvrait les photos que « A » avait envoyées à sa fille, Xavier n'aurait qu'à intervenir et lui expliquer qu'il ne s'était rien passé entre eux.

Sans doute n'avait-il même pas réalisé de quelle façon Aria risquait d'interpréter son dessin. Après tout, c'était un artiste, et les artistes n'étaient pas les gens les plus doués du monde socialement. Il suffisait de voir Byron : chaque fois qu'il organisait une soirée chez eux pour ses étudiants de Hollis, il se réfugiait dans sa chambre, laissant à Ella le soin de divertir leurs invités.

Xavier se leva en s'essuyant le menton avec une serviette.

— Pour me faire pardonner, je vais m'habiller et te conduire au lycée. Qu'en dis-tu?

Les épaules d'Aria s'affaissèrent de soulagement. Ella était partie travailler avec la voiture ce matin, et la jeune fille n'avait pas du tout envie de prendre le bus scolaire rempli de gamins de primaire qui ne se lassaient jamais de faire des concours de pets.

— Volontiers. Merci.

Vingt minutes plus tard, Aria enfilait le manteau noir à bouclettes qu'elle avait acheté dans une friperie à Paris et sortait sous le porche. La voiture de Xavier, une BMW 2003 de la fin des années 1960, restaurée à la perfection, l'attendait dans l'allée. Aria se glissa sur le siège passager, admirant les chromes intérieurs.

— Toutes les vieilles voitures devraient ressembler à ça, siffla-t-elle, impressionnée. Vous avez vu la Honda de ma mère ? Il y a de la moisissure qui pousse sur les sièges.

Xavier gloussa.

— Mon père avait à peu près la même quand j'étais petit. (Il commença à reculer vers la rue.) Après avoir divorcé de ma mère, il est parti s'installer dans l'Oregon. Sa voiture m'a manqué plus que lui. (Il jeta un coup d'œil compatissant à Aria.) Je me rends tout à fait compte à quel point ça doit être perturbant pour toi. Ma mère s'est mise à sortir avec des hommes tout de suite après leur séparation. Et j'ai détesté ça.

Ainsi, voilà ce qu'il avait voulu dire. Aria regarda délibérément dans la direction opposée, où deux petits élèves de l'école publique piétinaient maladroitement les congères qui fondaient près de l'arrêt de bus. La dernière chose qu'elle voulait entendre, c'était : « Moi aussi, je suis passé par là. » Sean Ackard, avec qui elle était sortie environ cinq minutes à l'automne, lui avait révélé combien il souffrait de la mort de sa mère et du remariage de son père. Et Ezra lui avait avoué qu'après le divorce de ses parents, il avait fumé des tonnes d'herbe. Génial : la vie des autres craignait aussi. Le savoir ne changeait rien aux problèmes d'Aria.

— Tous les copains de ma mère essayaient de faire ami-ami avec moi, poursuivit Xavier. Ils m'apportaient des tas de trucs de sport, genre des gants de base-ball, des ballons de basket – et même, une fois, un uniforme de hockey sur glace complet, avec les protège-tibias et tout le bazar. S'ils s'étaient vraiment intéressés à moi, ils se seraient rendu compte que j'aurais préféré un mixer. Ou des moules à gâteaux.

Intriguée, Aria tourna la tête vers lui.

— Des moules à gâteaux?

Xavier eut un sourire penaud.

— J'étais très branché pâtisserie. (Il freina à un carrefour pour laisser traverser un groupe d'écoliers.) Ça me calmait. J'étais particulièrement doué pour les meringues. C'était avant que je découvre l'art. J'étais le seul garçon dans le club de cuisine de mon bahut. C'est de là que vient mon pseudo Match.com. Au lycée, j'étais obsédé par Wolfgang Puck. Il tenait un restaurant à Los Angeles, le Spago. Une fois, je suis descendu depuis Seattle pour manger là-bas. L'idée ne m'avait pas effleuré que j'avais besoin d'une réservation. (Il leva les yeux au ciel.) J'ai fini dans un fast-food.

Il était si sérieux qu'Aria éclata de rire.

— Une vraie gonzesse, le taquina-t-elle.

— Je sais. (Xavier baissa la tête.) Je n'étais pas très populaire à l'époque. On peut même dire que je n'avais aucun ami.

Aria passa les doigts dans sa longue queue-de-cheval.

— Moi aussi, j'étais hyper impopulaire dans le temps.

— Toi ? (Xavier eut un geste incrédule.) Non.

— Si, c'est vrai, murmura Aria. Personne ne me comprenait.

Elle se radossa à son siège. En règle générale, elle s'efforçait de ne pas penser à toutes les années de solitude qui avaient précédé l'entrée d'Ali dans sa vie. Mais la photo en noir et blanc exhumée par Spencer – celle où on voyait leur amie le jour de l'annonce de la Capsule temporelle – avait fait remonter un tas de souvenirs à la surface.

Quand Aria était en CM1, tous les élèves de sa classe étaient amis entre eux. Mais en CM2, les choses avaient brusquement changé. De petits groupes soudés s'étaient formés quasiment du jour au lendemain, et chacun s'était tacitement vu attribuer une place dans la hiérarchie sociale. Ça avait ressemblé à un jeu de chaises musicales : quand le disque s'était arrêté, tous les camarades d'Aria avaient facilement trouvé un siège tandis qu'elle-même restait debout.

Oh, elle avait bien tenté de s'intégrer dans un groupe. Pendant une semaine, elle s'était habillée tout en noir avec des Doc Martens pour traîner avec les voyous qui piquaient des bonbons à la supérette et fumaient des clopes, avant le début des cours, derrière le toboggan en forme de dragon. Mais elle n'avait rien en commun avec eux. Ils détestaient lire, y compris des livres amusants comme la série des *Narnia*.

Une autre semaine, elle avait enfilé une robe à volants pour sympathiser avec le groupe des fans de Hello Kitty qui trouvaient les garçons dégoûtants. Mais elles étaient tellement chochottes ! L'une d'elles avait pleuré pendant *trois heures* après avoir accidentellement écrasé une coccinelle durant la récré.

Aucun groupe ne convenait à Aria. Aussi avait-elle renoncé à s'intégrer. À partir de là, elle avait passé beaucoup de temps seule, ignorant les autres de son mieux.

Tous les autres, à l'exception d'Ali. Bien sûr, Ali était une ado femelle typique de Rosewood, mais quelque chose en elle fascinait Aria. Le jour où Ali avait annoncé qu'elle allait trouver un morceau du drapeau de la Capsule temporelle, Aria n'avait pu s'empêcher de croquer son ravissant visage en forme de cœur et son sourire éblouissant. Elle enviait l'aisance dont Ali faisait preuve avec les garçons – y compris les plus âgés comme Ian. Mais ce qu'elle préférait chez elle, c'était son sublime frère aîné, Jason.

Le jour où Jason s'était approché de Ian et lui avait dit de laisser Ali tranquille, Aria était déjà désespérément, douloureusement éprise de lui. Pendant des semaines, elle s'était faufilée jusqu'à la bibli du lycée pendant ses heures de permanence pour le regarder étudier avec sa classe d'allemand. Elle se cachait derrière un arbre qui surplombait le terrain de foot pour l'espionner pendant qu'il attendait dans sa cage de but. Parfois, elle feuilletait de vieux livres de l'année pour glaner toutes les informations possibles à son sujet. C'était l'une des rares occasions où elle se réjouissait de ne pas avoir d'amis : elle pouvait fantasmer en paix, sans avoir à rendre de comptes à personne.

Peu de temps après l'annonce de la Capsule temporelle, Aria avait glissé dans son sac l'exemplaire signé de *Abattoir* 5 qui appartenait à son père : l'une des choses qu'elle avait apprises sur Jason à force de l'espionner, c'est qu'il adorait Kurt Vonnegut. Le cœur battant, elle avait attendu que le jeune homme sorte de son cours de journalisme. Quand elle l'avait vu, elle avait sorti le livre, espérant qu'il le verrait au moment où il passerait près d'elle. Peut-être réaliserait-il qu'elle était son âme sœur…

Mais Mme Wagner, la secrétaire en chef du lycée, avait choisi ce moment pour se planter devant Aria et saisir le bras de Jason. Il y avait un appel important pour lui dans le bureau. « Une fille », avait précisé Mme Wagner. Le visage de Jason s'était assombri. Sans un regard pour Aria, il s'était dirigé vers le bâtiment administratif.

Rouge d'embarras, Aria avait laissé retomber le livre dans son sac. La fille au téléphone avait probablement l'âge de Jason, et elle devait être d'une beauté stupéfiante – pas une pauvre gamine de 6e qui se faisait des illusions, comme Aria.

Le lendemain, Aria, Emily, Spencer et Hanna s'étaient toutes introduites dans le jardin des DiLaurentis en même temps, visiblement animées par un même espoir : voler le morceau de drapeau d'Ali. À ce stade, Aria ne se souciait plus guère de la Capsule temporelle. Elle voulait juste une autre chance d'apercevoir Jason. Elle ne pouvait pas se douter que son vœu finirait par être exaucé...

Xavier tira sur le frein à main de la BMW, arrachant Aria à ses pensées. Ils étaient garés juste en face de l'Externat de Rosewood.

— Aujourd'hui encore, j'ai l'impression que les gens ne me comprennent pas, conclut la jeune fille en fixant le bâtiment en briques rouges qui se dressait devant elle.

— C'est peut-être parce que tu es une artiste, répondit gentiment Xavier. Les artistes se sentent toujours incompris. Mais c'est ce qui te rend spéciale.

Aria caressa son sac en peau de yack et descendit de voiture.

— Merci, dit-elle, sincèrement reconnaissante, en se retournant vers Xavier. (Puis elle ne put s'empêcher d'ajouter en grimaçant :) *Wolfgang*.

Le jeune homme frémit.

— À plus.

Il lui fit signe de la main et s'éloigna dès qu'elle eut refermé la portière. Aria le suivit des yeux le long de l'allée et dans la rue.

Soudain, elle entendit comme un gloussement tout près de son oreille. Elle fit volte-face, essayant d'en localiser la source, mais personne nc la regardait.

Le parking du lycée était rempli d'élèves. Devon Arliss et Mason Byers tentaient de se pousser l'un l'autre dans une flaque de boue. Scott Chin, le photographe du livre de l'année, pointait son appareil vers les branches d'un arbre rabougri. Un peu plus loin, Jenna Cavanaugh et son chien d'aveugle se tenaient sur le bitume glissant. La jeune fille avait le menton levé ; sa peau très blanche scintillait presque, et sa longue chevelure noire s'étalait sur son manteau de laine rouge. Sans sa canne blanche et son chien, elle aurait été une ado femelle typique de Rosewood – et une des plus canons.

Jenna s'était immobilisée à quelques mètres d'Aria, et elle semblait la fixer. Aria hésita.

— Salut, Jenna, lança-t-elle à voix basse.

Jenna pencha la tête sur le côté. Elle ne l'avait probablement pas entendue, et certainement pas vue. Puis elle tira sur le collier de son chien et se dirigea vers l'entrée du lycée.

Les poils d'Aria se hérissèrent tandis qu'un frisson la parcourait du sommet de son crâne jusqu'au bout de ses orteils. Et même s'il faisait glacial dehors, elle était à peu près sûre que ça n'avait rien à voir avec la température extérieure.

17

Les sacrifices qu'il faut faire pour être populaire !

— Kirsten Cullen a grossi, non ? chuchota Naomi à l'oreille d'Hanna. Je me trompe, ou le haut de ses bras est tout bouffi ?

— C'est clair, siffla Hanna. Voilà ce qui arrive quand on boit de la bière non allégée aux soirées de Noël. (Elle regarda Sienna Morgan, une fille de 2de très mignonne, passer devant elle, son Vuitton chéri se balançant à son épaule.) Et vous êtes au courant, pour le sac de Sienna ? (Elle promena un regard à la ronde, marquant une pause pour l'effet dramatique.) Elle l'a acheté dans un magasin d'usine !

Naomi se plaqua une main sur la bouche. Riley fit claquer sa langue en signe de dégoût. Kate repoussa ses cheveux châtains par-dessus son épaule et plongea une main dans son propre Vuitton tout ce qu'il y avait de plus authentique en quête de rouge à lèvres.

— J'ai entendu dire que les produits de luxe vendus là-bas étaient des faux, murmura-t-elle.

C'était le jeudi avant le début des cours. Hanna, Kate, Naomi et Riley étaient assises ensemble à la meilleure table du Steam. Les haut-parleurs commencèrent à diffuser de la musique classique, signalant que l'heure était venue de se diriger vers les salles de cours. Hanna et Kate se levèrent et sortirent du café bras dessus, bras dessous tandis que Naomi et Riley leur emboîtaient le pas.

Elles formaient une parade de quatre filles suivie par un petit cortège de garçons à la langue pendante. Les cheveux auburn d'Hanna ondulaient souplement dans son dos. Naomi était à la pointe de la mode avec ses low boots vert sapin. Riley, d'ordinaire plate comme une limande, semblait beaucoup plus féminine aujourd'hui grâce au Wonderbra que les autres lui avaient fait acheter la veille.

Leur virée au centre commercial King James était la meilleure qu'Hanna ait faite depuis très longtemps. Pas étonnant que le groupe de 2des agglutinées près du bureau des objets trouvés les regarde avec envie. Pas étonnant non plus que Noel Kahn, Mike Montgomery, James Freed et le reste de l'équipe de lacrosse les aient matées avec des yeux exorbités depuis le fond du café. Il s'était écoulé à peine plus de douze heures depuis qu'Hanna avait présenté ses excuses à Naomi et à Riley, mais au lycée, tout le monde savait déjà qu'elles étaient les filles les plus en vue et les plus enviables. C'était carrément le pied.

Soudain, Hanna sentit une main sur son bras.

— Tu as une seconde ?

Spencer se tenait près des casiers, visiblement nerveuse. Ses cheveux blond foncé étaient rassemblés en queue-de-cheval, et elle regardait en tous sens. On aurait dit que quelqu'un avait trop tourné la petite clé dans son dos, celle qui servait à remonter son mécanisme.

— Je suis occupée, répondit Hanna en essayant de se dégager.

Mais Spencer l'entraîna quand même dans l'alcôve où se trouvait la fontaine à eau. Kate jeta un coup d'œil par-dessus son épaule et haussa un sourcil. Hanna lui fit signe de continuer sans elle et reporta son attention sur son ancienne amie.

— Quoi encore ? aboya-t-elle.

— J'ai reçu un autre message hier soir, dit Spencer en brandissant son Sidekick sous le nez d'Hanna. Regarde.

Hanna lut en silence. « Je croyais qu'on était d'accord, Spence. Bla bla bla. »

— Et alors ?

— J'étais à la bibliothèque municipale à ce moment-là. Et quand je me suis retournée, j'ai vu de la buée sur la fenêtre. Des traces de souffle. Je jure devant Dieu que c'était Ian. Il nous surveille.

Hanna renifla. C'était probablement une bonne occasion de mentionner le texto signé « A » qu'elle-même avait reçu la veille, mais ça signifierait qu'elle pensait avoir des raisons de s'inquiéter.

— Wilden nous a répété que c'était juste un *copycat*, chuchota-t-elle. Pas Ian.

— C'est forcément lui, glapit Spencer d'une voix si aiguë qu'un groupe de filles plus jeunes, vêtues de l'uniforme d'hiver des pom-pom girls, leur jeta un coup d'œil alarmé. Il est sorti de prison. Il ne veut pas qu'on témoigne contre lui, alors, il essaie de nous faire peur. C'est logique, non ?

— Ian est assigné à résidence, lui rappela Hanna. Ce n'est probablement qu'un gamin de Rosewood qui n'a rien de mieux à faire. Il t'a vue à la télé, il t'a trouvée canon et il essaie d'attirer ton attention. Et tu sais quoi ? Il a réussi. Il a gagné. Le mieux à faire, c'est de l'ignorer.

— Aria aussi a reçu un nouveau message, dit Spencer en regardant autour d'elle comme si leur amie allait miraculeusement apparaître dans le couloir. Elle t'en a parlé ? Tu sais si Emily en a eu un, elle aussi ?

— Pourquoi ne vas-tu pas plutôt le demander à Wilden ? répliqua Hanna.

Elle fit un pas en arrière.

— Tu crois que je devrais ? (Spencer porta son index à son menton.) Le message m'ordonne de me taire.

Hanna grogna.

— Mais tu le fais exprès ! C'est. Un. Faux.

Sur ce, elle haussa les épaules en guise d'au revoir et se détourna. Spencer poussa un couinement incrédule, mais Hanna l'ignora. Elle n'allait pas laisser une contrefaçon de « A » la manipuler. Elle ne redeviendrait pas la gamine faible et apeurée qu'elle était encore à l'automne – pas après tout ce qui lui était arrivé.

Kate, Naomi et Riley étaient plantées au bout du couloir, près de la grande baie vitrée qui donnait sur le terrain de foot enneigé. Hanna se hâta de les rejoindre en espérant qu'elle n'avait rien manqué de croustillant.

Ses trois amies discutaient de ce qu'elles allaient porter à la soirée de charité organisée par les Hastings le samedi. Leur plan consistait à aller se faire asperger d'autobronzant au Sun Land le matin, à se rendre au Fermata l'après-midi pour une manucure et une pédicure, puis à s'habiller, se coiffer et se maquiller toutes ensemble chez Naomi avant de prendre un taxi pour se rendre chez les parents de Spencer. Elles avaient envisagé d'arriver en limousine Stretch Hummer, mais Kate les avait informées que c'était passé de mode depuis deux ans.

— Il risque d'y avoir des photographes mondains. Du coup, je mettrai sans doute ma Derek Lam à emmanchures américaines, annonça Naomi en repoussant une mèche blond platine qui lui tombait dans les yeux. Ma mère m'a dit que je devais la garder pour le bal de promo, mais je sais que d'ici une semaine, elle aura oublié et me laissera en acheter une autre.

— Ou bien, on pourrait toutes s'habiller pareil, suggéra Riley en se regardant dans le miroir de son poudrier Dior. Que dites-vous des robes Sweetface[1] qu'on a vues chez Saks hier ?

— Sweetface, beurk. (Naomi tira la langue.) Les people ne devraient jamais être autorisés à lancer leur propre griffe.

— Elles étaient super courtes et mimi comme tout, insista Riley, qui ne voulait pas renoncer à son idée.

— Cessez de vous disputer, intervint Kate avec une expression d'ennui suprême. On retournera au King James cet après-midi, d'accord ? Il doit rester des tas de magasins qu'on n'a pas encore faits. On trouvera toutes quelque chose de fabuleux à porter. Qu'en dis-tu, Hanna ?

— J'en dis que c'est parfait.

Naomi et Riley se redressèrent et hochèrent très vite la tête, elles aussi.

— Et puis, il faut qu'on te déniche un petit ami, Kate, déclara Naomi en passant un bras autour de sa taille. Ce ne sont pas les beaux gosses qui manquent à Rosewood.

— Pourquoi pas Eric, le frère de Noel ? suggéra Riley en collant son postérieur microscopique aux radiateurs situés sous la fenêtre. Il est canon.

— Mais il est sorti avec Mona. (Naomi jeta un coup d'œil à Hanna.) Tu ne trouverais pas ça bizarre ?

1. Sweetface est la marque de vêtements créée par Jennifer Lopez. *(N.d.T.)*

— Non, répondit très vite Hanna.

Pour la première fois, entendre le nom de son ex-meilleure amie ne lui faisait ni chaud ni froid.

— Alors, Eric serait parfait pour Kate. (Naomi écarquilla les yeux.) J'ai entendu dire qu'à l'époque où il sortait avec Brionny Kogan, il l'a emmenée à New York. Il avait loué un des appartements-terrasse du Mandarin Oriental ; il lui a offert un tour de calèche autour de Central Park et un bracelet Cartier.

— Moi aussi, j'ai entendu ça, se pâma Riley.

— Je ne dirais pas non à un romantique, avoua Kate.

Discrètement, elle adressa une petite moue à Hanna. Celle-ci hocha la tête. Elle captait l'allusion au secret de sa presque demi-sœur, cette relation désastreuse avec « Herpès Boy » à Annapolis. Kate n'avait pas confirmé qu'il s'agissait bien d'herpès, mais elle avait demandé à Hanna de ne pas en parler à leurs nouvelles amies.

Hanna sentit une autre main sur son bras. Exaspérée, elle fit volte-face en s'apprêtant à rabrouer vertement Spencer. Mais ce n'était que Lucas.

— Oh, coucou.

Hanna passa les mains dans ses cheveux. Ces derniers jours, elle n'avait communiqué avec son petit ami que par textos ou par e-mails très brefs, ignorant ses appels répétés. Mais elle était occupée à tisser des liens avec son nouvel entourage, un art aussi délicat que broder à la main une robe haute couture. Lucas comprendrait sûrement.

Sur le nez de son petit ami, elle aperçut une miette de ce qui ressemblait à du glaçage de donut rose. En temps normal, l'incapacité de Lucas à mettre toute sa nourriture dans sa bouche avait tendance à l'attendrir, mais devant Kate, Naomi et Riley, cela devenait plutôt embarrassant. Hanna essuya très vite le nez de Lucas. Elle aurait également voulu rentrer sa chemise dans son pantalon, refaire les lacets d'une de ses Converse et ébouriffer un peu ses cheveux – apparemment, il avait oublié d'utiliser le gel de coiffage qu'elle lui avait acheté chez Sephora –, mais ça l'aurait fait passer pour une emmerdeuse.

Kate s'avança et sourit.

— Salut, Lucas. Contente de te revoir.

Le regard du jeune homme fit la navette entre le bras de Kate, qui était passé autour de la taille d'Hanna, et le visage de cette dernière. Hanna esquissa un sourire en priant pour qu'il ne dise rien.

La dernière fois qu'il l'avait vue avec sa presque demi-sœur, c'était pendant les vacances de Noël, quand il était venu la chercher pour l'emmener skier. Hanna ne s'était même pas donné la peine de dire au revoir à Kate. Et elle n'avait pas eu le temps d'informer Lucas du récent retournement de situation.

Kate se racla la gorge d'un air amusé.

— Je crois qu'on devrait laisser les tourtereaux, les filles.

— Je vous rattrape tout de suite, promit Hanna avec raideur.

— Bye, Lucas, gazouilla Kate avant de s'éloigner dans le couloir, suivie de Naomi et de Riley.

Lucas fit passer ses livres d'un bras dans l'autre.

— Donc…

— Je sais ce que tu vas dire, coupa Hanna, sur la défensive. J'ai décidé de laisser une chance à Kate.

— Je croyais qu'elle était démoniaque, fit remarquer Lucas, perplexe.

Hanna posa les mains sur ses hanches.

— Et je suis censée faire quoi ? Elle vit chez moi. Mon père m'a dit que, grosso modo, il me déshériterait si je n'étais pas gentille avec elle. Elle m'a présenté des excuses, et j'ai décidé de les accepter. Tu pourrais être content pour moi !

— D'accord, d'accord. (Lucas recula, les mains levées en un geste de reddition.) Je suis content pour toi. Désolé si je n'en ai pas l'air.

Hanna souffla très fort par le nez.

— C'est bon.

Mais Lucas avait gâché sa bonne humeur. Elle tenta d'écouter ce que disaient Kate, Naomi et Riley – peine perdue, les trois filles étaient trop loin. Discutaient-elles toujours de leurs robes, ou étaient-elles passées aux chaussures ?

Lucas agita un bras devant elle, l'air inquiet.

— Hanna, tu vas bien ? Je te trouve bizarre aujourd'hui.

Très vite, Hanna reporta son attention sur lui en se parant de son plus beau sourire.

— Oui, oui, je vais bien. Très bien, même. Mais il faut y aller. Sinon, on va être en retard pour nos cours.

Lucas acquiesça, mais il ne semblait guère rassuré. Finalement, il soupira, se pencha vers elle et l'embrassa dans le cou.

— On en reparlera plus tard.

Hanna le regarda s'éloigner nonchalamment en direction de l'aile des sciences. Pendant les vacances de Noël, ils avaient construit une énorme bonne femme de neige, une chose qu'Hanna n'avait pas faite depuis son enfance. Lucas lui avait fabriqué d'énormes seins, et Hanna lui avait noué son écharpe Burberry autour du cou. Après ça, ils s'étaient lancés dans une bataille de boules de neige, puis étaient rentrés préparer des cookies aux pépites de chocolat. Résignée, Hanna n'en avait mangé que deux.

C'était son souvenir préféré des dernières vacances, mais à présent, la jeune fille se demandait si Lucas et elle n'auraient pas dû faire quelque chose de plus sophistiqué. Comme louer un appartement-terrasse au Mandarin Oriental ou acheter des bijoux sur la 5e Avenue.

Les couloirs étaient presque vides, et la plupart des professeurs refermaient déjà la porte de leur salle de cours. Hanna se mit à marcher en essayant de se ressaisir.

Un bip étouffé à l'intérieur de son sac la fit sursauter. C'était son portable. Une petite graine d'inquiétude se mit à germer dans le fond de son estomac. Quand elle regarda l'écran, elle fut soulagée de voir que ce n'était que Lucas.

J'ai oublié de te demander, écrivait son petit ami, *on se voit toujours cet aprèm ? Réponds-moi quand tu auras ce message.*

La musique classique de l'intercours se tut. Ce qui signifiait qu'Hanna était en retard. Elle avait complètement oublié qu'elle avait proposé à Lucas de l'aider à se choisir un nouveau jean au centre commercial. Mais elle détestait l'idée que Kate, Naomi et Riley aillent acheter des robes sans elle, et ça aurait fait trop bizarre d'emmener Lucas.

Peux pas, tapa-t-elle. *Désolée.*

Elle appuya sur le bouton d'envoi et referma son téléphone à clapet. Dès qu'elle franchit l'angle, elle aperçut ses nouvelles amies qui l'attendaient au bout du couloir. Elle sourit et pressa le pas pour les rattraper, repoussant sa culpabilité dans un coin de sa tête. Après tout, elle était Hanna Marin, et elle était fabuleuse.

18

UN JURY D'UNE PERSONNE

Le jeudi soir, Spencer était assise seule à la table du dîner. Melissa était partie avec des amis une heure plus tôt ; quant à ses parents, ils avaient fait exprès de l'éviter avant de sortir en lui jetant à peine un au revoir. Elle avait dû fouiller au fond du frigo pour trouver quelques restes de traiteur chinois.

À présent, elle fixait la pile de courrier sur la table de la cuisine. L'université de Fenniworth, une fac inconnue au bataillon située dans le centre de la Pennsylvanie, lui avait envoyé une brochure et une lettre disant qu'ils seraient ravis de lui faire visiter leur campus. Mais la seule raison pour laquelle ils envisageaient encore de l'accueillir, c'était probablement le fric de son père. Un fric que Spencer pensait lui revenir de droit – jusqu'à maintenant.

Sortant son Sidekick de sa poche, la jeune fille vérifia sa boîte de réception e-mail pour la troisième fois en un quart d'heure. Aucun message du site d'adoption. Aucun message du nouveau « A ». Et, malheureusement, aucun message de Wilden. Suivant le conseil d'Hanna, Spencer l'avait appelé pour lui parler du mail reçu à la bibliothèque, ajoutant qu'elle était certaine que quelqu'un l'avait épiée par la fenêtre.

Mais Wilden avait paru distrait. À moins qu'il ne l'ait pas crue, qu'il la considère lui aussi comme un témoin douteux. Il lui avait de nouveau assuré qu'il s'agissait d'un mauvais plaisantin, et que ses collègues et lui cherchaient la source des messages. Puis il avait raccroché alors que Spencer était au beau milieu d'une phrase. La jeune fille avait fixé son téléphone, incrédule et vexée.

Candace, la gouvernante des Hastings, se mit à nettoyer le poêle, emplissant toute la pièce d'une odeur de détergent au pin. Le petit écran plat accroché au-dessus des placards diffusait en sourdine la dernière saison d'*America's Next Top Model*, son émission préférée.

Le traiteur venait de déposer une partie des victuailles pour la soirée de samedi, et le caviste avait apporté plusieurs caisses de vin. Quelques magnums abandonnés sur le plan de travail rappelaient à Spencer que, cette année, elle ne participait pas à ces préparatifs. Sinon, elle n'aurait certainement pas commandé du merlot – elle aurait opté pour quelque chose de plus classe, comme du barolo.

Elle leva les yeux vers la télé. Des filles ravissantes défilaient sur un podium improvisé dans une morgue, arborant ce qui ressemblait à un savant mélange de bikini et de camisole de force. Soudain, l'écran devint noir. Spencer pencha la tête sur le côté. Candace poussa un grognement de frustration. Le logo des informations apparut sur l'écran.

— Nous interrompons nos programmes pour vous annoncer les dernières nouvelles en provenance de Rosewood.

Spencer s'empara de la télécommande et monta le son.

Un journaliste aux yeux globuleux et aux cheveux coupés en brosse se tenait devant le tribunal de la ville.

— Dans l'affaire du meurtre d'Alison DiLaurentis, nous

venons d'apprendre que malgré les récentes spéculations sur le manque de preuves, le bureau du procureur vient de déclarer que le procès aurait lieu comme prévu.

Spencer resserra son cardigan en cachemire et poussa un soupir de soulagement. L'image montrait désormais la maison des Thomas, une énorme bâtisse dont le porche était surmonté par un drapeau américain.

— M. Thomas a bénéficié d'une libération provisoire sous caution jusqu'au début de son procès, poursuivit le journaliste hors champ. Nous lui avons parlé hier soir.

Le visage de Ian apparut à l'écran.

— Je suis innocent, clamait-il, les yeux écarquillés. C'est quelqu'un d'autre qui a tué Alison, pas moi.

— Pff, cracha Candace en secouant la tête. Quand je pense à tout le temps qu'il a passé dans cette maison !

Elle saisit une bombe de Febreze et pulvérisa un peu de produit en direction de la télé, comme si la seule image de Ian avait répandu une mauvaise odeur dans la pièce.

Le bulletin spécial se termina, et *America's New Top Model* reprit. Spencer se leva. Elle ne se sentait pas dans son assiette. Elle avait besoin de respirer de l'air frais… et de chasser Ian de ses pensées.

D'un pas titubant, elle se dirigea vers la porte de derrière et sortit dans le patio. Une rafale de vent glacée la gifla en pleine figure. D'après le thermomètre en forme de héron, il faisait à peine un demi-degré, mais Spencer ne se donna pas la peine de rentrer pour enfiler un manteau.

Tout était noir et silencieux sous le porche. Les bois derrière la grange – le dernier endroit où Spencer avait vu Ali vivante – semblaient encore plus sombres que d'habitude.

Comme la jeune fille pivotait vers le jardin des Hastings, une lumière s'alluma dans la maison des Cavanaugh. Une grande silhouette mince aux cheveux longs passa devant la baie vitrée du salon. Jenna. Elle faisait les cent pas, parlant dans son téléphone. Ses lèvres remuaient très vite. Spencer frissonna, mal à l'aise. C'était si étrange de voir quelqu'un porter des lunettes de soleil à l'intérieur, et de nuit...

— Spencer, chuchota quelqu'un tout près d'elle.

Spencer fit volte-face, et ses genoux manquèrent céder sous elle. Ian se tenait de l'autre côté de la terrasse. Il portait une doudoune noire North Face dont il avait remonté la fermeture Éclair jusque sous son nez, et un bonnet de ski noir enfoncé jusqu'aux sourcils. C'est bien simple, Spencer ne distinguait que ses yeux.

Elle voulut crier, mais Ian leva une main.

— Chut. Écoute-moi une seconde.

Spencer était si terrifiée qu'il lui semblait que son cœur allait bondir hors de sa poitrine.

— C-comment es-tu sorti de chez toi ?

Les yeux de Ian brillèrent.

— Je suis débrouillard.

Spencer jeta un coup d'œil vers la fenêtre de la cuisine, mais Candace avait quitté la pièce. Son Sidekick se trouvait non loin, niché dans son étui Kate Spade en cuir vert menthe sur la table du patio. Elle tendit la main pour le prendre.

— Ne fais pas ça, implora Ian. (Il baissa légèrement la fermeture Éclair de sa doudoune et ôta son bonnet. Ses joues paraissaient plus creuses, comme s'il avait perdu du poids, et ses cheveux blonds étaient tout hérissés.) Je veux juste te parler. Toi et moi, on était si bons amis dans le temps ! Pourquoi m'as-tu fait ça ?

Spencer en resta bouche bée.

— Parce que tu as assassiné ma meilleure amie, voilà pourquoi !

Sans la quitter des yeux, Ian fouilla dans la poche de sa

doudoune. Lentement, il en sortit un paquet de cigarettes Parliament et en alluma une avec son Zippo. C'était quelque chose que Spencer n'aurait jamais pensé voir un jour Autrefois, Ian et plusieurs autres jeunes de Rosewood super propres sur eux participaient à une campagne antitabac au niveau local.

Une bouffée de fumée bleue s'échappa de sa bouche.

— Tu sais que je n'ai pas tué Alison. Je n'aurais jamais touché à un seul de ses cheveux.

Spencer agrippa l'un des piliers de bois qui soutenaient le porche pour ne pas tomber.

— Si, tu l'as tuée, contra-t-elle d'une voix tremblante. Et si tu crois que les messages que tu nous envoies nous foutront suffisamment la trouille pour nous empêcher de témoigner contre toi, tu te trompes. Tu ne nous fais pas peur.

Ian pencha la tête sur le côté.

— Quels messages ?

— Ne fais pas l'imbécile, couina Spencer.

Ian renifla, l'air toujours perplexe.

Spencer jeta un coup d'œil au trou dans le jardin des DiLaurentis. Il était si près… Son regard se posa ensuite sur la grange, l'endroit où avait eu lieu leur dernière soirée pyjama. Elles étaient toutes si excitées par la fin de l'année scolaire ! Bien sûr, il y avait une certaine tension entre elles, et bien sûr, Ali avait fait des tas de choses qui avaient mis Spencer en rogne, mais si elles avaient passé suffisamment de temps ensemble cet été-là, loin des autres élèves de l'Externat, elles seraient redevenues aussi proches qu'au début.

Puis Ali et Spencer s'étaient bêtement disputées au sujet des stores qu'Ali voulait tirer pour pouvoir hypnotiser les autres filles. Avant que Spencer comprenne ce qui se passait, leur querelle avait pris des proportions incontrôlables. Elle avait demandé à Ali de partir… et Ali l'avait fait.

Pendant longtemps, Spencer avait culpabilisé à ce sujet. Si elle n'avait pas chassé Ali, cette dernière serait peut-être toujours vivante. Mais à présent, elle savait que rien de ce qu'elle aurait pu faire n'aurait pu modifier le cours des événements.

Ali avait l'intention de les larguer depuis le début. Sans doute devait-elle rencontrer Ian pour connaître sa décision : rompre avec Melissa ou laisser Ali dévoiler au reste du monde leur relation si inconvenante. Ali se délectait de ce genre de manipulation; elle aimait voir jusqu'où elle pouvait pousser les gens. Néanmoins, ça ne donnait pas à Ian la permission de l'assassiner.

Les yeux de Spencer se remplirent de larmes. Elle pensa à la vieille photo que ses anciennes amies et elle avaient regardée juste avant que les informations annoncent la mise en liberté provisoire de Ian, celle qui avait été prise la veille du lancement de la Capsule temporelle. Ian avait eu l'audace de s'approcher d'Ali et de lui dire qu'il allait la tuer. Qui sait, peut-être en avait-il déjà l'intention à cette époque. Peut-être voulait-il la supprimer depuis longtemps. Peut-être considérait-il cela comme le crime parfait. « Personne ne me soupçonnera, avait-il dû penser. Après tout, je suis Ian Thomas. »

Tremblant de tout son corps, Spencer foudroya le jeune homme du regard.

— Tu croyais vraiment pouvoir t'en tirer après avoir fait une chose pareille? À quoi pensais-tu? Rien que le fait de sortir en cachette avec Ali… Tu ne te rendais pas compte à quel point c'était mal? Tu ne voyais pas que tu abusais d'elle?

Un corbeau murmura dans le lointain – un bruit discordant, désagréable.

— Je n'abusais pas d'elle, protesta Ian.

Spencer renifla.

— Elle était en 5e et toi en terminale. Ça ne te dérangeait pas ?

Ian cligna des yeux.

— Donc, elle a eu l'audace de te poser un ultimatum, poursuivit Spencer, les narines frémissantes. Tu n'étais pas obligé de la prendre au sérieux ! Tu aurais pu te contenter de lui répondre que tu ne voulais plus la voir !

— Tu crois que les choses se sont passées ainsi ? (Ian semblait sincèrement ahuri.) Qu'Ali avait le béguin pour moi ? (Il éclata de rire.) On flirtait beaucoup tous les deux, mais c'est tout. Jamais elle n'a eu l'air de vouloir aller plus loin.

— C'est ça, grinça Spencer, les dents serrées.

— Et puis, tout à coup... elle a changé d'avis, reconnut Ian. Au début, j'ai cru qu'elle se rapprochait de moi pour rendre quelqu'un d'autre jaloux.

Quelques secondes s'écoulèrent. Un oiseau se posa sur la mangeoire du porche pour picorer des graines. Spencer mit les mains sur ses hanches.

— Je suppose que tu parles de moi, là ? Ali a décidé de sortir avec toi pour me faire de la peine ?

— Hein ?

Le vent agitait les extrémités de l'écharpe noire de Ian.

Spencer ricana. Fallait-il vraiment qu'elle lui mette les points sur les *i* ?

— Tu me plaisais. Quand j'étais en 5e. Je sais qu'Ali te l'avait dit. Qu'elle t'avait convaincu de m'embrasser.

Ian exhala, les sourcils toujours froncés.

— Je ne me souviens plus. C'était il y a longtemps.

— Arrête de mentir, aboya Spencer, les joues en feu. Tu as tué Ali. Cesse de prétendre le contraire.

Ian ouvrit la bouche, mais aucun son n'en sortit.

— Et si je t'apprenais quelque chose que tu ignores? bredouilla-t-il enfin.

Un avion les survola dans le doux grondement de ses réacteurs. Quelques maisons plus loin, M. Hurst démarra sa souffleuse à neige.

— De quoi parles-tu? chuchota Spencer.

Ian tira de nouveau sur sa cigarette.

— De quelque chose d'énorme. Je crois que les flics sont au courant, mais qu'ils font exprès de ne pas en tenir compte. Ils essaient de me faire porter le chapeau. Mais d'ici demain, je disposerai de preuves qui m'innocenteront. (Il se pencha vers Spencer, lui soufflant sa fumée au visage.) Crois-moi, ça mettra toute ton existence sens dessus dessous.

Le corps de Spencer s'engourdit.

— Vas-y, dis-moi.

Ian détourna le regard.

— Je ne peux pas. Pas encore. Je préfère attendre d'être sûr.

Spencer éclata d'un rire amer.

— Et tu voudrais que je te croie sur parole? Je ne te dois rien. Tu devrais plutôt parler à Melissa. Elle se montrera sûrement plus compatissante que moi.

Une expression méfiante que Spencer ne put déchiffrer tout à fait passa sur le visage de Ian, comme si cette idée ne lui déplaisait fortement. La fumée toxique de sa cigarette les enveloppait tel un linceul.

— J'étais peut-être soûl cette nuit-là, mais je sais ce que j'ai vu, affirma-t-il. Oui, j'étais venu pour parler avec Ali, mais dans les bois... j'ai vu deux blondes. L'une d'elles était Ali. L'autre...

Il haussa les sourcils d'un air suggestif.

Dans les bois. Deux blondes. Comprenant ce que sous-entendait Ian, Spencer secoua très vite la tête.

— Ce n'était pas moi. J'ai suivi Ali hors de la grange, puis elle m'a plantée là – pour aller te retrouver.

— Dans ce cas, c'était une autre fille.

— Si tu as vu quelqu'un, pourquoi ne l'as-tu pas dit à la police juste après la disparition d'Ali ?

Ian glissa un coup d'œil vers la gauche et tira nerveusement sur sa cigarette. Spencer claqua des doigts et braqua un index accusateur sur lui.

— Tu n'as rien dit parce que tu n'as jamais rien vu. Il n'y a pas de secret énorme que les flics ignorent. Point. Tu l'as tuée, Ian, et tu vas payer pour ça. Fin de l'histoire.

Le jeune homme soutint son regard pendant de longues secondes. Puis, d'une secousse, il projeta son mégot dans le jardin.

— Tu te trompes complètement, conclut-il d'une voix atone.

Sur ce, il fit volte-face et s'éloigna à grandes enjambées furieuses, traversant le jardin des Hastings avant de s'enfoncer dans les bois. Spencer attendit qu'il ait franchi la lisière des arbres avant de tomber à genoux. Ce fut à peine si elle remarqua la neige qui traversa immédiatement son jean tandis que des larmes brûlantes inondaient ses joues.

Plusieurs minutes s'écoulèrent avant qu'elle remarque que son Sidekick, toujours posé sur la table du patio, sonnait. Elle se leva d'un bond et le saisit. Elle avait reçu un nouveau texto.

Question : si la pauvre petite Miss Pas-Si-Parfaite disparaissait tout à coup, quelqu'un s'en soucierait-il ? Tu as parlé de moi deux fois. À la troisième, nous découvrirons si la fin de ta vie pathétique fera verser une larme à tes « parents ». Fais bien attention où tu mets les pieds, Spence.

— A

Spencer leva les yeux vers les arbres qui bordaient le fond de la propriété des Hastings.

— Alors comme ça, tu ne m'envoies pas de messages, hein, Ian? glapit-elle dans le silence d'une voix éraillée. Sors de là que je te voie!

Le vent continua à tourbillonner autour d'elle. Ian ne répondit pas. La seule trace de son passage était la braise rougeoyante de son mégot qui mourait lentement au milieu du jardin.

19

D'HABITUDE, LES BISCUITS CHINOIS N'ANNONCENT RIEN DE BON

Le jeudi soir après la natation, Emily se tenait devant le miroir en pied de la piscine de l'Externat, examinant sa tenue d'un œil critique. Elle portait son pantalon en velours chocolat préféré, un chemisier rose pâle orné de volants discrets et des ballerines rose foncé. Était-ce un look approprié pour dîner au China Rose avec Isaac ? Ou était-ce trop fifille et pas assez... elle ? Non qu'elle sache vraiment qui elle était ces jours-ci...

— Pourquoi tous ces efforts vestimentaires ? (Carolyn fit irruption dans le vestiaire, faisant sursauter sa cadette.) Tu as un rencard ?

— Non, répondit aussitôt Emily, horrifiée.

Carolyn pencha la tête sur le côté d'un air entendu.

— Qui est-ce ? Je la connais ?

« La. » Emily aspira entre ses dents.

— J'ai juste rendez-vous avec un garçon pour dîner. Un ami. C'est tout.

Carolyn s'approcha pour ajuster le col d'Emily.

— C'est aussi ce que tu as raconté à maman ?

De fait, c'était exactement ce qu'Emily avait raconté à leur mère. Elle était probablement la seule fille de Rosewood qui puisse annoncer à ses parents qu'elle passait la soirée avec un garçon sans subir des discours assommants sur le fait que le sexe était une chose sérieuse, réservée aux gens matures et sincèrement amoureux l'un de l'autre.

Depuis son baiser avec Isaac, la veille, Emily naviguait dans une brume de perplexité. Elle n'avait aucune idée de ce que ses profs avaient bien pu raconter ce jour-là. Le sandwich à la gelée et au beurre de cacahuètes qu'elle avait mangé le midi aurait aussi bien pu être garni avec des sardines et de la sciure. Et elle avait à peine frémi quand Mike Montgomery et Noel Kahn lui avaient fait coucou dans le parking après l'entraînement, en lui demandant si elle avait passé de bonnes vacances.

— Est-ce qu'il existe une version lesbienne du Père Noël ? avait crié Mike, tout excité. Tu t'es assise sur ses genoux ?

Emily ne s'était même pas sentie offensée, et ça l'inquiétait : si les plaisanteries sur les gays ne la touchaient plus, cela signifiait-il qu'elle avait cessé d'être gay ? Mais alors, que devenait la révélation effrayante qu'elle avait eue sur ses tendances amoureuses ces derniers mois ? La raison pour laquelle ses parents l'avaient expédiée dans l'Iowa ? Si Isaac lui inspirait les mêmes émotions que Maya et Ali, qu'est-ce que cela faisait d'elle ? Une hétéro ? Une bisexuelle ? Une paumée ?

Emily brûlait d'envie de parler d'Isaac à ses parents – ironie du sort, il était pile le genre de garçon que M. et Mme Fields auraient adoré voir sortir avec leur fille –, mais elle n'osait pas. Et s'ils ne la croyaient pas ? Et s'ils lui riaient au nez ? Et s'ils se mettaient en colère ? Elle leur en avait fait voir des vertes et des pas mûres cet automne. Et après s'être tant battue pour leur faire accepter son homosexualité, elle craquait pour un garçon? Juste comme ça? Sans compter que le dernier message envoyé par « A » soulevait un point intéressant. Elle ne savait pas à quel point Isaac était conservateur, ni de quelle façon il réagirait en découvrant les secrets de son passé. Et si ça le faisait fuir à jamais?

Emily referma brusquement son casier, fit tourner les chiffres du cadenas et ramassa son sac de sport.

— Bonne chance, chantonna Carolyn tandis que sa cadette sortait des vestiaires. Je suis sûre qu'elle te trouvera craquante.

Emily frémit mais ne répondit rien.

Le China Rose se trouvait à quelques kilomètres sur la route 30. C'était un petit bâtiment coloré qui se dressait à côté d'une structure de pierre en ruine. Pour l'atteindre, Emily dut traverser le parking d'un Kinko's, un magasin spécialisé dans le tricot et le marché amish qui vendait du beurre de pomme fait maison, ainsi que des peintures d'animaux de ferme réalisées sur des tronçons de bois vernis.

Quand elle sortit de sa voiture, un silence étrange planait sur le parking. Elle sentit ses cheveux se hérisser.

Elle n'avait pas rappelé Aria pour discuter du nouveau « A ». Franchement, elle avait trop peur pour en parler avec quiconque. Aussi avait-elle décidé de faire l'autruche. Si elle évitait d'y penser, avec un peu de chance les messages cesseraient. Aria ne l'avait pas rappelée non plus. Emily se demanda si son amie avait opté pour la même tactique qu'elle.

Le bowling de Rosewood se trouvait également dans cette zone commerciale – mais plus pour longtemps, puisque les locaux avaient été rachetés par la chaîne de supermarchés Whole Foods et que les travaux d'aménagement avaient déjà commencé. Emily, Ali et les autres se retrouvaient là tous les vendredis soir au début de leur année de 6e, à l'époque où leur petite bande venait juste de se former.

Au début, Emily avait trouvé cela étrange. Elle avait supposé que ses nouvelles amies voudraient traîner au centre commercial King James, où Ali et son ancienne clique passaient tous leurs week-ends. Mais Ali avait décrété qu'elle en avait marre du King James – et des autres élèves de l'Externat.

— On a besoin de passer du temps seules entre nous pour apprendre à nous connaître, vous ne trouvez pas ? Et personne du bahut ne nous trouvera ici, avait-elle affirmé.

C'était au bowling qu'Emily avait posé à Ali sa seule et unique question au sujet de la Capsule temporelle – et des propos effrayants que Ian avait tenus ce jour-là. Elles étaient en train de faire les folles sur une des pistes ; complètement shootées au sucre de la fontaine à soda, elles essayaient de voir si elles pouvaient améliorer leur score en lançant la boule entre leurs jambes.

Ce soir-là, Emily avait pris son courage à deux mains, bien décidée à obtenir des réponses sur ce passé qu'elles s'efforçaient toutes d'oublier. Quand Spencer s'était levée pour jouer tandis qu'Hanna et Aria se dirigeaient vers les distributeurs de friandises, elle s'était tournée vers Ali, occupée à dessiner des smileys dans la marge de la feuille de score.

— Tu te souviens de la fois où Ian Thomas et ton frère se sont disputés, le jour de l'annonce de la Capsule temporelle ? avait-elle demandé sur un ton désinvolte, comme si ça ne l'obnubilait pas depuis des semaines.

Ali avait posé le crayon rogné et fixé Emily pendant presque une minute. Finalement, elle s'était penchée pour refaire son lacet au nœud déjà parfait.

— Jason est maboul, avait-elle marmonné. Je ne me suis

pas privée pour lui dire quand il m'a ramenée à la maison en voiture ce jour-là.

Mais Jason n'avait pas ramené Ali en voiture ce jour-là : il était parti dans une berline noire pendant que sa sœur et ses amies de l'époque se dirigeaient vers les bois.

— Donc, ça ne t'a pas inquiétée?

Ali s'était levée en grimaçant.

— Du calme, Brutus! Je suis une grande fille; je peux prendre soin de moi.

C'était la première fois qu'Ali l'avait appelée Brutus, comme si Emily était un pit-bull particulièrement protecteur envers sa maîtresse, et le surnom lui était resté.

En y repensant, Emily se demandait si Ali n'était pas allée retrouver Ian ce jour-là – si elle n'avait pas dit qu'elle était rentrée en voiture avec Jason pour couvrir ses arrières. Tentant de penser à autre chose, Emily claqua la portière de sa Volvo, mit les clés dans son sac et longea la petite allée de brique qui conduisait jusqu'à la porte du China Rose.

L'intérieur du restaurant était décoré façon chaumière asiatique. Des bambous recouvraient le plafond; d'énormes poissons argentés nageaient dans un gros aquarium. Emily contourna la zone réservée aux personnes ayant commandé des plats à emporter. Une odeur d'oignons verts et de gingembre lui chatouillait le nez. Dans la cuisine ouverte sur un côté, plusieurs cuistots s'agitaient autour de grands woks. Dieu merci, Emily ne reconnut parmi les clients personne de l'Externat.

Isaac lui faisait signe depuis une des tables du fond. Emily agita la main en se demandant si sa nervosité la faisait grimacer. Les jambes en coton, elle se dirigea vers le jeune homme en essayant de ne pas heurter les tables très proches les unes des autres.

— Salut, lança Isaac.

Il portait une chemise bleu marine qui faisait ressortir la couleur de ses yeux. Ses cheveux coiffés en arrière mettaient en évidence ses pommettes ciselées.

— Salut, répondit Emily.

Une petite pause suivie tandis qu'elle s'asseyait.

— Merci d'être venue, lança Isaac sur un ton un peu formel.

— De rien.

Emily s'efforçait d'avoir l'air timide et réservée.

— Tu m'as manqué, ajouta Isaac.

— Oh, couina Emily, ne sachant pas comment réagir.

Pour s'épargner la peine de répondre, elle but une gorgée d'eau.

Une serveuse leur apporta des menus et des serviettes chaudes. Emily posa la sienne sur ses poignets, s'efforçant de se calmer. La chaleur humide sur sa peau lui rappelait la fois où Maya et elle étaient allées nager près du chemin de Marwyn, à l'automne. L'eau de la crique était encore tiède du soleil de midi, aussi délassante qu'un Jacuzzi.

Une casserole heurta quelque chose dans la cuisine, arrachant Emily à ses pensées. Pourquoi diable songeait-elle à Maya? Isaac la dévisageait avec curiosité, comme s'il avait lu dans son esprit. Emily s'empourpra.

Afin de se changer les idées, elle baissa les yeux vers les sets de table qui représentaient les signes du zodiaque chinois. Dans les marges figuraient également les signes du zodiaque normal.

— C'est quoi, ton signe? s'entendit demander la jeune fille sans réfléchir.

— Vierge, répondit promptement Isaac. Généreux, réservé, perfectionniste. Et toi?

— Taureau.

— Ça signifie qu'on est compatibles, se réjouit-il.

Surprise, Emily haussa un sourcil.

— Tu t'y connais en astrologie ?

— Ma tante en est mordue, expliqua Isaac en se nettoyant les mains avec sa serviette chaude. Elle est tout le temps fourrée chez nous, et elle fait mon thème deux fois par an. Je sais tout de mon ascendant et de mon signe lunaire depuis l'âge de six ans. Elle pourra faire le tien, si tu veux.

Emily esquissa un sourire.

— J'adorerais ça.

— Sais-tu qu'en fait, nous ne sommes pas vraiment du signe que nous croyons être ? (Isaac but une gorgée de son thé vert.) J'ai vu une émission là-dessus sur Canal Science. Le zodiaque a été créé il y a plusieurs millénaires, et depuis, la Terre a bougé sur son axe. Aujourd'hui, les constellations et les mois durant lesquels elles apparaissent dans le ciel sont décalés d'un signe entier. Je n'ai pas tout pigé, mais techniquement, tu n'es pas Taureau : tu es Bélier.

Emily en fut toute chamboulée. *Bélier ?* Impossible. Toute sa vie correspondait parfaitement à ce qui était bon pour un Taureau, depuis les couleurs qui lui allaient le mieux jusqu'à sa nage de prédilection. Pour la taquiner, Ali disait souvent que les Taureaux, fiables et terre à terre, avaient toujours l'horoscope le plus ennuyeux. Mais Emily aimait son signe. La seule chose qu'elle savait des Béliers, c'est qu'ils étaient impatients, volages et qu'ils voulaient toujours être au centre de l'attention. Spencer était Bélier. Ali l'avait été aussi. Ou bien Poissons, du coup ?

Isaac se pencha en avant.

— Donc moi, je suis Lion. Et nous sommes toujours compatibles. (Il posa son menu.) Maintenant qu'on a parlé astrologie, que dois-je savoir d'autre sur toi ?

Une petite voix insistante dans la tête d'Emily lui répétait qu'il y avait des tas de choses qu'Isaac aurait dû savoir, mais la jeune fille se contenta de hausser les épaules.

— Pourquoi ne me parles-tu pas de toi d'abord ?

— D'accord. (Isaac but une nouvelle gorgée de thé et réfléchit.) En plus de la guitare, je joue du piano depuis l'âge de trois ans.

— Wouah... (Emily écarquilla les yeux.) J'ai pris des leçons quand j'étais petite, mais je trouvais ça trop rasoir. Mes parents n'arrêtaient pas de me reprocher de ne jamais m'exercer.

Isaac sourit.

— Mes parents aussi me forçaient à pratiquer. Quoi d'autre ? Ah oui : mon père est traiteur. Et parce que je suis un brave petit gars et son fils – autrement dit, de la main-d'œuvre bon marché –, je travaille souvent pour lui.

— Donc, tu sais cuisiner ?

Il secoua la tête.

— Non, dans ce domaine-là, je suis nul. Même pas capable de préparer des toasts convenables. Je me contente de faire le service. La semaine prochaine, je bosse pour une collecte de fonds dans une clinique de grands brûlés. Ils font aussi de la chirurgie esthétique, mais j'espère bien que l'argent ne va pas servir à ça, lança-t-il avec une grimace dégoûtée.

Emily écarquilla les yeux. Il n'y avait dans les environs de Rosewood qu'un seul établissement correspondant à cette description.

— Tu parles du William Atlantic ?

Isaac acquiesça avec un sourire interrogateur.

Emily détourna les yeux et fixa sans vraiment y faire attention l'énorme gong en bronze près du pupitre de l'hôtesse. Un petit garçon auquel il manquait deux dents de devant essayait désespérément d'y donner un coup de pied pendant que son père le retenait tant bien que mal.

Le William Atlantic – ou Bill Beach, comme on le surnommait – était la clinique où Jenna Cavanaugh avait été soignée après son accident. À moins que ce ne soit pas vraiment un accident, qu'Ali l'ait fait exprès... Emily n'était plus sûre de rien. Mona Vanderwaal avait, également, été admise dans ce lieu pour des brûlures datant de la même nuit.

Isaac fronça les sourcils.

— Que se passe-t-il ? J'ai dit quelque chose qu'il ne fallait pas ?

Emily haussa les épaules.

— Je, euh, je connais le fils du fondateur de Bill Beach.

— Sean Ackard ?

— Oui, on va à la même école.

Isaac acquiesça.

— C'est vrai. L'Externat de Rosewood.

— J'ai une bourse partielle, précisa très vite Emily, qui ne voulait surtout pas qu'il la prenne pour une gosse de riches gâtée à mort.

— Tu dois être super intelligente.

Elle baissa la tête.

— Pas tant que ça.

Une serveuse passa, tenant un plateau sur lequel reposaient plusieurs assiettes de poulet « général Tao ».

— Mon père s'occupe du buffet d'une collecte de fonds organisée par ton bahut samedi. Apparemment, ça aura lieu dans une énorme baraque à dix chambres.

— Ah oui ?

L'estomac d'Emily gargouilla. Isaac parlait sûrement de la soirée qui devait avoir lieu chez les parents de Spencer – une annonce avait été faite au lycée à ce sujet, le matin même. Presque tous les parents d'élèves assistaient à ce genre d'événement, comme la plupart des élèves. Aucun d'eux ne pouvait résister à une opportunité de se mettre sur son trente et un et de siffler du champagne pendant que papa et maman avaient le dos tourné.

— Est-ce que je te verrai là-bas ? demanda Isaac, plein d'espoir.

Emily enfonça les dents de sa fourchette dans sa paume. Si elle y allait, les gens se demanderaient certainement ce qu'elle fichait avec un garçon. D'un autre côté, si elle n'y allait pas et qu'Isaac posait des questions sur elle, quelqu'un risquait de lui dire la vérité sur son passé : Noel Kahn, Mike Montgomery, ou même Ben, son ancien petit ami. Sans compter que le nouveau « A » serait peut-être là.

— Je suppose que oui, répondit finalement la jeune fille.

— Génial. (Isaac sourit.) Je serai le type déguisé en pingouin.

Emily rougit.

— Tu pourras peut-être t'occuper de moi personnellement, lança-t-elle sur un ton enjôleur.

— Marché conclu.

Isaac lui pressa la main, et le cœur d'Emily fit un saut périlleux dans sa poitrine.

Soudain, le regard du jeune homme se fixa sur quelque chose par-dessus l'épaule d'Emily. Quand celle-ci tourna la tête, son cœur lui tomba dans les genoux. Elle cligna plusieurs fois des yeux, comme si la personne qui se tenait devant elle était un mirage qu'elle pouvait dissiper.

— Salut, Emily.

Maya Saint-Germain écarta une mèche de cheveux bouclés qui tombait devant ses yeux verts, pareils à ceux d'un chat. Elle portait un gros pull blanc, une jupe en jean et des collants en laine blancs à grosses mailles. Son regard faisait la navette entre Emily et Isaac comme si elle essayait de comprendre ce qu'ils faisaient ensemble.

Emily retira sa main de celle du jeune homme.

— Isaac, murmura-t-elle, je te présente Maya. On va à l'école ensemble.

Isaac se leva à demi et tendit la main à la nouvelle venue.

— Bonsoir. Je suis le petit ami d'Emily.

Maya écarquilla les yeux et recula d'un pas, comme s'il venait de lui annoncer qu'il se nourrissait exclusivement de bouse de vache.

— C'est ça, plaisanta-t-elle. Son petit ami. Elle est bien bonne.

Isaac fronça les sourcils.

— Je... Excuse-moi ?

Deux plis barrèrent le front de Maya. Puis le temps parut ralentir. Emily perçut le moment précis où la jeune fille prit conscience que ce n'était pas une blague. Lentement, un sourire amusé se dessina sur ses lèvres. Un sourire qui signifiait : « Tu sors vraiment avec lui. Et tu ne lui as pas dit ce que tu étais, exactement comme tu l'avais fait avec Toby Cavanaugh. »

Emily songea que son ex-petite amie devait être très remontée contre elle. Tout l'automne, elle lui avait fait le coup d'un jour c'est oui, un jour c'est non ; puis elle l'avait trompée avec Trista, une fille rencontrée dans l'Iowa ; elle l'avait accusée d'être « A » et, pour finir, ne lui avait pas adressé la parole depuis des semaines. Maya tenait enfin une occasion de se venger pour tout ça.

À l'instant où Maya ouvrait la bouche pour parler, Emily se leva d'un bond, saisit son anorak sur le dossier de sa chaise, attrapa son sac et se mit à zigzaguer entre les tables en direction de la porte. Inutile de rester là pour entendre

Maya tout déballer à Isaac. Elle ne voulait pas voir la déception et le dégoût dans les yeux du jeune homme.

L'air glacial était cinglant. Quand elle atteignit sa Volvo, Emily s'appuya sur le capot pour reprendre son équilibre. Elle n'osait pas regarder derrière, en direction du restaurant. Mieux valait qu'elle monte en voiture, qu'elle s'éloigne et qu'elle ne remette plus jamais les pieds ici.

Le vent tourbillonnait à travers le parking désert. Au-dessus de sa tête, un lampadaire se balançait en clignotant. Puis quelque chose bruissa derrière une Cadillac stationnée non loin d'elle. Emily se dressa sur la pointe des pieds. Était-ce une ombre qu'elle venait d'apercevoir? Y avait-il quelqu'un? Elle chercha ses clés, mais celles-ci étaient perdues dans les profondeurs de son sac.

Puis son portable bipa, lui arrachant un cri étouffé. D'une main tremblante, Emily sortit son Nokia de sa poche. « 1 nouveau message ». Elle l'ouvrit.

Salut, Em

C'est détestable quand ton ex débarque pour gâcher ta soirée romantique, tu ne trouves pas? Je me demande comment elle a su où te trouver. Que ça te serve de leçon. Si tu parles, ton passé deviendra le cadet de tes soucis.

— A

Emily passa une main dans ses cheveux. C'était limpide : « A » avait envoyé un message à Maya pour la prévenir qu'elle était au China Rose, et parce qu'elle voulait se venger, Maya avait mordu à l'hameçon. Ou pire : Maya était peut-être le nouveau « A ».

— Emily?

La jeune fille fit volte-face, le cœur battant à tout rompre.

Isaac se tenait derrière elle. Il ne portait pas son manteau, et ses joues étaient rouges de froid.

— Qu'est-ce que tu fais là? demanda-t-il.

Incapable de soutenir son regard, Emily fixa les lignes fluorescentes qui délimitaient les places de parking.

— Je-je pensais qu'il valait mieux que je m'en aille, balbutia-t-elle.

— Pourquoi?

Elle marqua une pause. Isaac ne semblait pas en colère. Plutôt… perplexe. Par la baie vitrée du restaurant, Emily regarda les serveuses aller et venir entre les tables. Était-il possible que Maya n'ait rien dit?

— Je suis désolé de m'être trop avancé, poursuivit Isaac en frissonnant. Je n'aurais pas dû dire que j'étais ton petit ami. Je ne voulais pas me montrer présomptueux.

Il avait l'air sincèrement penaud, presque honteux. Soudain, Emily vit les choses de son point de vue.

— Ne t'excuse pas, bredouilla-t-elle en prenant les mains gelées d'Isaac dans les siennes. Je t'en supplie, ne t'excuse pas.

Le jeune homme cligna des yeux. Un des coins de sa bouche se releva en un sourire hésitant.

— Ça ne me dérange pas que tu te définisses comme mon petit ami, souffla Emily. (Et de nouveau les mots avaient à peine franchi ses lèvres qu'elle sut qu'ils étaient sincères.) En fait, concernant cette collecte de fonds pour l'Externat de Rosewood pendant laquelle tu es censé travailler… Tu devrais demander à ton père de te mettre en congé ce soir-là. J'adorerais que tu m'y accompagnes – en tant que cavalier.

Isaac sourit.

— Je suppose que pour une fois, il pourra bien se passer de moi.

Le jeune homme serra les mains d'Emily très fort et l'attira contre lui.

— Au fait, reprit-il comme si ça venait juste de lui revenir, qui était cette fille dans le resto ?

Emily se raidit tandis que la culpabilité lui tordait les entrailles. Elle devrait dire la vérité à Isaac avant que « A » s'en charge pour elle. Serait-ce vraiment si terrible ? N'avait-elle pas passé tout l'automne à essayer d'accepter ce qu'elle était et de se montrer sincère avec les autres ?

Mais non. Le marché était le suivant : si elle ne parlait pas de « A », « A » ne dirait rien à Isaac, pas vrai ? Emily se sentait si bien dans les bras du jeune homme. Elle ne voulait pas gâcher cet instant.

— Oh, juste une fille de mon bahut, répondit-elle enfin, enfouissant la vérité très profondément. Personne d'important.

20

TU PARLES D'UNE NOUVELLE FIGURE PATERNELLE !

Ce même jeudi soir, Aria était assise très raide sur le canapé de son salon. Avachi près d'elle, Mike cliquait dans les fenêtres de réglage de la Wii que Byron lui avait achetée pour Noël, histoire de s'excuser d'avoir brisé leur famille et mis Meredith en cloque. Mike créait un nouvel avatar, passant en revue les options possibles pour les yeux, les oreilles et le nez.

— Pourquoi je ne peux pas me faire des biceps plus gros ? grommela-t-il en détaillant le personnage censé le représenter. J'ai l'air d'un freluquet !

— Ce sont tes chevilles que tu devrais faire plus grosses, marmonna Aria.

— Tu veux voir le Mii que Noel Kahn a fait de toi ?

Mike revint à l'écran principal, jetant à sa sœur un coup d'œil qui signifiait : « Quelqu'un en pince toujours pour toi. » Noel avait craqué pour Aria à l'automne.

— Il en a aussi fait un de lui. Vous pourriez sortir ensemble au pays des Mii !

Pour toute réponse, Aria s'affaissa dans le canapé, tendit la main vers le gros saladier posé sur les coussins, attrapa un autre soufflé au fromage et l'enfourna rageusement dans sa bouche.

— Et voilà le Mii de Xavier. (Mike cliqua sur un personnage doté d'une grosse tête aux cheveux courts et aux grands yeux marron.) Ce mec déchire tout au bowling. En revanche, je l'ai écrasé au tennis.

Aria se gratta la nuque, la poitrine comprimée par un sentiment ambivalent.

— Alors… tu aimes bien Xavier, finalement?

— Ouais, il est assez cool. (Mike revint au menu principal de la Wii.) Tu trouves pas?

— Si, si. Ça va.

Aria s'humecta les lèvres. Elle voulait faire remarquer à son frère que tout d'un coup, il semblait très bien accepter le divorce de leurs parents pour quelqu'un qui, après leur séparation, avait passé des semaines à jouer au lacrosse sous la pluie. Mais si elle disait ça, Mike lèverait les yeux au ciel et bouderait pendant au moins trois jours.

— On dirait que tu es droguée, nota son frère, agacé, en éteignant la Wii et en remettant la télévision. Tu flippes à cause du procès de demain, c'est ça? Ne t'inquiète pas : tu feras un super témoin. Descends quelques bières avant qu'on t'appelle à la barre et tout se passera bien.

Aria renifla et baissa les yeux vers ses cuisses.

— Demain, c'est juste une audience préliminaire. Je ne témoignerai pas avant la fin de la semaine prochaine dans le meilleur des cas.

— Et alors? Ça ne t'empêche pas de boire, que je sache, répliqua Mike.

Aria lui jeta un regard las. Si seulement l'alcool pouvait résoudre tous ses problèmes…

Ils avaient pris les informations de dix heures en cours. L'écran montrait une nouvelle image du tribunal de Rosewood. Un journaliste demandait à d'autres passants ce qu'ils pensaient de l'ouverture du procès, le lendemain. Aria enfouit son visage dans un coussin. Elle ne voulait pas voir ça.

— Hé, tu connais cette nana, non? lança Mike en désignant la télé.

— Quelle nana? marmonna Aria d'une voix étouffée.

— L'aveugle.

Elle releva brusquement la tête. De fait, une caméra montrait Jenna Cavanaugh. Quelqu'un lui brandissait un micro sous le menton. Elle portait ses énormes lunettes de soleil Gucci et un manteau de laine rouge cerise. Son golden retriever se tenait docilement près d'elle.

— J'espère que ce procès sera vite terminé, déclara-t-elle au journaliste. C'est une très mauvaise publicité pour Rosewood.

— En fait, elle est super sexy pour une aveugle, remarqua Mike. Je me la ferais bien.

Aria grogna et lui donna un coup de coussin. Puis l'iPhone de son frère sonna; Mike se leva d'un bond et se précipita hors de la pièce. Comme il montait lourdement l'escalier, Aria reporta son attention sur la télé.

À l'écran s'affichait la photographie d'identité judiciaire de Ian. Dessus, le jeune homme avait les cheveux en bataille, et il ne souriait pas. Puis une caméra balaya le trou enneigé dans le jardin des DiLaurentis, celui au fond duquel le corps d'Ali avait été retrouvé. Le vent agitait le ruban jaune qui l'entourait. Une ombre floue ondulait entre deux énormes pins. Le pouls d'Aria accéléra. Elle se pencha en avant. Était-ce... quelqu'un?

L'image changea de nouveau, revenant sur le journaliste planté devant le tribunal.

— Tout se déroule comme prévu, mais beaucoup de gens persistent à dire que les preuves sont insuffisantes.

— Tu ne devrais pas t'infliger cette torture.

Aria fit volte-face Xavier était appuyé contre le chambranle de la porte. Il portait une chemise rayée par-dessus un jean baggy et des baskets Adidas. Une grosse montre pendait à son poignet gauche. Son regard se détacha de la télé pour se poser sur le visage d'Aria.

— Je, euh, je crois qu'Ella est toujours à la galerie, bredouilla Aria. Elle avait une expo privée à préparer.

Xavier fit un pas dans la pièce.

— Je sais. On a bu un café ensemble avant qu'elle y retourne. Mais il n'y a plus d'électricité chez moi – le froid a dû geler certaines lignes à haute tension. Ta mère m'a proposé de rester ici jusqu'à ce que le courant soit rétabli. (Il sourit légèrement.) Ça ne te dérange pas? Je pourrais préparer le dîner.

Aria se passa une main dans ses cheveux.

— Pas de problème, répondit-elle en s'efforçant de paraître naturelle. (Elle se déplaça vers un bout du canapé et posa le saladier de soufflés au fromage sur la table basse.) Vous voulez vous asseoir?

— D'accord, mais seulement si tu me tutoies à partir de maintenant.

Aria ayant accepté, Xavier se laissa tomber deux coussins plus loin. À présent, les infos repassaient une projection de la nuit du meurtre d'Ali, avec reconstitution des faits.

— À vingt-deux heures trente, Alison DiLaurentis et Spencer Hastings se disputent. Alison quitte la grange, débita une voix off.

La fille qui jouait Spencer avait l'air coincée, aigrie. La

blonde menue qui interprétait Ali était loin d'être aussi jolie que son modèle, très loin même.

— À vingt-deux heures quarante, Melissa Hastings se réveille après s'être assoupie et constate que Ian Thomas n'est plus là.

La pseudo-sœur aînée de Spencer semblait avoir trente-cinq ans bien sonnés.

Xavier jeta un coup d'œil hésitant à Aria.

— Ta mère m'a dit que tu étais avec Alison ce soir-là.

Aria frémit et hocha la tête.

— À vingt-deux heures cinquante, Ian Thomas et Alison se trouvent près du trou dans le jardin des DiLaurentis, poursuivit la voix off. (À l'écran, un faux Ian se battait avec Ali.) La police estime qu'il y a eu lutte, que Thomas a poussé la jeune fille dans le trou et regagné la maison aux environs de vingt-trois heures cinq.

— Je suis désolé, murmura Xavier. Je ne peux même pas à imaginer ce que tu dois ressentir.

Aria se mordit la lèvre en serrant un des coussins contre sa poitrine.

Xavier se gratta la tête.

— Je dois dire que j'ai été assez surpris quand ils ont annoncé que Ian Thomas était leur suspect numéro un. Ce garçon semblait avoir tout pour lui.

Aria se hérissa. Ian était riche et bien élevé ; ça ne faisait pas de lui un saint !

— Pourtant, il l'a tuée, aboya-t-elle. Fin de l'histoire.

Xavier acquiesça, penaud.

— Je suppose, oui. Ça prouve bien qu'on ne connaît jamais vraiment les gens, hein ?

— Et comment, grogna Aria.

Xavier but une longue gorgée de sa bouteille d'eau minérale.

— Je peux faire quelque chose pour t'aider?

Aria fixa l'autre côté de la pièce sans réagir. Sa mère n'avait toujours pas enlevé les photos de famille dans lesquelles figurait Byron, y compris la préférée d'Aria : celle où ils se tenaient tous les quatre au sommet de la chute de Gullfoss, en Islande. Ils avaient marché jusqu'au bord de la falaise glissante qui surplombait la cascade.

— Tu pourrais me renvoyer en Islande d'un coup de baguette magique, soupira-t-elle. Parce que, contrairement à toi et à mon frère, j'adorais ce pays – chevaux nains et tout le bazar.

Xavier esquissa un sourire.

— J'ai une confession à te faire, murmura-t-il, les yeux pétillants. Moi aussi, j'ai vraiment aimé l'Islande. Je n'ai prétendu le contraire que pour me mettre Mike dans la poche.

Aria écarquilla les yeux.

— J'y crois pas! (Elle le frappa avec son coussin.) Quel lèche-bottes!

Xavier attrapa un deuxième coussin à l'autre bout du canapé et le brandit d'un air menaçant au-dessus de sa tête.

— Un lèche-bottes, hein? Je te conseille de retirer ça, jeune fille!

— D'accord, d'accord, gloussa Aria en levant un index. On fait la paix.

— Trop tard, tonna Xavier.

Il se dressa sur ses genoux et se pencha vers Aria. Trop près. Beaucoup trop près. Et soudain, la jeune fille sentit ses lèvres sur les siennes.

Elle mit quelques secondes à réaliser ce qui se passait. Les yeux faillirent lui sortir des orbites. Xavier lui tenait les épaules; ses doigts s'enfonçaient dans sa chair. Aria poussa un petit couinement et détourna la tête.

— Qu'est-ce qui te prend ? hoqueta Aria.

Xavier s'écarta d'elle comme s'il venait de se brûler. Un instant, Aria fut trop sonnée pour réagir. Puis elle se leva précipitamment.

— Aria... (Le visage de Xavier était chiffonné comme s'il allait se mettre à pleurer.) Attends. Je suis...

La jeune fille était incapable d'émettre le moindre son. Ses genoux cédèrent sous elle, et elle faillit se tordre une cheville en s'extirpant du canapé.

— Aria ! appela de nouveau Xavier.

Mais elle ne l'écouta pas et fonça vers l'escalier.

Comme elle arrivait à l'étage, son Treo, qui était posé sur son bureau dans sa chambre, se mit à sonner. « 1 nouveau message ».

Aria s'en empara vivement et ouvrit le texto. Il ne comportait qu'un seul mot :

Vue !

Et, comme d'habitude, il était signé d'un « A ».

21

SPENCER RETIENT SON SOUFFLE

L'affichette était accrochée au-dessus du rack à vélos de façon à ce que tout le monde puisse la voir. LA CAPSULE TEMPORELLE COMMENCERA DEMAIN, était inscrit en grosses lettres noires. PRÉPAREZ-VOUS !

La sonnerie annonçant la fin de la journée retentit. Spencer remarqua Aria assise sur le muret de pierre avec son carnet à dessin. Hanna, les joues rondes et bouffies, se tenait près de Scott Chin. Emily chuchotait avec d'autres filles de l'équipe de natation. Mona Vanderwaal défaisait le cadenas de sa trottinette ; accroupi sous un arbre un peu plus loin, Toby Cavanaugh enfonçait un bâton dans un petit monticule de terre.

Ali se fraya un chemin parmi la foule et arracha le prospectus.

— Mon frère va cacher un des morceaux du drapeau ce soir. Il a promis de me dire où.

Tout le monde parut réjoui tout à coup. D'un pas guilleret, Ali s'approcha de Spencer et lui tapa dans la main. Ce qui était étonnant puisque jusque-là, et bien qu'elles soient voisines, jamais Ali n'avait prêté la moindre attention à Spencer.

Mais aujourd'hui, apparemment, elles étaient amies. Ali donna un coup de hanche à Spencer.

— Tu n'es pas contente pour moi?

— Si, si, bredouilla Spencer.

Ali plissa les yeux.

— Tu ne vas pas essayer de me le voler, j'espère?

Spencer secoua vigoureusement la tête.

— Non, bien sûr que non.

— Bien sûr que si, ricana une voix derrière elles.

Une deuxième Ali plus âgée se tenait sur le trottoir. Elle était un peu plus grande que la première, avec un visage un peu moins rond. Un bracelet en fils de coton bleu pendait à son poignet – celui-là même qu'elle avait fabriqué pour toutes ses amies après l'affaire Jenna –, et elle portait un T-shirt American Apparel bleu pâle ainsi qu'une jupe de hockey sur gazon roulée à la taille. La même tenue qu'elle arborait le jour de la soirée pyjama de leur fin de 5ᵉ, dans la grange des Hastings.

— Bien sûr qu'elle va essayer de te le voler, confirma la deuxième Ali en jetant un regard en biais à son *alter ego*. Mais elle n'y arrivera pas. Quelqu'un d'autre, en revanche, va y arriver.

La petite Ali plissa les yeux.

— C'est ça. Il faudra me tuer pour me prendre mon morceau de drapeau.

La foule s'écarta et Ian rejoignit les filles. Il ouvrit la bouche avec une expression terrible. « S'il faut vraiment en arriver là… », était-il sur le point de cracher au visage d'Ali. Il prit une inspiration avant de parler, mais n'émit qu'un bruit de sirène de pompier, strident et assourdissant.

Les deux Ali se bouchèrent les oreilles. La plus jeune

fit un pas en arrière. La plus âgée posa les mains sur ses hanches et lui donna un petit coup de pied.

— Qu'est-ce qui te prend ? Va flirter avec lui. Il est canon.

— Non, contra la petite Ali.

— Si, insista la grande.

Elles se disputaient aussi âprement que Spencer et Melissa.

La grande Ali leva les yeux au ciel et se tourna vers Spencer.

— Tu n'aurais pas dû tout jeter, lui reprocha-t-elle. Les réponses dont tu avais besoin étaient dedans.

— Jeter ? Qu'est-ce que j'ai jeté ? demanda Spencer, perplexe.

Les deux Ali échangèrent un regard. La plus jeune parut terrifiée, comme si elle comprenait soudain de quoi parlait son aînée.

— Tout, souffla-t-elle. C'était une grosse erreur, Spencer. Et maintenant, il est presque trop tard.

— Que veux-tu dire ? cria Spencer. C'est quoi, « tout » ? Et trop tard pour quoi ?

— Il va falloir que tu répares ta bêtise, dirent les deux Ali à l'unisson, d'une voix désormais identique. (Elles se prirent les mains et fusionnèrent en une seule Ali.) La suite dépend de toi, Spencer. Tu n'aurais pas dû tout jeter.

La sirène de Ian hurlait de plus en plus fort. Une rafale balaya la cour, arrachant l'affichette des mains d'Ali. Le papier resta suspendu dans les airs un instant ; puis il fila droit vers Spencer, la frappante en pleine figure aussi fort que s'il s'agissait d'une pierre. PRÉPAREZ-VOUS !

Spencer se réveilla en sursaut, le cou dégoulinant de sueur. Elle sentait encore l'odeur de vanille de la crème hydratante d'Ali ; pourtant, elle ne se trouvait plus à l'Externat mais dans sa chambre immaculée et silencieuse. Le soleil entrait à flots par la fenêtre. Ses chiens se couraient après dans la neige fondue et boueuse du jardin. C'était vendredi, le premier jour du procès de Ian.

— Spencer?

Le visage de sa sœur apparut dans son champ de vision. Melissa se pencha vers elle, ses cheveux blonds coupés au carré encadrant son visage comme des rideaux, la ficelle de son sweat à capuche bleu et blanc effleurant presque le nez de Spencer.

— Ça va?

Spencer ferma les yeux et se souvint de la veille. Ian s'était matérialisé sous le porche et, tout en fumant une cigarette, lui avait dit des choses terrifiantes, sans queue ni tête. Et puis, elle avait reçu ce message : « Si la pauvre petite Miss Pas-Si-Parfaite disparaissait tout à coup, quelqu'un s'en soucierait-il? »

Elle aurait voulu en parler à quelqu'un, mais elle avait beaucoup trop peur pour ça. Il lui aurait sans doute suffi d'appeler Wilden et de le prévenir que Ian avait enfreint son assignation à résidence pour que le jeune homme soit de nouveau jeté en prison, mais Spencer craignait les représailles. Après la mort de Mona, elle ne supporterait pas d'avoir davantage de sang sur les mains.

Elle déglutit et s'assit dans son lit.

— Je vais témoigner contre Ian, annonça-t-elle à sa sœur. Je sais que tu ne veux pas qu'il aille en prison, mais j'ai l'intention de dire la vérité à la barre.

Melissa ne broncha pas. Ses boucles d'oreilles en diamants renvoyaient la lumière du soleil.

— Je sais, répondit-elle distraitement, comme si elle pensait à autre chose. Je ne te demande pas de mentir.

Sur ce, elle tapota l'épaule de Spencer et sortit.

Spencer se leva lentement, en faisant la respiration du

feu. Les voix des deux Ali résonnaient encore à ses oreilles. Elle regarda prudemment autour d'elle, comme si elle s'attendait à en trouver une dans sa chambre. Mais bien entendu, il n'y avait personne.

Une heure plus tard, Spencer gara sa Mercedes sur le parking de l'Externat de Rosewood et se dirigea d'un pas rapide vers l'école élémentaire. Le plus gros de la neige avait fondu, mais quelques gamins acharnés traînaient encore dehors, dessinant des anges pathétiques sur le sol et jouant à Trouvons la Neige Jaune.

Les amies de Spencer l'attendaient près des balançoires, leur ancien lieu de rendez-vous secret. Le procès de Ian s'ouvrirait à treize heures, et elles voulaient discuter avant qu'il ne commence.

Aria agita la main pour saluer Spencer. Elle frissonnait dans sa veste à capuche doublée de fourrure. Hanna, les yeux cernés, tapait nerveusement par terre avec la pointe de sa botte Jimmy Choo. Emily semblait sur le point de se mettre à pleurer. Les voir réunies à cet endroit brisa quelque chose en Spencer.

Je devrais leur raconter ce qui s'est passé, songea-t-elle. Elle ne voulait pas leur cacher la visite de Ian. Mais le message du jeune homme restait présent à son esprit. « Tu as parlé de moi deux fois. À la troisième... »

— Alors, vous êtes prêtes? demanda Hanna en se mordillant nerveusement la lèvre.

— Je suppose que oui, répondit Emily. Mais ça va me faire bizarre de... de voir Ian.

— À qui le dis-tu, chuchota Aria.

— Uh-huh, marmonna Spencer, les yeux rivés sur une fissure dans le bitume.

Le soleil perça à travers les nuages, jetant un reflet aveuglant sur la neige accumulée. Une ombre bougea derrière le portique ; Spencer pivota pour la détailler et s'aperçut qu'il ne s'agissait que d'un oiseau. Elle repensa à son rêve. La petite Ali n'avait pas eu l'air intéressée, mais la grande Ali l'avait incitée à flirter avec Ian, parce qu'il était canon. Ça collait avec ce que Ian avait raconté la veille à Spencer : Ali s'était mise à l'apprécier brusquement, comme si quelqu'un avait actionné un commutateur dans sa tête.

— Vous vous souvenez si Ali racontait parfois des choses... négatives sur Ian ? demanda-t-elle brusquement. Par exemple, qu'elle le trouvait trop vieux ou un peu louche ?

Aria cligna des yeux, surprise.

— Non.

Emily secoua la tête, et sa queue-de-cheval blond roux se balança dans son dos.

— Ali m'a parlé de Ian deux ou trois fois. Elle n'a jamais prononcé son nom, juste laissé entendre qu'il était plus vieux et qu'il lui plaisait vachement.

Elle frissonna et fixa le sol boueux à ses pieds.

— C'est bien ce que je pensais, acquiesça Spencer, satisfaite.

Hanna passa un doigt sur sa cicatrice.

— En fait, j'ai entendu un truc bizarre aux infos l'autre jour. Ils interrogeaient des gens à propos de Ian. Et une fille, Alexandra je ne sais plus comment, a déclaré qu'elle était à peu près sûre qu'Ali prenait Ian pour un pervers.

Spencer fixa son amie.

— Alexandra Pratt ?

Hanna haussa les épaules.

— Je crois. Elle était beaucoup plus vieille que nous.

Spencer expira longuement, visiblement stressée. Alexandra

Pratt était en terminale quand ses amies et elle étaient en 6e. En tant que capitaine de l'équipe senior de hockey sur gazon, elle faisait office de juge principal durant les essais. À l'Externat de Rosewood, les 6es avaient le droit de postuler pour entrer dans l'équipe senior – la JV Team – mais une seule d'entre elles était prise chaque année. Ali s'était vantée d'avoir un avantage sur ses camarades parce qu'elle s'était entraînée quelquefois avec Alexandra et les autres joueuses plus âgées, mais Spencer ne s'était pas inquiétée pour autant : elle était bien meilleure qu'Ali.

Cependant, pour une raison qui lui échappait, Alexandra Pratt ne l'aimait pas. Elle passait son temps à critiquer la façon dont Spencer dribblait et à lui dire qu'elle tenait mal sa crosse – alors qu'elle avait pas passé chaque jour de ses vacances d'été dans un camp d'entraînement, à apprendre auprès des meilleures. Lorsque la composition finale de l'équipe avait été annoncée et que Spencer avait vu le nom d'Ali sur la liste à la place du sien, elle était rentrée chez elle furieuse, sans attendre Ali.

— Tu pourras toujours réessayer l'an prochain, lui avait susurré Ali au téléphone un peu plus tard. Allez, Spence. Tu ne peux pas être la meilleure en tout.

Puis elle avait gloussé joyeusement. Et le soir même, elle avait pris l'habitude de suspendre sa tenue de la JV Team devant la fenêtre de sa chambre, sachant que Spencer ne pourrait pas la manquer.

Mais la concurrence entre elles ne s'était pas limitée au hockey. Tout était matière à rivalité pour Ali et Spencer. En 5e, elles avaient parié sur laquelle réussirait à embrasser le plus de garçons des classes supérieures. Même si aucune des deux ne l'avait dit franchement, elles savaient l'une comme l'autre que leur cible numéro un serait Ian. Chaque fois qu'elles se trouvaient chez Spencer et que Ian et Melissa y étaient aussi, Ali faisait exprès de passer devant le jeune homme en remontant sa jupe de hockey ou en bombant la poitrine.

Elle ne se comportait pas du tout comme si elle considérait que Ian était un pervers. De toute évidence, Alexandra Pratt se mélangeait les pinceaux.

Un bus scolaire s'arrêta pour déposer des élèves, faisant sursauter Spencer. Aria la dévisagea.

— Pourquoi nous demandes-tu ça ?

Spencer déglutit péniblement. *Dis-leur*, s'exhorta-t-elle. Mais sa bouche demeura obstinément close.

— Simple curiosité, répondit-elle enfin. (Elle poussa un gros soupir.) J'aimerais qu'on trouve un truc – une preuve assez solide pour envoyer Ian derrière les barreaux jusqu'à la fin de ses jours.

Hanna donna un coup de pied dans un tas de neige durcie.

— Oui, mais quoi ?

— Tout à l'heure, Ali n'arrêtait pas de répéter que je passais à côté de quelque chose, déclara pensivement Spencer. Quelque chose de crucial.

— Ali ?

Les petites créoles argentées d'Emily étincelaient au soleil.

— J'ai rêvé d'elle, expliqua Spencer en fourrant ses mains dans ses poches. En fait, il y avait deux Ali dans mon rêve. Une en 6e et l'autre en 5e. Elles m'en voulaient toutes les deux, comme si je n'arrivais pas à voir quelque chose qui crevait les yeux. Elles ont dit que tout dépendait de moi... et qu'il serait bientôt trop tard.

Spencer se pinça le haut du nez pour lutter contre un début de migraine nerveuse.

Aria se mordilla l'ongle du pouce.

— Il y a deux mois, j'ai fait un rêve qui ressemblait

beaucoup à ça. Au moment où on a réalisé qu'Ali sortait avec Ian en cachette. Elle n'arrêtait pas de répéter : « La réponse est juste sous ton nez. »

— Moi aussi, j'ai rêvé d'Ali à l'hôpital, vous vous souvenez? lança Hanna. Elle se tenait à mon chevet. Elle me disait de ne pas m'inquiéter, que tout irait bien.

Un frisson glacial parcourut l'échine de Spencer. Elle échangea un regard avec ses anciennes amies, essayant de ravaler l'énorme boule dans sa gorge.

D'autres bus scolaires se rangèrent le long du trottoir. De jeunes enfants s'en déversèrent et prirent le chemin de l'école d'un pas sautillant, balançant leur boîte à déjeuner et parlant tous en même temps. Spencer repensa à la façon dont Ian avait souri la veille avant de disparaître entre les arbres. Un peu comme s'il pensait que tout ça n'était qu'un jeu.

Plus que quelques heures, songea-t-elle. Le substitut du procureur ferait craquer Ian; il l'obligerait à avouer qu'il avait bel et bien tué Ali, et peut-être même qu'il avait tourmenté Spencer et les autres en se faisant passer pour un nouveau « A ». Ian était bourré de fric; il pouvait engager un tas d'espions et diriger toute l'opération depuis la maison de ses parents. Quant à la raison pour laquelle il leur envoyait ces messages, elle était évidente : il ne voulait pas que les filles témoignent contre lui. Il voulait que Spencer se rétracte et déclare qu'elle ne l'avait pas vu avec Ali la nuit où cette dernière avait disparu. Qu'elle avait tout inventé.

— Je suis contente que Ian retourne en prison ce soir, souffla Emily. Comme ça, on pourra profiter de la soirée chez les Hastings demain.

— Je ne me détendrai que quand il aura pris perpète, répliqua Spencer d'une voix enrouée par les larmes.

Ses mots s'envolèrent vers les branches des arbres rabougris et dans le ciel hivernal bleu turquoise. Elle tortilla une mèche de cheveux autour de son index. *Plus que quelques heures*, se répéta-t-elle. Mais ces quelques heures lui paraissaient soudain une éternité.

22

Encore ce sentiment de déjà-vu

D'un haussement d'épaules, Hanna ôta sa veste en cuir bordeaux Chloé et la jeta dans son casier au moment où la *Symphonie du Nouveau Monde* de Dvořák se déversait bruyamment par les haut-parleurs dans les couloirs de l'Externat de Rosewood.

— Tu ne devrais peut-être pas choisir tout de suite, disait Naomi en buvant les dernières gouttes de son cappuccino à la noisette. Eric Kahn est sexy, mais Mason Byers reste le célibataire le plus convoité du bahut. Chaque fois qu'il ouvre la bouche, j'ai envie de lui arracher ses fringues avec les dents.

La famille Byers avait vécu à Sydney pendant dix ans, de sorte que Mason parlait avec un léger accent australien, comme s'il avait passé toute sa vie sur une plage baignée de soleil.

— Mason fait partie de l'équipe de volley, ajouta Riley, les yeux brillants. J'ai vu une photo de lui torse nu pendant un récent tournoi. Il était chaud bouillant.

— L'équipe de volley s'entraîne après les cours, non?

(Naomi se frotta les mains.) On devrait peut-être faire une apparition tout à l'heure, dans le rôle des pom-pom girls personnelles de Mason.

Elle jeta un coup d'œil à Kate, guettant son approbation. Sa nouvelle amie lui tapa dans la main.

— Je suis partante. (Elle se tourna vers Hanna.) Qu'est-ce que tu en penses ? Tu viens avec nous ?

Le regard d'Hanna fit la navette entre les trois autres filles.

— Je dois filer tout de suite après la fin des cours, dit-elle en rougissant. À cause du procès.

— Oh. (Le visage de Kate s'assombrit.) C'est vrai.

Hanna attendit que sa presque demi-sœur ajoute quelque chose, mais Naomi, Riley et elle reprirent leur discussion là où elles l'avaient interrompue. Blessée, Hanna enfonça ses ongles dans ses paumes. Une partie d'elle espérait que ses amies l'accompagneraient au tribunal pour la soutenir.

Naomi était en train de plaisanter sur la taille du *didgeridoo* de Mason quand Hanna sentit quelqu'un lui taper sur l'épaule.

— Hanna ?

Lucas apparut devant elle. Comme d'habitude, il portait des tas de choses en rapport avec les diverses associations auxquelles il appartenait : le planning des prochaines réunions du club de chimie, une pétition contre les sodas sucrés dans les distributeurs, et un badge épinglé au revers de son blazer qui le désignait comme l'un des Futurs Politiciens d'Amérique.

— Quoi de neuf?

D'un geste las, Hanna repoussa une mèche de cheveux par-dessus son épaule. Kate, Naomi et Riley s'écartèrent légèrement.

— Pas grand-chose, marmonna-t-elle.

Il y eut un silence embarrassé. Du coin de l'œil, Hanna vit Jenna Cavanaugh se faufiler à l'intérieur d'une salle vide, précédée par son chien. Chaque fois qu'elle l'apercevait à l'Externat, Hanna se sentait mal à l'aise.

— Tu m'as manqué hier, lança Lucas. Finalement, je ne suis pas allé au centre commercial – je préfère attendre que tu puisses m'accompagner.

— Uh-uh, marmonna Hanna, qui ne l'écoutait qu'à moitié.

Son regard se posa sur Kate et les autres qui se tenaient maintenant au bout du couloir, près des œuvres exposées par le cours d'aquarelle, chuchotant et gloussant entre elles. Hanna se demanda ce qu'il y avait de si drôle.

Quand elle reporta son attention sur Lucas, le jeune homme avait les sourcils froncés.

— Qu'est-ce qui t'arrive? J'ai fait quelque chose de mal? J'ai l'impression que tu m'évites depuis le début de la semaine.

— Non, répondit Hanna en tripotant le revers de sa manche. J'ai juste été... occupée.

Lucas lui toucha le poignet.

— Tu es nerveuse à cause du procès? Tu veux que je t'accompagne au tribunal?

L'irritation submergea brusquement Hanna.

— Non, je n'y tiens pas.

Lucas recula comme si elle l'avait giflé.

— Mais... je croyais que tu voulais que je te soutienne.

Hanna se détourna.

— Ils vont se contenter de relire les chefs d'accusation aujourd'hui, marmonna-t-elle. Tu trouverais ça chiant à mourir.

Lucas la fixa, ignorant le flot d'élèves qui s'écoulait près d'eux. Quelques secondes se dirigeaient vers leur cours de code de la route, un manuel de conduite à la main.

— Mais je veux être là pour toi.

Hanna serra les dents.

— Je te promets que ça va aller.

— Pourquoi ne veux-tu pas que je vienne ? insista Lucas.

— Laisse tomber, d'accord ? (Hanna agita les bras devant elle comme pour créer une barrière entre eux.) Il faut que j'aille en classe. Je te verrai demain à la collecte de fonds.

Sur ce, elle claqua la porte de son casier et s'éloigna en bousculant presque Lucas. Elle aurait dû revenir sur ses pas, lui prendre la main et s'excuser pour son comportement. Elle voulait que ses amies l'accompagnent au tribunal, mais quand Lucas le lui proposait avec sa loyauté et sa gentillesse habituelles, ça l'agaçait : pourquoi ? Ils sortaient ensemble, et ces derniers mois avec lui avaient été merveilleux.

Après la mort de Mona, Hanna avait erré dans le brouillard jusqu'à ce qu'ils se remettent ensemble. Par la suite, ils avaient passé tout leur temps à traîner chez Lucas, à jouer à Grand Theft Auto et à skier pendant des heures. Hanna n'avait pas mis les pieds dans un centre commercial pendant les neuf jours qu'avaient duré les vacances de Noël. La plupart du temps, quand elle était avec Lucas, elle ne portait même pas de maquillage – juste de quoi camoufler sa cicatrice. C'était peut-être la première fois de sa vie qu'elle se sentait vraiment heureuse. Pourquoi cela ne lui suffisait-il pas ?

Hanna n'était certaine que d'une chose : ça ne lui suffisait pas. Quand Lucas et elle avaient renoué, elle pensait n'avoir aucune chance de redevenir la Fabuleuse Hanna Marin. Mais contre toute attente, le miracle s'était produit. Être la fille la plus populaire de l'Externat de Rosewood était inscrit dans chacun de ses gènes. Depuis le CM1, elle mémorisait même le plus insignifiant des couturiers mentionnés dans *Vogue*, *Women's Wear Daily* et *Nylon*. À l'époque, elle s'entraînait à faire des remarques sarcastiques sur les autres filles de sa classe devant Scott Chin, un de ses seuls amis, qui ne manquait jamais de glousser et de la féliciter pour sa méchanceté.

En 6e, juste après la fin de la Capsule temporelle, Hanna s'était rendue à la vente de charité de l'Externat et avait repéré un foulard Hermès placé par un ignorant dans la pile des articles à cinquante cents. Quelques secondes plus tard, Ali s'était approchée pour la complimenter sur son œil de lynx. Et puis elles s'étaient mises à parler.

Hanna était certaine qu'Ali l'avait choisie pour être sa nouvelle amie, non pas parce qu'elle était la plus jolie ou la plus mince, ni même parce qu'elle avait eu le courage de s'introduire dans son jardin pour lui voler son morceau de drapeau, mais parce qu'elle était la plus qualifiée pour le poste. Et parce que c'était elle qui le voulait le plus.

Elle lissa ses cheveux, essayant d'oublier ce qui venait de se passer avec Lucas. En tournant à l'angle du couloir, elle vit Kate, Naomi et Riley la fixer avant d'éclater d'un rire narquois.

Soudain, ses yeux se remplirent de larmes, et ce ne fut plus Kate qu'elle vit s'esclaffer devant elle, mais Mona. La scène avait eu lieu à l'automne, quelques jours avant le dix-septième anniversaire de Mona. Hanna n'oublierait jamais son vertige et son incrédulité quand elle avait vu Mona bavarder avec Naomi et Riley comme si celles-ci étaient ses nouvelles meilleures amies, et quand elle l'avait entendue lui casser du sucre sur le dos.

« Ceux qui oublient le passé sont condamnés à le revivre. » Kate, Naomi et Riley n'étaient tout de même pas en train de se moquer d'elle, si ?

Puis la vision d'Hanna s'éclaircit. Kate l'aperçut et lui fit joyeusement signe. « On se retrouve au Steam tout à l'heure ? » articula-t-elle en tendant un doigt dans la direction du café.

Hanna acquiesça faiblement. Kate lui souffla un baiser et disparut au bout du couloir.

Hanna fit volte-face et s'engouffra dans les toilettes des filles. Par chance, celles-ci étaient désertes. La jeune fille se précipita vers un des lavabos et se pencha au-dessus, l'estomac en ébullition. L'odeur âcre, ammoniaquée des produits de nettoyage lui emplit les narines. Elle se détailla dans le miroir, de si près qu'elle pouvait presque distinguer chacun de ses pores.

Elles ne se moquaient pas de moi, se raisonna-t-elle. *Je suis Hanna Marin, la fille la plus populaire du lycée. Tout le monde voudrait être à ma place.*

Son BlackBerry, qui était rangé dans une des poches latérales de son sac, se mit à vibrer. Hanna frémit et le sortit. « 1 nouveau message ».

Tout était calme dans les toilettes aux murs carrelés. Une goutte d'eau se détacha d'un robinet et s'écrasa dans le lavabo en dessous. Dans les sèche-mains chromés, le visage d'Hanna se reflétait déformé, grotesque. La jeune fille se pencha pour regarder sous la porte des box. Personne.

Elle prit une grande inspiration et ouvrit le texto.

Hanna, accro aux gâteaux apéro… et aux coups de poignard dans le dos, à ce qu'on dirait. Plante-la avant qu'elle ne te plante.

—A

Une rage brûlante emplit les veines d'Hanna. Elle en avait assez du nouveau « A » ! Appuyant sur la touche « réponse », elle commença à taper :

Va pourrir en enfer. Tu ne sais rien de moi.

Son BlackBerry émit un petit bip pour indiquer que le message avait été envoyé. À l'instant où elle le rangeait dans son étui en daim, il vibra de nouveau.

Je sais que tu te fais parfois vomir dans les toilettes. Que tu es triste parce que tu n'es + la seule fifille à son papa. Et que ton ex-meilleure amie te manque, même si elle a essayé de te tuer. Comment je sais tt ça ? J'ai grandi à Rosewood, Hannachou. Comme toi.

—A

23

LE TRIBUNAL LE PLUS SILENCIEUX DE TOUT L'ÉTAT

Aria sortit de la Mercedes de Spencer et resta bouche bée face au cirque médiatique déployé devant le tribunal de Rosewood.

Des journalistes, des cameramen, des perchistes et des preneurs de son en doudoune sans manches encombraient les marches. Il y avait également des manifestants armés de pancartes, des théoriciens de la conspiration qui affirmaient que ce procès était une chasse aux sorcières gauchistes – parce que le père de Ian était le P-DG d'une grosse compagnie pharmaceutique basée à Philadelphie. Face à eux, des partisans de la peine de mort clamaient que Ian méritait la chaise électrique pour ce qu'il avait fait. Les fans d'Ali n'étaient pas en reste ; ils brandissaient des agrandissements photo de la jeune victime et des banderoles sur lesquelles on pouvait lire : « TU NOUS MANQUES, ALI », alors que la plupart d'entre eux ne l'avaient même pas connue.

— Wouah, chuchota Aria, l'estomac retourné.

Au milieu du trottoir, elle remarqua deux personnes qui

arrivaient depuis le parking annexe. Ella avait passé son bras sous celui de Xavier ; tous deux portaient d'épais manteaux de laine.

Aria se planqua à l'intérieur de sa grande capuche bordée de fourrure. La veille, après s'être fait embrasser par Xavier, elle avait couru à l'étage et s'était enfermée dans sa chambre. Quand elle était enfin redescendue quelques heures plus tard, elle avait trouvé Mike à la table de la cuisine, en train de dévorer un énorme bol de Count Chocula. Lorsqu'elle était entrée dans la pièce, son frère l'avait foudroyée du regard.

— Qu'est-ce que tu as dit à Xavier ? cracha-t-il. Quand j'ai raccroché, j'ai juste eu le temps de le voir s'enfuir ventre à terre. J'espère que tu n'as pas l'intention de gâcher la nouvelle vie de maman !

Aria s'était détournée, trop honteuse pour répondre. Elle était à peu près certaine que ce baiser avait été une erreur, une impulsion sur le moment. Même Xavier avait paru surpris et plein de regret après coup, comme s'il avait agi sans réfléchir. Mais Aria ne voulait pas que Mike – ou que quiconque – sache ce qui s'était passé.

Malheureusement, quelqu'un le savait déjà : « A ». Et Aria l'avait mis en rogne en parlant à Wilden de son message précédent. Toute la nuit, elle s'était attendue à recevoir un coup de fil de sa mère, lui annonçant qu'un mystérieux correspondant accusait Aria d'avoir fait des avances à Xavier et non l'inverse. Si jamais Ella découvrait le pot aux roses, Aria serait sans doute excommuniée de la famille jusqu'à la fin de ses jours.

— Aria ! appela Ella, qui avait reconnu sa fille malgré la capuche.

Elle agita la main pour lui faire signe d'approcher. Xavier affichait une expression penaude. Dès qu'ils seraient seuls tous les deux, Aria était certaine qu'il s'excuserait. Mais elle était trop bouleversée pour régler ça aujourd'hui en plus de tout le reste. Saisissant le bras de Spencer, elle se détourna de sa mère.

Spencer haussa les épaules. Elles firent face à la foule compacte qui occupait les marches. Aria baissa encore sa capuche sur son front et Spencer se couvrit le visage de sa manche, mais les journalistes leur fondirent quand même dessus.

— Spencer ! À votre avis, que se passera-t-il pendant l'audience d'aujourd'hui ? hurlèrent-ils. Aria ! De quelle façon tout ceci vous affecte-t-il ?

Les deux jeunes filles se serrèrent très fort la main et, sans un mot, fendirent la foule le plus vite possible. Un agent de police en faction à l'entrée du tribunal leur tint la porte ouverte. Elles s'engouffrèrent à l'intérieur, haletantes.

Le hall sentait la cire à parquet et l'after-shave. Ian et ses avocats n'étaient pas encore arrivés, de sorte que beaucoup de gens se massaient à l'extérieur de la salle d'audience. La plupart d'entre eux étaient des policiers et des fonctionnaires locaux, des voisins et des amis. Aria et Spencer firent coucou à Jackson Hughes, le très distingué substitut du procureur.

Lorsque celui-ci s'écarta, Aria faillit s'étrangler avec son chewing-gum à la menthe : toute la famille d'Ali se tenait derrière lui. Mme DiLaurentis, M. DiLaurentis et... Jason. Aria l'avait vu peu de temps auparavant, puisqu'il avait assisté à la messe commémorative organisée en l'honneur de sœur et à la lecture de l'acte d'accusation de Ian. Mais chaque fois, elle était stupéfaite de le trouver aussi craquant.

— Bonjour, les filles, lança Mme DiLaurentis en s'approchant d'elles.

Les rides autour de ses yeux étaient plus prononcées que

dans le souvenir d'Aria, mais elle restait svelte et élégante. Elle détailla les deux adolescentes.

— Vous êtes si grandes, dit-elle tristement, comme pour suggérer qu'Ali ne grandirait plus jamais, elle.

— Vous tenez le coup ? demanda Spencer sur son ton le plus adulte qui soit.

— On fait de notre mieux.

Mme DiLaurentis eut un petit sourire courageux.

— Vous logez encore en ville ? demanda Aria.

Quelques mois plus tôt, quand elle était venue assister à la lecture de l'acte d'accusation de Ian, la famille d'Ali était descendue dans un grand hôtel de Philadelphie. Mais Mme DiLaurentis secoua la tête.

— Nous avons loué une maison dans une ville voisine pour la durée du procès. Nous pensions qu'il serait trop difficile de faire les allers-retours depuis Philadelphie chaque jour.

Surprise, Aria haussa un sourcil.

— Pouvons-nous faire quelque chose pour vous ? s'enquit-elle. Je ne sais pas, vous aider pour les corvées domestiques ? Si vous avez besoin que quelqu'un déneige votre allée, je pourrais venir avec mon frère.

Une expression ambiguë passa brièvement sur le visage de Mme DiLaurentis. Elle porta ses mains à son collier de perles d'eau douce.

— Merci de nous le proposer, mais ça ne sera pas nécessaire.

Elle leur adressa un sourire crispé, distrait, et prit congé. Aria la regarda traverser le hall en sens inverse pour rejoindre sa famille. Elle se tenait très droite et très raide, comme si elle portait un livre en équilibre sur sa tête.

— Elle est bizarre, non ? murmura Aria.

— Je n'imagine même pas à quel point ce procès doit être dur pour elle. (Spencer frissonna.) Un véritable enfer.

Les deux filles franchirent la lourde porte en bois à double battant et entrèrent dans la salle d'audience. Hanna et Emily étaient déjà assises au deuxième rang, juste derrière la table des avocats. Hanna avait ôté son blazer de l'Externat de Rosewood qui pendait désormais sur le dos de sa chaise. Emily essayait d'enlever un mouton sur sa jupe d'uniforme plissée. En silence, toutes deux saluèrent Aria et Spencer du menton comme elles se glissaient à côté d'elles.

La salle se remplit rapidement. Jackson avait déjà posé tout un tas de dossiers sur la table. L'avocat de Ian arriva et prit place de l'autre côté de l'allée. Sur la droite, douze personnes s'installèrent dans le box du jury. L'audience était interdite aux médias et à la plupart des habitants de Rosewood ; seuls la famille, les amis proches, la police et les témoins avaient été autorisés à y assister.

En regardant autour d'elle, Aria aperçut les parents d'Emily, le père d'Hanna et sa presque belle-mère, ainsi que la sœur de Spencer, Melissa. À l'autre bout de la salle, elle repéra son propre père, Byron, qui aidait galamment Meredith à s'asseoir – alors qu'elle n'était pas encore si enceinte que ça.

Comme s'il avait senti que sa fille l'observait, Byron leva la tête. Il la vit et lui fit coucou. « Salut », articula Aria. Byron lui sourit. Meredith la vit aussi, écarquilla les yeux et articula : « Ça va ? » Aria se demanda si Byron savait qu'Ella était là, et qu'elle était venue avec son nouveau petit ami.

Emily enfonça un doigt dans les côtes d'Aria.

— Tu sais, le soir où tu m'as appelée pour me dire que tu avais reçu un message du nouveau « A » ? Moi aussi, j'en ai reçu un peu de temps après.

Un frisson remonta la colonne d'Aria.

— Il disait quoi ?

Emily pencha la tête et tripota un des boutons de son chemisier.

— Euh, pas grand-chose, en fait. Wilden t'a rappelée pour te dire s'ils avaient identifié l'expéditeur?

— Non.

Aria promena un regard à la ronde, se demandant où pouvait bien être Wilden. Elle ne le voyait nulle part. Elle se pencha pour voir Hanna, assise de l'autre côté d'Emily.

— Et toi, tu en as reçu un autre?

Le visage d'Hanna se ferma.

— Je n'ai vraiment pas envie de parler de ça maintenant.

Aria fronça les sourcils. Cela signifiait-il qu'elle en avait reçu un, ou pas?

— Et toi, Spencer?

Spencer tressaillit nerveusement et ne répondit pas. De la bile envahit la bouche d'Aria. Quelque chose lui disait qu'elles avaient toutes reçu un nouveau message signé « A ».

Emily se mordit la lèvre inférieure.

— Je suppose que ça n'aura bientôt plus d'importance, pas vrai? Si c'est bien Ian, ça devrait s'arrêter dès qu'on le renverra en prison.

— Espérons-le, murmura Aria.

Les DiLaurentis entrèrent les uns derrière les autres et s'assirent sur le banc juste devant elle. À côté de ses parents, Jason ne cessait de s'agiter : il boutonnait et déboutonnait sa veste, sortait son portable, consultait l'écran, l'éteignait et le rallumait dans la foulée. Soudain, il tourna la tête vers les filles. Son regard s'attarda sur Aria pendant trois bonnes secondes. Il avait exactement les mêmes yeux qu'Ali – c'était comme contempler un fantôme.

Un des coins de sa bouche se releva en un sourire. Il agita la main pour saluer Aria – et seulement Aria, aurait-on dit –, comme s'il se souvenait mieux d'elle que des autres amies de sa sœur. Aria jeta un coup d'œil à ces dernières pour voir si elles avaient remarqué, mais Hanna était en train de se remettre du rouge à lèvres, et Spencer expliquait tout bas à Emily que la famille DiLaurentis s'était installée dans une ville voisine pour la durée du procès. Quand Aria reporta son attention sur Jason, celui-ci lui tournait de nouveau le dos.

Vingt minutes s'écoulèrent. Le côté de Ian était toujours vide.

— Il ne devrait pas déjà être arrivé ? chuchota Aria en se penchant vers Spencer.

Celle-ci fronça les sourcils.

— Pourquoi me demandes-tu ça ? J'en sais rien.

Aria écarquilla les yeux et eut un mouvement de recul.

— Désolée, murmura-t-elle. La question ne t'était pas spécifiquement adressée.

Spencer poussa un soupir excédé et se détourna, les mâchoires crispées.

L'avocat de Ian se leva et se dirigea vers le fond de la salle d'audience, l'air inquiet. Aria regarda la double porte qui donnait sur le couloir, s'attendant à ce que Ian et son escorte policière surgissent d'une seconde à l'autre. Mais la porte demeura fermée. Mal à l'aise, Aria se frotta la nuque tandis que les murmures s'amplifiaient dans la salle.

Afin de se calmer, la jeune fille reporta son attention vers la fenêtre, sur sa gauche. Le tribunal se dressait sur une colline enneigée qui surplombait la vallée de Rosewood. En été, la végétation dense bouchait la vue, mais à présent que les feuilles étaient tombées, on pouvait voir tout Rosewood en contrebas.

Le clocher de Hollis semblait si minuscule qu'Aria aurait pu l'écraser entre le pouce et l'index. Les demeures victoriennes s'alignaient telles des maisons de poupées, et Aria distinguait même l'enseigne au néon en forme d'étoile du Snooker's, le bar où elle avait rencontré Ezra pour la première fois. Au-delà s'étendait le terrain vallonné du parcours de golf sur lequel jouaient les membres du country club. Le premier été de leur amitié, Aria, Ali et les autres avaient passé toutes leurs journées vautrées autour de la piscine, à mater les maîtres nageurs. Et plus particulièrement Ian.

Aria aurait voulu pouvoir retourner en arrière jusqu'à cet été-là et changer le cours des choses – retourner à un moment où les ouvriers n'avaient pas encore commencé à creuser le trou pour le pavillon des DiLaurentis. La première fois qu'elle s'était trouvée dans le jardin d'Ali, elle s'était tenue à l'endroit précis où ce trou allait s'ouvrir bien des mois plus tard, à l'endroit précis où le corps de son amie finirait – au fond de la propriété, près de la lisière des bois. C'était ce fameux samedi au début de leur année de 6e, quand Spencer, Emily, Hanna et elle s'étaient toutes pointées en même temps chez les DiLaurentis pour voler le morceau de drapeau d'Ali. Aria aurait bien voulu revenir en arrière et changer également ce qui s'était passé ce jour-là.

Le juge Baxter sortit de son cabinet. Il était ventripotent et rougeaud, avec un nez écrasé et de petits yeux en boutons de bottines. Aria le soupçonnait d'empester le cigare. Quand il appela les deux avocats au banc, la jeune fille se redressa. Les trois hommes se mirent à parler avec animation, tournant la tête et tendant le doigt vers le siège vide qu'aurait dû occuper Ian.

— C'est dingue, murmura Hanna en regardant par-dessus son épaule. Ian est vraiment en retard.

La double porte s'ouvrit tout à coup, faisant sursauter les quatre filles. Un policier qu'Aria reconnaissait pour l'avoir vu à la lecture de l'acte d'accusation remonta l'allée et se dirigea droit vers le banc du juge.

— Je viens de parler à ses parents, annonça-t-il d'une voix bourrue. (Le soleil se reflétait sur son insigne argenté, projetant des éclats de lumière à travers toute la salle.) Ils le cherchent.

La gorge d'Aria s'assécha.

— Ils le cherchent? répéta-t-elle, incrédule.

Elle échangea un regard avec les autres.

— Qu'est-ce que ça veut dire? couina Emily.

Spencer se mordit l'ongle du pouce.

— Oh, mon Dieu!

Par la porte toujours ouverte, Aria vit une berline noire se garer le long du trottoir. Le père de Ian descendit de la banquette arrière. Il était vêtu en noir comme s'il se rendait à un enterrement et arborait une expression à la fois solennelle et terrifiée. Il était seul; Aria supposa que sa femme se trouvait toujours à l'hôpital.

Une voiture de patrouille se gara derrière la berline, deux policiers en sortirent.

Quelques secondes plus tard, M. Thomas s'approchait du banc à son tour.

— Il était dans sa chambre la nuit dernière, murmura-t-il au juge, mais pas assez bas. Je ne comprends pas comment ça a pu se produire.

Un tic nerveux fit tressaillir le visage de Baxter.

— Que voulez-vous dire?

Honteux, le père de Ian baissa la tête.

— Il a... disparu.

Aria en resta bouche bée tandis que son cœur jouait au flipper dans sa poitrine. Emily poussa un gémissement. Hanna se plaqua les mains sur le ventre, et un gargouillis s'échappa de sa gorge. Spencer se leva à demi.

— Je crois que je devrais..., commença-t-elle.

Puis elle se ravisa et se rassit.

Le juge Baxter donna un coup de marteau.

— L'audience est suspendue jusqu'à nouvel ordre! clama-t-il. Nous vous rappellerons quand nous serons prêts à reprendre.

Il fit un geste. Aussitôt, une vingtaine de policiers s'approchèrent du banc, talkie-walkie grésillant, pistolet prêt à être dégainé. Après avoir reçu de brèves instructions, ils se détournèrent, sortirent du tribunal et se dirigèrent vers leurs véhicules.

Il a disparu. Aria jeta de nouveau un coup d'œil par la fenêtre, vers la vallée. Rosewood n'était pas si petite que ça, en fin de compte. Elle grouillait de cachettes potentielles pour un assassin en fuite.

Emily s'affaissa dans son siège et passa les mains dans ses cheveux comme si elle avait envie de se les arracher.

— Comment cela a-t-il pu arriver?

— Je croyais qu'un flic le surveillait en permanence, renchérit Hanna. Comment a-t-il pu sortir de la maison sans que personne le voie? C'est impossible!

— Malheureusement, non.

Aria, Emily et Hanna tournèrent la tête vers Spencer. Celle-ci regardait à droite et à gauche comme un animal traqué. Ses mains tressaillaient. Lentement, elle fixa tour à tour chacune des trois autres filles, le visage dégoulinant de culpabilité.

— Il faut que je vous dise quelque chose, chuchota-t-elle. À propos de Ian. Et ça ne va pas vous plaire.

24

Qui es-tu, KATE?

— Tenez votre droite ! glapit Hanna.

Une femme qui promenait son teckel sursauta et se rabattit précipitamment.

C'était le vendredi soir après le dîner, et Hanna courait le long de la piste de Stockbridge, une boucle de près de cinq kilomètres qui passait derrière le vieux manoir de pierre appartenant désormais à la maison de la jeunesse de Rosewood. Ce n'était probablement pas très prudent de se balader seule dans un endroit isolé alors que Ian Thomas était en fuite. D'un autre côté, si Spencer avait pris sur elle et raconté aux policiers que Ian avait enfreint son assignation à résidence pour lui rendre visite la veille, il n'aurait pas pu s'échapper.

Mais que Ian aille se faire voir : ce soir, Hanna avait besoin de se dépenser. D'habitude, elle venait là pour se faire vomir après avoir englouti trop de biscuits apéro, mais pour une fois, c'était sa mémoire qu'elle avait besoin de purger.

Les messages du nouveau « A » la préoccupaient de plus en plus. Elle ne voulait pas croire que la menace soit réelle, mais… et s'il ne s'agissait pas d'une mauvaise plaisanterie ? Ian avait réussi à s'enfuir ; si c'était lui le nouveau « A », normal qu'il sache ce que mijotait Kate.

Filant comme une flèche, Hanna dépassa les bancs couverts de neige et une grande pancarte verte où était écrit : « MERCI DE NETTOYER APRÈS VOTRE CHIEN ». Avait-elle été idiote de devenir si facilement amie avec Kate ? Sa presque demi-sœur était-elle encore en train de la manipuler ? Se pouvait-il qu'elle soit aussi diabolique que Mona l'avait été, et que tout ceci soit un plan soigneusement orchestré pour gâcher la vie d'Hanna ?

Hanna s'autorisa à passer en revue les détails de son amitié – ou peut-être de son inimitié – avec Mona. Elles s'étaient rapprochées pendant leur année de 4e, quelques mois après la disparition d'Ali. C'était Mona qui avait fait le premier pas, complimentant Hanna sur ses baskets Dolce & Gabbana et sur le bracelet David Yurman reçu pour son anniversaire. Au début, Hanna avait flippé – après tout, Mona était une ringarde –, mais elle avait fini par voir au-delà des apparences. Et puis, elle avait besoin d'une nouvelle meilleure amie.

Tout compte fait, peut-être que Mona n'avait jamais été son amie. Peut-être avait-elle seulement attendu le moment favorable pour détruire Hanna, afin de se venger de toutes les choses horribles que Hanna, Ali et les autres lui avaient dites et faites autrefois. C'était elle qui avait coupé Hanna de ses anciennes amies, elle qui avait perpétué l'animosité contre Naomi et Riley. Hanna avait envisagé de se réconcilier avec ces dernières lorsque la police avait présumé Ali morte, mais Mona lui avait opposé un refus catégorique. Naomi et Riley faisaient partie de la liste B ; si elles-mêmes voulaient rester sur la liste A, elles ne devaient surtout pas les fréquenter.

C'était également Mona qui avait suggéré qu'elles piquent dans les magasins, promettant à Hanna que c'était l'une des choses les plus excitantes du monde. Et puis, il y avait toutes les horreurs dont elle s'était rendue coupable en tant que « A ». Elle n'avait pas eu de mal à trouver de quoi tourmenter Hanna : elle avait été témoin de tant de ses erreurs ! Qui était assise à côté d'Hanna quand celle-ci avait envoyé la BMW du père de Sean dans le décor ? Qui l'accompagnait la fois où elle s'était fait piquer en train de voler chez Tiffany ?

Ses pieds s'enfonçaient dans des flaques de neige fondue, mais Hanna continuait à courir. Toutes les autres choses que Mona avait faites se déversaient à flot dans son esprit, de façon aussi incontrôlable que du champagne jaillissant d'une bouteille secouée. Mona-alias-« A » lui avait envoyé une robe de cour en taille enfant, sachant qu'Hanna la porterait à sa soirée d'anniversaire et que les coutures craqueraient. Mona-alias-« A » avait informé Hanna que Sean était à Foxy avec Aria, devinant qu'Hanna rentrerait aussitôt à Rosewood pour remettre à sa place son ex et que ce faisant, elle gâcherait le dîner avec son père et ferait une fois de plus apparaître Kate comme la fille parfaite en comparaison.

Une minute. Hanna s'arrêta net sous les branches d'un bosquet. Quelque chose ne collait pas. Elle avait dit à Mona qu'elle communiquait de nouveau avec son père, mais pas qu'elle laissait tomber Foxy pour passer le week-end avec lui à Philadelphie. Même si Mona l'avait découvert d'une autre façon, elle ne pouvait pas savoir que Kate serait là, elle aussi. Hanna se souvint du moment où Kate et Isabel avaient tapé à la porte de la suite de son père au Four Seasons. Elle-même était tombée des nues. Mona ne pouvait pas deviner qu'elles viendraient. À moins que...

Hanna prit une grande inspiration. Le ciel lui parut

s'assombrir brusquement. Il n'existait qu'une seule façon pour Mona de savoir que Kate et Isabel débarqueraient a Philadelphie : correspondre avec Kate en secret.

Ça n'avait rien d'impossible. De toute évidence, Mona était au courant de l'existence de Kate. Un des premiers messages de « A » avait été une coupure de journal à propos du énième prix scolaire que Kate venait de recevoir. Et si Mona avait appelé Kate pour lui faire part de son plan diabolique ? Kate détestait tellement Hanna qu'elle aurait forcément accepté.

Ça expliquerait pourquoi Kate avait poussé Hanna à la confidence dans les toilettes du Bec-Fin. Pourquoi elle avait regardé dans le sac d'Hanna – peut-être savait-elle déjà qu'elle y cachait une réserve de Percocet. « Elle s'est vantée d'en avoir, avait pu chuchoter Mona au téléphone. Et elle te fera confiance pour garder ça pour toi si tu lui en demandes un. Mais une heure environ après son départ, quand son père commencera à flipper, déballe-lui toute l'histoire. Dis-lui qu'Hanna t'a forcée à en prendre. »

— Oh, mon Dieu ! chuchota Hanna, regardant autour d'elle.

La sueur commençait à dégouliner, glaciale, le long de sa nuque. Kate et elle s'alliant pour devenir les stars du bahut, copinant avec Naomi et Riley... Et si tout ça faisait partie du plan de Mona ? Et si Kate était en train d'exécuter les dernières volontés de son ancienne meilleure amie ? Si elle avait l'intention de détruire Hanna à sa place ?

La jeune fille s'affaissa mollement sur le sol, amortissant sa chute avec son bras droit.

Et si cet enfer ne se terminait jamais ?

Son estomac se révulsa. Plongeant vers le bord de la piste, Hanna vomit dans l'herbe.

Ses yeux se remplirent de larmes. Sa gorge la brûlait. Elle

se sentait perdue, et si seule ! Elle ne savait plus du tout ce qui était réel ou prémédité dans sa vie.

Au bout de quelques minutes, elle s'essuya la bouche et se retourna. La piste pavée était déserte. Dans le silence, Hanna entendait son estomac gargouiller bruyamment.

Puis les buissons se mirent à remuer de l'autre côté de la piste. On aurait dit que quelqu'un était prisonnier à l'intérieur, et qu'il s'efforçait de se dégager. Hanna voulut s'éloigner, mais ses jambes lui semblaient comme son bras après avoir été renversée par Mona – hors service.

L'agitation dans les buissons se fit plus frénétique.

C'est le fantôme de Mona, hurla une voix dans la tête d'Hanna. *Ou celui d'Ali. Ou Ian.*

La végétation s'écarta. Hanna poussa un cri étranglé et ferma très vite les yeux. Mais quand elle les rouvrit quelques secondes plus tard ; la piste était toujours déserte.

Hagarde, elle promena un regard à la ronde. Ce fut alors qu'elle découvrit l'auteur de tout ce tumulte : un petit lapin gris qui se tenait près d'un tapis de trèfles séchés, les oreilles frémissantes.

— Tu m'as fait peur, le rabroua Hanna.

Elle se leva avec difficulté tandis que son pouls revenait à la normale. L'odeur de son propre vomi lui piquait le nez. Une femme en coupe-vent rose la dépassa, laissant derrière elle un sillage du parfum Daisy de Marc Jacobs qu'elle avait sans doute mis pour aller travailler. Puis ce fut un type accompagné d'un grand danois noir et blanc. Le monde se repeuplait lentement.

Comme le lapin disparaissait dans les fourrés, Hanna se ressaisit peu à peu. Elle prit quelques grandes inspirations purifiantes. Ce n'était qu'une ruse de Ian – ou d'un mauvais plaisantin – pour jouer avec elle. Mona ne pouvait pas contrôler l'univers de là où elle se trouvait. Et puis, Kate avait évoqué sa relation désastreuse avec « Herpès Boy ». Jamais elle n'aurait confié une chose pareille à Hanna si elle avait eu l'intention de la détruire.

Hanna rebroussa chemin en courant à petites foulées jusqu'au parking de la maison de la jeunesse. Soudain, elle se sentait beaucoup mieux. Son BlackBerry se trouvait toujours sur le siège passager de sa Prius, et elle n'avait pas reçu de nouveau message.

Pendant qu'elle roulait en direction de chez elle, la jeune fille eut envie de répondre au dernier texto de « A » et d'écrire : « Bien tenté, tu as failli m'avoir. » Elle s'en voulut d'avoir ignoré les textos de Kate toute la journée et de l'avoir évitée dans les couloirs de l'Externat. Peut-être pouvait-elle se rattraper en lui offrant un Mango Mantra sans sucre au Jamba Juice, le lendemain matin avant d'entamer leurs préparatifs pour la soirée des Hastings.

À son arrivée, la maison était silencieuse et plongée dans le noir.

— Coucou? appela Hanna, laissant tomber ses baskets mouillées près de la machinc à laver dans la buanderie et ôtant l'élastique qui retenait ses cheveux. Il y a quelqu'un? (Où étaient-ils donc tous passés?) Kate?

Puis elle entendit un bruit de voix étouffé au premier étage. Elle monta l'escalier. La porte de la chambre de Kate était fermée, et une musique qu'Hanna ne connaissait pas filtrait en dessous.

— Kate? répéta Hanna à voix basse.

Pas de réponse. Hanna leva le poing pour frapper. À cet instant, Kate émit un ricanement discordant.

— Ça marchera, dit-elle. C'est promis.

Hanna fronça les sourcils. On aurait dit que sa demi-sœur était au téléphone. Curieuse, elle colla son oreille contre le battant.

— Je te le jure, poursuivit Kate sur un ton pressant. Fais-moi confiance. Ce sera bientôt le moment d'agir. J'ai hâte !

Puis elle laissa échapper un gloussement cruel.

Hanna s'écarta de la porte comme si elle était en feu et se plaqua une main sur la bouche tandis que le gloussement de Kate se changeait en un rire à gorge déployée.

Horrifiée, elle recula dans le couloir. Elle connaissait bien ce genre de rire – Mona et elles le faisaient chaque fois qu'elles planifiaient un truc énorme. Elles avaient ri de la sorte le jour où Hanna avait eu l'idée de prétendre qu'elle était devenue l'amie de Naomi, alors que cette dernière lui venait de lui piquer son cavalier pour une soirée dansante. Et une autre fois, quand Mona avait créé une fausse page MySpace pour Aiden Stewart, un type craquant du bahut quaker, et s'en était servie pour tourmenter Rebecca Lowry qui avait eu l'audace de se présenter à l'élection de la Reine des Neiges – un titre qui revenait de droit à Hanna. *Ça ne va pas être beau à voir*, signifiait ce rire. *Mais cette salope l'a bien cherché. Et on ne va pas se priver de se moquer d'elle quand elle morflera.*

Toutes les inquiétudes d'Hanna lui retombèrent dessus telle une avalanche. Kate aussi avait l'air de préparer un truc énorme, et Hanna pensait savoir de quoi il s'agissait.

25

DANS LA SALLE DE BAINS... MAIS HORS DU PLACARD

Emily et Isaac s'étaient à peine arrêtés dans l'allée circulaire des Hastings qu'un valet se précipita vers eux pour leur réclamer une pièce d'identité.

— Nous tenons une liste de toutes les personnes présentes, expliqua-t-il.

Emily remarqua qu'il portait un flingue à la ceinture. Isaac, qui l'avait vu aussi, posa une main rassurante sur celle de sa cavalière.

— Ne t'en fais pas. Ian est probablement déjà à l'autre bout du monde.

Emily réprima un frémissement. Ian avait disparu depuis plus de vingt-quatre heures. Elle avait dit à Isaac qu'en tant qu'amie proche d'Alison DiLaurentis, elle était allée au tribunal la veille, mais elle s'était bien gardée de mentionner les messages menaçants envoyés par le nouveau « A » qui, elle en était convaincue, ne pouvait être que Ian. Malheureusement, elle avait de bonnes raisons de croire que le jeune homme ne se trouvait pas à l'autre bout du monde

– qu'il était toujours à Rosewood, en train de chercher le prétendu secret que les flics dissimulaient selon lui.

Une partie d'Emily en voulait à Spencer de ne pas leur avoir parlé plus tôt de la visite nocturne de Ian. Mais une autre partie comprenait qu'elle se soit tue. Spencer leur avait montré le message reçu juste après le départ de Ian, celui qui disait en substance que si elle parlait, elle le regretterait. Et puis, ce n'était pas comme si Emily s'était empressée de parler de son propre message, celui dans lequel « A » menaçait de tout balancer à Isaac si elle ne tenait pas sa langue. Apparemment, Ian était aussi retors que Mona avant lui ; il savait précisément de quelle manière obtenir le silence de chacune d'entre elles.

Néanmoins, juste après les aveux de Spencer, les filles avaient tenté de harponner un flic pour lui raconter ce qui s'était passé, mais tout le département de police de Rosewood s'était déjà lancé à la poursuite de Ian. Les Hastings s'étaient même demandés s'ils n'allaient pas annuler leur soirée. Au final, ils avaient juste décidé de redoubler de prudence. La veille au soir, Spencer avait appelé toutes ses anciennes amies et les avait implorées de venir pour la soutenir moralement.

Emily tira sur l'ourlet de la robe empruntée à Carolyn et descendit de sa Volvo. La maison des Hastings était illuminée comme un gâteau d'anniversaire. La voiture de Wilden était garée juste devant, et une poignée d'autres agents géraient la circulation.

Au moment où Isaac lui prenait la main, Emily vit Seth Cardiff, le meilleur ami de son ex, Ben, sortir d'une voiture derrière eux. Elle se raidit et agrippa le bras d'Isaac.

— Par ici, dit-elle sur un ton pressant, en poussant son cavalier vers la porte d'entrée.

Puis elle aperçut Eric Kahn sous le porche. Si Eric était là, Noel ne devait pas se trouver bien loin.

— Euh, attends.

Emily entraîna Isaac vers un coin d'ombre, près d'un gros buisson couvert de neige, et fit mine de chercher quelque chose dans sa pochette de soirée argentée. Le vent secouait les branches des arbres près d'eux. La jeune fille se demanda soudain si elle devenait folle. Se planquer dans le noir alors qu'un assassin courait en liberté...

Isaac eut un petit rire gêné.

— Quelque chose ne va pas? Tu essaies d'éviter quelqu'un?

— Bien sûr que non, mentit Emily.

Eric Kahn rentra enfin. Emily se redressa et se dirigea de nouveau vers la porte d'entrée. Prenant une grande inspiration, elle poussa celle-ci et fut éblouie par la lumière. *C'est parti.*

Dans un coin de la salle à manger, un quatuor à cordes jouait un délicat menuet. Des femmes en robe de soie à paillettes riaient avec des hommes en costume sombre bien coupé. Une serveuse passa près d'Emily et Isaac, portant un plateau de flûtes de champagne. Isaac en prit deux et en tendit une à sa cavalière. Emily but en s'efforçant de ne pas tout engloutir cul sec.

— Emily.

Spencer se tenait devant elle, vêtue d'une courte robe noire à l'ourlet orné de plumes. Aux pieds, elle portait des escarpins à bride incroyablement hauts. Son regard se posa sur la main d'Isaac, qui tenait celle d'Emily. Un pli barra son front.

— Euh, Isaac, je te présente Spencer. Ce sont ses parents qui donnent cette réception, expliqua très vite Emily tout en dégageant sa main de celle du jeune homme. Spencer, je te présente Isaac.

Elle voulait ajouter « mon petit ami », mais il y avait beaucoup trop de monde autour d'eux.

— Je suis le fils de Rick Colbert, votre traiteur, dit Isaac en tendant la main à Spencer pour qu'elle la serre. Tu le connais ?

— Je n'ai pas participé à l'organisation de cette soirée, répliqua amèrement Spencer. (Elle reporta son attention sur Emily.) Wilden vous a expliqué les règles ? Nous ne sommes pas autorisés à sortir de la maison. Si quelqu'un a besoin d'aller chercher quelque chose dans sa voiture, il doit envoyer Wilden à sa place. Et quand vous serez prêts à partir, Wilden vous raccompagnera.

— Wouah. (Isaac passa une main dans ses cheveux.) Vous prenez vraiment ça très au sérieux.

— Parce que ça l'est, rétorqua Spencer.

Elle voulut se détourner, mais Emily lui saisit le bras. Elle comptait demander à Spencer si elle avait eu le temps de parler à Wilden de la visite de Ian, ainsi qu'elle avait promis de le faire la veille au tribunal. Mais son amie se dégagea.

— Pas maintenant, dit-elle sur un ton brusque avant de disparaître dans la foule.

Isaac se balança sur ses talons.

— Sympa, commenta-t-il sur un ton ironique.

Il regarda autour de lui, détaillant le tapis oriental hors de prix, les moulures du plafond et les portraits des ancêtres de Spencer accrochés le long des murs.

— Alors, voilà comment vivent les élèves de ton bahut.

— Pas tous, rectifia Emily.

Isaac se dirigea vers une console et caressa une théière en porcelaine de Sèvres. Emily faillit l'arrêter – Spencer avait toujours raconté à ses amies que cette théière avait appartenu à Napoléon –, mais elle ne voulait pas qu'il pense qu'elle le croyait maladroit ou mal élevé.

— Je parie que ta maison est encore plus grande que celle-ci, la taquina Isaac. Genre, dix-neuf chambres et une piscine olympique couverte.

— Faux. (Emily lui donna un petit coup de poing.) Il y a *deux* piscines olympiques : une pour moi et une pour ma sœur. Je déteste partager.

— Alors, quand vais-je voir ce château? (Isaac prit les mains d'Emily et les balança entre eux.) Après tout, je t'ai laissé entrer chez moi. Et rencontrer ma mère. Au fait, désolé pour ça.

— Pas de problème.

Quand Emily était passée chercher Isaac, Mme Colbert s'était extasiée sur le couple qu'ils formaient; elle avait pris des photos d'eux et offert des biscuits à Emily. Elle ressemblait beaucoup à Mme Fields : toutes deux collectionnaient les figurines Hummel et portaient les mêmes Crocs bleu pâle. Elles pourraient sans doute devenir très amies.

— Je l'ai trouvée adorable, affirma Emily. Comme toi.

Isaac rougit et l'attira plus près de lui. Emily gloussa, ravie de se serrer contre le smoking qu'il avait emprunté à son père. Il sentait le santal et le chewing-gum à la cannelle, et soudain, elle eut envie de l'embrasser devant tout le monde.

Puis elle entendit un ricanement derrière eux. Noel Kahn et James Freed étaient plantés sous l'arche qui conduisait au salon. Tous deux portaient un costume noir hors de prix et une cravate rayée bleue et rouge de l'Externat de Rosewood, nouée négligemment.

— Emily Fields! s'exclama James, détaillant Isaac de la tête aux pieds avec une mine perplexe.

Sans doute avait-il d'abord cru que le jeune homme était une fille habillée en garçon.

— Salut, Emily, dit Noel de sa voix languissante mi-surfer, mi-fils à papa nageant dans le fric. (Lui non plus ne quittait pas Isaac du regard.) Je vois que tu as amené un ami. À moins que ce soit ton cavalier?

Emily fit un pas en arrière. Noel et James s'humectèrent les lèvres tels des loups affamés qui se pourlèchent les babines à la vue d'une proie. Ils devaient déjà passer en revue la liste des vannes qu'ils pourraient balancer ensuite. « Tu donnes dans le mâle ce soir? Fais gaffe, mon pote, Emily Fields est une petite cochonne! Elle risque de te traîner dans un club de strip lesbien! » Plus longtemps ils gardaient le silence, plus ce qu'ils diraient promettait d'être horrible.

— Il faut que je..., bredouilla Emily.

Elle fit volte-face, manquant bousculer le proviseur Appleton et Mme Hastings qui sirotaient tous deux des cocktails. À l'aveuglette, elle traversa la salle à manger pour mettre le plus de distance possible entre James, Noel et elle.

— Emily? appela Isaac derrière elle.

La jeune fille continua à fuir. Les lourdes portes de la bibliothèque se dressaient devant elle. Haletante, elle tira violemment un des battants et se faufila à l'intérieur.

La pièce était agréablement tiède; elle sentait les vieux livres et les chaussures en cuir de marque. Un instant, la vision d'Emily se brouilla, et l'horreur lui noua l'estomac. La bibliothèque était bondée d'élèves de l'Externat. Les longues jambes de Naomi Zeigler pendaient par-dessus l'accoudoir d'un des fauteuils, et la future demi-sœur d'Hanna, Kate, était royalement alanguie sur la bergère. Mason Byers et d'autres garçons de l'équipe de lacrosse traînaient près des étagères, lorgnant les livres de photographies françaises que collectionnait le père de Spencer – et qui, pour la plupart, montraient des femmes nues artistiquement floutées. Mike Montgomery partageait un verre de vin avec une jolie brunette, tandis que Jenny Kestler et Kirsten Cullen grignotaient des toasts au fromage.

Tous se retournèrent vers Emily. Et quand Isaac fit irruption dans la pièce et posa son bras sur les épaules nues de la jeune fille, des regards avides se braquèrent sur lui.

C'était comme si un sort maléfique paralysait Emily. Elle avait cru pouvoir affronter ses camarades, mais face à eux qui connaissaient tous ses secrets, qui étaient là le jour où « A » avait fait circuler une photo d'elle et de Maya en train de s'embrasser... elle se sentit submergée.

Noel et James étaient toujours adossés au mur, en train de se passer une bouteille de Patròn.

— Tu es revenue! s'exclama joyeusement Noel. C'est qui, ce type qui t'accompagne? Si tu joues de nouveau dans notre camp, pourquoi tu ne m'as pas invité d'abord?

Emily se mordit la lèvre et garda la tête baissée. Elle ne pouvait pas rester là. Il fallait qu'elle s'en aille. Mais elle n'arrivait pas à trouver Wilden pour l'escorter jusqu'à sa voiture, et elle n'osait pas sortir seule.

Ce fut alors qu'elle aperçut le boudoir, à droite de la cuisine. La porte était légèrement entrebâillée et la lumière éteinte. Emily voulut se réfugier à l'intérieur, mais quand elle tenta de refermer la porte derrière elle, un pied l'en empêcha.

Isaac força le passage.

— Hé, lança-t-il, mécontent. Que se passe-t-il?

Emily poussa un petit couinement et se réfugia dans le coin le plus éloigné de la pièce, les bras serrés contre sa poitrine en un geste de protection. Le boudoir des Hastings était plus grand que beaucoup de salles de bains; il abritait un petit canapé, un miroir ouvragé et des toilettes fermées.

Sous le parfum lourd et entêtant de la bougie au jasmin posée près du lavabo planait une légère odeur de vomi.

Isaac ne suivit pas Emily. Il resta près de la porte, le dos très raide et l'expression méfiante.

— Tu te comportes bizarrement, dit-il.

Emily s'assit sur le canapé couleur pêche et tritura ses collants à l'endroit où ils avaient filé. Elle était trop nerveuse pour répondre. Ses secrets palpitaient douloureusement dans sa poitrine.

— Tu es gênée qu'on te voie avec moi? poursuivit Isaac. Parce que j'ai dit à cette... Spencer que mon père était le traiteur, c'est ça?

Emily pressa ses paumes sur ses yeux. Elle ne pouvait pas laisser Isaac penser qu'il était responsable de son étrange réaction – une fois de plus.

Lentement, l'angoisse s'abattit sur ses épaules tel un linceul. Même si elle parvenait à éviter ce désastre, il y en aurait un autre, et encore un autre. « A » ne la lâcherait pas. Et à présent que Ian s'était échappé, il était capable de tout. « Que ça te serve de leçon », avait-il écrit après son départ précipité du restaurant chinois. Il tenait Emily sous son emprise.

À moins qu'elle ne fasse le nécessaire pour s'en dégager.

La gorge nouée, Emily leva les yeux vers Isaac. Le tout, c'était d'en finir très vite, comme quand on enlève un pansement.

— Tu te souviens de cette fille au China Rose? lâcha-t-elle tout de go.

Isaac la fixa sans comprendre et haussa les épaules. Emily prit une grande inspiration.

— Avant, je... sortais avec elle.

Tout le reste se déversa de sa bouche à la vitesse de l'éclair. Les yeux baissés, elle raconta comme elle avait embrassé Ali dans la cabane des DiLaurentis quand elle était en 6e. Comment elle avait instantanément flashé sur Maya et son odeur de chewing-gum à la banane. Elle parla des messages signés « A », de sa tentative de sortir avec Toby Cavanaugh pour se prouver qu'elle aimait les garçons, de la photo de Maya et elle qui avait été diffusée pendant une compétition de natation. Elle expliqua que tout son lycée était au courant. Elle évoqua La Cime des arbres, le programme de « réforme » auquel ses parents l'avaient forcée à s'inscrire, et avoua la véritable raison pour laquelle ils l'avaient envoyée dans l'Iowa : parce qu'ils ne pouvaient pas accepter son orientation sexuelle. Elle ajouta qu'une fois dans l'Iowa, elle avait rencontré une fille appelée Trista et qu'elle l'avait embrassée, elle aussi.

Quand elle eut terminé, Emily leva les yeux vers Isaac. Le jeune homme était légèrement verdâtre, et il tapait du pied nerveusement... à moins qu'il ne soit en colère. Emily baissa de nouveau la tête.

— Si tu ne veux plus jamais m'adresser la parole, je comprendrais. Mais je ne voulais pas te blesser : je pensais juste que tu me détesterais si tu savais. Même si je t'ai caché certaines choses sur mon passé, tout ce que je t'ai dit était sincère. J'ai des sentiments pour toi. Tu me plais. Et j'ai vraiment envie que tu deviennes mon petit ami. Je pensais que je ne pouvais rien ressentir pour un garçon, mais c'est faux.

Le silence s'installa dans la petite pièce. Même les bruits de la fête semblaient s'être estompés. Isaac rajusta machinalement sa cravate.

— Alors, quoi ? lança-t-il. Tu es bi, ou... ?

Emily enfonça ses ongles dans les coussins en soie du canapé. Ce serait tellement plus commode de dire qu'elle était hétéro, que tout ce qui s'était passé avec Ali, Maya et Trista avait été une erreur. Mais elle savait que ce n'était pas le cas.

— J'ignore ce que je suis, répondit-elle tout bas. Peut-être que j'aime... des gens. Que pour moi, c'est une question de personnalité plutôt que de sexe.

Isaac baissa les yeux et poussa un petit soupir découragé. Quand Emily l'entendit se détourner, le désespoir la submergea. Dans quelques secondes, il pousserait la porte et disparaîtrait de sa vie à jamais. Elle se représenta Mme Colbert l'attendant sur le seuil de chez eux, impatiente qu'il lui raconte comment la soirée s'était passée. Elle vit son expression consternée quand Isaac lui dirait la vérité. « Emily est quoi ? » hoquetterait-elle.

— Hé.

Un souffle chaud lui caressa les cheveux. Isaac était penché sur elle avec une expression indéchiffrable. Sans un mot, il passa un bras autour d'elle.

— C'est bon.

— Qu-quoi ? balbutia Emily.

— C'est bon, répéta Isaac à voix basse. J'accepte ce qui s'est passé, et je t'accepte comme tu es.

Incrédule, Emily cligna des yeux.

— Vraiment ?

Isaac acquiesça.

— Franchement, ça me soulage. Je finissais par croire que tu avais honte de moi. Ou que tu sortais déjà avec un autre garçon.

Des larmes de gratitude montèrent aux yeux d'Emily.

— Aucune chance, bredouilla-t-elle.

Isaac gloussa.

— Je suppose que non.

Il prit Emily dans ses bras et déposa un baiser sur sa tempe.

Tandis que la jeune fille se blottissait contre lui, Lanie Iler, une de ses camarades de l'équipe de natation, passa la tête dans le boudoir et vit qu'il était occupé.

— Oups, lâcha-t-elle.

Puis elle réalisa que c'était Emily qui enlaçait un garçon inconnu, et ses yeux s'écarquillèrent. Mais Emily s'en fichait. *Peu importe qu'elle nous ait vus et qu'elle aille le raconter à tout le monde*, songea-t-elle. Elle avait officiellement fini de se cacher.

26

SPENCER REÇOIT UNE BONNE NOUVELLE

La sonnette des Hastings retentit pour la énième fois, et Spencer regarda ses parents accueillir les Pembroke, une des plus vieilles familles de Rosewood. M. et Mme Pembroke étaient connus pour emmener leurs animaux partout avec eux. Ce soir-là, les petites bêtes étaient au nombre de deux : Mimsy, un loulou de Poméranie qui jappait sans discontinuer, et un renard changé en étole dont la tête pendait sur l'épaule d'Hester Pembroke.

Comme le couple fonçait vers le bar, Mme Hastings chuchota quelque chose à l'oreille de Melissa et s'éloigna. Melissa surprit le regard de sa cadette posé sur elle. Sa main lissa nerveusement sa robe en satin rouge foncé ; puis elle baissa les yeux et se détourna. Spencer n'avait pas encore eu l'occasion de lui demander ce qu'elle pensait de la disparition de Ian : Melissa l'avait évitée toute la journée.

Elle ne connaissait toujours pas la raison de la collecte de fonds, mais les invités semblaient passer une soirée fantastique. Apparemment, l'alcool agissait sur les habitants de

Rosewood comme un baume antiscandale. Wilden avait déjà dû ramener les parents de Mason jusqu'à leur Bentley, parce que Binky Byers avait sifflé un Metropolitan de trop. En entrant dans le boudoir un peu plus tôt, Spencer avait surpris Olivia Zeigler, la mère de Naomi, en train de vomir dans le lavabo. Si seulement la vodka avait pu l'apaiser, elle aussi... Mais elle avait beau descendre des Lemon Drops en cachette, rien ne suffisait à émousser sa conscience, comme si quelque puissance karmique la punissait en l'obligeant à endurer toute cette soirée de façon parfaitement consciente.

Elle avait commis une terrible erreur en gardant le silence au sujet de la visite nocturne de Ian. Mais comment aurait-elle pu deviner que le jeune homme prévoyait de s'enfuir ? Elle repensa à son rêve de la veille. « Il est presque trop tard. » Maintenant, il était trop tard tout court.

Spencer avait promis à ses amies de parler à la police, mais quand Wilden était arrivé chez elle pour surveiller la maison pendant la fête, elle n'avait pas pu. Elle ne supportait pas l'idée que quelqu'un vienne encore lui tenir un discours humiliant sur son comportement lamentable de ces derniers temps. Et puis, à quoi cela aurait-il servi de révéler la visite de Ian à la police ? Ce n'était pas comme si le jeune homme l'avait prévenue qu'il comptait mettre les voiles. La seule chose intéressante qu'il lui avait dite, c'est qu'il attendait la confirmation d'un secret « énorme ».

— Spencer, ma chérie, lança quelqu'un sur sa droite.

C'était Mme Kahn, l'air plus décharnée que jamais dans sa robe de soirée vert émeraude à sequins. Spencer avait entendu les photographes dire qu'il s'agissait d'une Balenciaga vintage. Mme Kahn étincelait des oreilles au bout des doigts, en passant par son cou et ses poignets. Tout le monde savait que quand le père de Noel s'était rendu à Los Angeles pour financer un nouveau parcours de golf, l'année précédente, il avait acheté la moitié du stock de Harry Winston à sa femme. La facture avait même été postée sur un blog de potins locaux.

— Tu sais s'il reste encore de ces délicieux petits-fours? demanda Mme Kahn. Après tout, il faut bien se faire plaisir de temps en temps.

Elle tapota son ventre concave et haussa les épaules comme pour dire : « Il y a un assassin en liberté, profitons-en pour nous goinfrer! »

— Euh... (Spencer aperçut ses parents à l'autre bout de la pièce, près du quatuor à cordes.) Je reviens tout de suite.

Elle se fraya un chemin parmi les invités jusqu'à ce qu'elle ne se trouve plus qu'à deux mètres de ses parents. M. Hastings portait un smoking Armani très sobre; sa femme, en revanche, arborait une minirobe noire à manches chauve-souris et jupe bouillonnante. Peut-être était-ce la dernière mode sur les podiums milanais, mais Spencer trouvait que ça lui donnait l'air d'être déguisée en fiancée de Dracula.

Elle tapa sur l'épaule de sa mère. Mme Hastings se retourna, un grand sourire de convenance aux lèvres. Mais à la vue de sa cadette, elle plissa les yeux.

— Euh, on va bientôt être à court de petits-fours, rapporta docilement Spencer. Tu veux que j'aille voir s'il en reste à la cuisine? J'ai aussi remarqué que les barmen n'avaient presque plus de champagne.

Mme Hastings se passa une main sur le front.

— J'y vais.

— Ça ne me dérange pas de le faire, insista Spencer. Je...

— Je m'en occupe, répondit sa mère à voix basse, sur un ton glacial. (Elle fronça les sourcils, et les petites rides autour de sa bouche se creusèrent.) Tu veux bien aller rejoindre les jeunes de ton âge à la bibliothèque?

Spencer recula, se tordant un talon sur le plancher de

bois poli. Elle avait l'impression que sa mère venait de la gifler.

— Je sais que tu es ravie que Nana m'ait déshéritée, lâcha-t-elle tout haut avant de se rendre compte de ce qu'elle disait. Mais tu pourrais au moins cacher ta joie.

Sa mère se figea, bouche bée. Près d'elles, quelqu'un hoqueta. Mme Hastings jeta un coup d'œil à M. Hastings, qui était devenu aussi blanc que les murs.

— Spencer..., lâcha-t-il.

— Laissez tomber, grogna la jeune fille.

Elle fit volte-face et, les yeux brûlants de larmes de frustration, s'engagea dans le couloir qui conduisait à la salle télé située à l'arrière de la maison.

Ça aurait dû la soulager de cracher son venin à la figure de ses parents : après tout, ils l'avaient bien mérité. Mais elle se sentait comme chaque fois qu'ils la rejetaient – comme un sapin de Noël abandonné sur le bord du trottoir en attendant le passage des éboueurs. Petite, elle implorait toujours ses parents de sauver ces pauvres arbres pour les replanter dans leur jardin, et ils lui répondaient systématiquement qu'elle était trop sentimentale.

— Spencer ?

Andrew Campbell sortit de l'ombre, un verre de vin à la main. De petits frissons parcoururent le dos de Spencer. Toute la journée, elle avait eu envie de lui envoyer un texto pour lui demander s'il viendrait ce soir. Non qu'elle en pince secrètement pour lui ni rien de ce genre.

Andrew remarqua les joues rouges et l'agitation de Spencer. Il fronça les sourcils.

— Qu'est-ce qui ne va pas ?

Le menton tremblant, Spencer jeta un coup d'œil en arrière, vers la salle à manger. Mais elle ne vit ni ses parents ni Melissa.

— Toute ma famille me déteste, bredouilla-t-elle.

— Viens là, dit Andrew en lui prenant le bras. (Il l'entraîna dans la salle télé, alluma la petite lampe Tiffany et lui fit signe de venir le rejoindre.) Assieds-toi. Respire.

Spencer se laissa choir sur le canapé. Elle n'était pas venue dans cette pièce depuis le mardi après-midi, quand ses amies et elle avaient appris la libération provisoire de Ian aux infos. Sur une console en acajou, à droite de la télévision, s'alignaient des tas de photos de classe de Melissa et d'elle, depuis leur première année de maternelle jusqu'au portrait de terminale de sa sœur. Spencer détailla le cliché le plus récent. Il avait été pris au tout début de l'année scolaire, juste avant la découverte du corps d'Ali et le début des messages signés « A ». Ses cheveux étaient parfaitement tirés en arrière; son blazer bleu marine, parfaitement repassé. Tout en elle exsudait l'autosatisfaction. « Je suis Spencer Hastings, et je suis la meilleure », semblait-elle dire.

Tu parles, songea-t-elle amèrement. *C'est fou ce que les choses peuvent changer vite...*

À côté des photos de classe se dressait la tour Eiffel en fer forgé. La vieille photo d'Ali, celle qui datait du jour de l'annonce de la Capsule temporelle, était toujours posée contre son pied. Spencer la détailla en plissant les yeux. L'affichette pendait au bout des doigts d'Ali; l'adolescente avait la bouche ouverte si grand qu'on pouvait voir ses petites molaires blanches et carrées.

À quel moment cette photo avait-elle été prise? Ali avait-elle déjà annoncé que Jason allait lui révéler l'emplacement d'un des morceaux de drapeau? Spencer avait-elle déjà eu l'idée de le lui voler? Ian avait-il déjà approché Ali pour la prévenir qu'il allait la tuer? Les grands yeux bleus d'Ali semblaient fixer Spencer, et celle-ci entendait presque la voix flûtée de son amie se moquer d'elle. « Bouhou, aurait grimacé Ali si elle avait été encore vivante. Tes parents te détestent. Pauvre toi ! »

Frissonnant, Spencer se détourna. C'était trop bizarre de sentir le regard d'Ali posé sur elle.

— Que se passe-t-il avec tes parents ? demanda Andrew, mordillant sa lèvre inférieure avec une mine inquiète.

Spencer donna une pichenette à la frange de plumes qui garnissait le bas de sa robe.

— Ils ne supportent même plus de me regarder, marmonna-t-elle d'une voix atone. C'est comme si j'étais morte pour eux.

— Je suis sûr que c'est faux, contra Andrew. (Il sirota une gorgée de vin et posa son verre sur le rebord du canapé.) Comment pourraient-ils te détester ? Au contraire, ils doivent être très fiers de toi.

Sans se soucier d'avoir l'air maniaque, Spencer glissa rapidement un sous-bock sous le verre d'Andrew.

— Pas du tout. Ils ont honte de moi. S'ils le pouvaient, ils me planqueraient à la cave comme une décoration passée de mode – les peintures à l'huile de ma mère, par exemple.

Andrew pencha la tête sur le côté.

— À cause de… de l'Orchidée d'or ? C'est possible qu'ils soient bouleversés, mais je suis sûr que c'est parce qu'ils se font du souci pour toi.

Spencer ravala un sanglot. Elle sentit une douleur dans la poitrine, quelque chose de dur, de tranchant.

— Ils savaient que j'avais recopié l'essai de Melissa, lâcha-t-elle sans pouvoir se retenir. Mais ils m'ont fait promettre de ne rien dire. Pour eux, il aurait mieux valu que je mente, que j'accepte ma récompense et que je vive avec ma culpabilité jusqu'à la fin de mes jours, plutôt que de les faire passer pour des imbéciles.

Andrew, qui s'était assis près d'elle, se rejeta en arrière

sous l'effet de la surprise. Le mouvement fit craquer le cuir du canapé. Pendant cinq longues rotations du ventilateur fixé au plafond, le jeune homme fixa Spencer.

— Tu plaisantes, dit-il enfin.

Spencer secoua la tête. Le confirmer à voix haute lui faisait l'effet d'une trahison. Ses parents ne lui avaient pas exactement demandé de taire le fait qu'ils étaient au courant pour son essai, disons plutôt qu'ils pensaient qu'elle ne le ferait jamais.

— Et tu as tout avoué malgré leur interdiction ? s'enquit Andrew.

Spencer acquiesça.

— Wouah... (Le jeune homme passa les mains dans ses cheveux.) Tu as bien fait, Spencer. J'espère que tu en es consciente.

Alors, Spencer se mit à pleurer comme une fontaine.

— J'étais tellement stressée, sanglota-t-elle. Je ne comprenais rien aux cours d'éco. J'ai pensé que ça n'aurait aucune conséquence si je recopiais un devoir de Melissa. Je croyais que personne ne s'en apercevrait. Je voulais juste avoir un A.

Sa gorge se serra, et elle enfouit son visage dans ses mains.

— Ça va aller. (Andrew lui tapota le dos avec des gestes hésitants.) Je comprends.

Mais Spencer ne pouvait plus s'arrêter de pleurer. Elle se plia en deux, ses larmes coulant jusque dans sa bouche. Ses yeux étaient déjà rouges et bouffis ; sa poitrine se soulevait et s'abaissait violemment, et elle avait de plus en plus de mal à respirer. L'avenir lui semblait si noir ! Sa scolarité était fichue. C'était sa faute si l'assassin d'Ali avait réussi à s'enfuir. Sa famille l'avait déshéritée. Ian avait raison : sa vie était pathétique.

— Chuuut, chuchota Andrew en dessinant de petits cercles dans son dos. Tu n'as rien fait de mal. Tout va bien.

Soudain, un bruit s'échappa de la pochette argentée de Spencer, qu'elle avait posée sur la table basse. La jeune fille leva la tête. C'était son téléphone. Elle cligna des yeux à travers ses larmes. *Ian?*

Instinctivement, elle tourna le regard vers la fenêtre. Un unique projecteur installé dans le jardin de derrière braquait sa lumière orangée sur la terrasse. Au-delà, tout était plongé dans une obscurité impénétrable. Spencer tendit l'oreille, cherchant à capter un bruissement dans les fourrés sous la fenêtre. En vain.

Son téléphone sonna de nouveau. Andrew ôta sa main de son dos.

— Tu ne veux pas savoir qui c'est?

Spencer s'humecta les lèvres en réfléchissant. Lentement, elle saisit sa pochette. Ses mains tremblaient si fort qu'elle eut du mal à défaire le petit fermoir métallique.

Elle avait reçu un message – pas un texto, mais un e-mail. Le nom de l'expéditeur apparut. « Je t'M ». Puis l'objet : « Nous avons peut-être trouvé la personne que vous cherchez! »

— Oh, mon Dieu! (Spencer fourra son Sidekick sous le nez d'Andrew. Dans le chaos de cette semaine, elle avait presque oublié le site d'adoption.) Regarde!

Andrew inspira longuement. Ils ouvrirent l'e-mail et plissèrent les yeux pour déchiffrer le message.

Nous avons le plaisir de vous annoncer qu'un des profils de notre base de données correspond aux indications que vous nous avez fournies. Nous venons d'en informer la personne concernée, qui devrait vous contacter sous quelques jours. Bonne chance,

L'équipe de « Je t'M »

Spencer fit défiler la suite frénétiquement, mais le message ne contenait pas grand-chose de plus. « Je t'M » n'indiquait ni le nom de sa mère potentielle, ni son âge, ni son lieu de résidence. Spencer laissa retomber son Sidekick sur ses genoux. La tête lui tournait.

— Alors… c'est vrai ?

Andrew lui prit les mains.

— Peut-être.

Un sourire se forma sur les lèvres de la jeune fille, illuminant son visage baigné de larmes.

— Oh, mon Dieu ! s'écria-t-elle. Oh, mon Dieu ! (Elle jeta ses bras autour du cou d'Andrew et le serra très fort contre elle.) Merci !

— Euh, pourquoi ? demanda le jeune homme, perplexe.

— Je ne sais pas, gloussa Spencer, qui se sentait comme ivre. Pour tout !

Ils s'écartèrent l'un de l'autre avec un immense sourire. Puis, lentement et prudemment, la main d'Andrew saisit le poignet de Spencer. La jeune fille se figea. Les bruits de la fête s'évanouirent pour elle. Tout à coup, elle se sentait bien – au chaud, protégée.

Quelques longues secondes s'écoulèrent, marquées par le seul clignotement de l'horloge digitale du lecteur DVD. Puis Andrew se pencha et pressa sa bouche sur celle de Spencer. Il avait un goût de cannelle, et ses lèvres étaient douces. Tout paraissait si… naturel, s'émerveilla Spencer tandis qu'il la serrait contre lui. Où diable *Andrew Campbell* avait-il appris à embrasser comme ça ?

Leur baiser ne dura pas plus de cinq secondes, mais lorsque Andrew se redressa, Spencer ne put rien dire tant elle était sous le choc Elle se demanda si le jeune homme avait senti le goût salé de ses larmes. Elle devait être affreuse avec ses yeux bouffis et son nez dégoulinant !

— Je suis désolé, dit très vite Andrew en pâlissant. Je

n'aurais pas dû faire ça. Mais tu es si jolie ce soir, et je suis tellement content pour toi !

Spencer cligna très vite des yeux, espérant que son sang ne tarderait pas à remonter jusqu'à sa tête.

— Ne t'excuse pas, parvint-elle enfin à articuler. Mais... je ne suis pas sûre de mériter ça. (Elle renifla bruyamment.) J'ai été infecte avec toi. À Foxy, par exemple. Et dans tous les cours qu'on suit ensemble. Je me suis toujours si mal conduite envers toi ! (Elle secoua la tête, et une larme coula le long de sa joue.) Tu devrais me détester.

Andrew entrelaça leurs petits doigts.

— Je t'en voulais pour Foxy, mais uniquement parce que tu me plaisais. Le reste... c'était juste de la saine concurrence. (De l'index, il poussa le genou de Spencer.) J'aime que tu aies l'esprit de compétition. Que tu sois déterminée et intelligente. Surtout ne change rien.

Spencer voulut éclater de rire, mais sa bouche se tordit, et elle se remit à sangloter. Pourquoi pleurait-elle alors qu'Andrew se montrait si gentil avec elle ?

— Alors, tu m'aimerais même si je n'étais pas une Hastings ?

Andrew ricana.

— Je me fiche de ton nom de famille. Regarde Coco Chanel, elle venait de nulle part. Elle était orpheline, et regarde ce qu'elle a fait de sa vie.

Un des coins de la bouche de Spencer se releva en un sourire.

— Menteur.

Comment se pouvait-il qu'Andrew le rat de bibliothèque sache quoi que ce soit sur le monde de la haute couture ?

— C'est vrai, protesta le jeune homme avec ferveur. Vérifie, si tu ne me crois pas.

Spencer dévora des yeux le visage mince et anguleux

d'Andrew, de ses cheveux blonds mi-longs qui bouclaient légèrement au-dessus des oreilles. Pendant tout ce temps, Andrew avait été sous son nez, assis près d'elle en classe, se dépêchant de finir ses problèmes de maths avant elle, se présentant contre elle aux élections du bureau des élèves, et jamais elle n'avait remarqué combien il était mignon. De nouveau, elle se cala dans ses bras en souhaitant pouvoir rester là toute la nuit.

Tandis qu'elle nichait son menton dans le creux de l'épaule d'Andrew, son regard se posa de nouveau sur la photo d'Ali posée contre le pied de la tour Eiffel. Soudain, l'image lui parut complètement différente. Ali était toujours en train de rire aux éclats, mais une inquiétude pressante se lisait dans ses yeux. Comme si elle envoyait un message silencieux au photographe. « Au secours. Aidez-moi. »

Spencer repensa à son rêve, celui où elle se tenait près des garages à vélos. La petite Ali s'était tournée vers elle avec la même expression vulnérable. Comme son *alter ego* plus âgé, elle lui avait demandé de découvrir quelque chose – quelque chose qui se trouvait peut-être tout près. « Tu n'aurais pas dû tout jeter. Les réponses dont tu avais besoin étaient dedans. La suite dépend de toi, Spencer. Il va falloir que tu répares ta bêtise », lui avaient dit les deux Ali.

Mais qu'avait-elle jeté récemment ? Et comment pouvait-elle se racheter ?

Soudain, Spencer se redressa en sursaut et s'écarta d'Andrew.

— Le sac-poubelle !

— Quoi… ? s'étonna le jeune homme.

Spencer regarda par la fenêtre. La conseillère en stress post-traumatique avait demandé aux anciennes amies d'Alison d'enterrer les souvenirs qu'elles gardaient de la défunte – ce qui revenait à les jeter. Était-ce de cela qu'avaient voulu parler les deux Ali de son rêve ? Le sac-poubelle contenait-il un indice qui permettrait de tout résoudre ?

— Oh, mon Dieu, chuchota Spencer en se levant tel un automate.

— Qu'y a-t-il ? demanda Andrew, vaguement inquiet, en se levant lui aussi.

Spencer lui jeta un coup d'œil, puis reporta son attention sur la fenêtre – et sur la grange qui se dressait au fond du jardin, à l'endroit où ses amies et elle avaient enterré leurs souvenirs. C'était peut-être tiré par les cheveux, mais elle devait vérifier.

— Dis à l'agent Wilden de venir me chercher si je ne suis pas de retour dans dix minutes, lança-t-elle précipitamment.

Puis elle sortit de la pièce, laissant un Andrew médusé derrière elle.

27

HANNA MARIN, REINE DES ABEILLES

Le temps qu'Hanna et Lucas arrivent chez les Hastings, la salle à manger était déjà bondée. Un quatuor à cordes venait de finir de jouer, et un orchestre de jazz s'installait à sa place. Des serveuses offraient des canapés ; des barmen versaient des whiskys, gin-tonic et autres verres de vin rouge. Tout le monde ou presque avait l'haleine chargée d'alcool. Les braves gens de Rosewood étaient probablement horrifiés par l'évasion de Ian Thomas. Avant la disparition d'Ali, la ville n'avait jamais connu de crime plus grave qu'une petite fraude fiscale.

Lucas ôta le cache de l'objectif de son Olympus SLR : il couvrait l'événement pour le journal de l'Externat.

— Tu veux que j'aille te chercher à boire ?

— Pas encore, répondit Hanna, songeant à toutes les calories que contenait un verre.

Elle lissa nerveusement sa robe de soirée Catherine Malandrino en soie rouge vif. La semaine dernière, la ceinture moulait ses hanches à la perfection ; à présent, elle était un poil trop serrée.

Toute la journée, Hanna avait fait bande à part, s'efforçant d'ignorer les textos et les appels incessants de Kate, de Naomi et de Riley qui l'invitaient à les rejoindre pour leur séance de pomponnage chez les Zeigler. Elle avait finalement répondu qu'elle était trop bouleversée par l'évasion de Ian.

— Oh, bonsoir, les enfants. (Mme Hastings se précipita vers eux, l'air irritée par leur présence.) Tous les jeunes sont dans la bibliothèque. Par ici.

Et elle les entraîna comme s'ils étaient des objets indésirables qu'elle devait absolument dissimuler dans un placard.

Hanna jeta un regard implorant à Lucas. Elle n'était pas prête à affronter Kate.

— Vous n'avez pas besoin de photos des adultes ? couina-t-elle désespérément.

— Pour ça, nous avons un photographe mondain, aboya Mme Hastings. Contentez-vous de prendre des photos de vos amis.

Dès qu'elle ouvrit la lourde porte à double battant, quelqu'un s'écria : « Et merde ! » Il y eut des chuchotements accompagnés d'une vive agitation. Puis tous les occupants de la pièce levèrent les yeux vers la mère de Spencer avec un grand sourire qui signifiait : « Non, je n'étais pas en train de boire. » Une fille du lycée quaker se leva précipitamment des genoux de Noel Kahn. Mike Montgomery tenta de planquer son verre de vin dans son dos. Sean Ackard – sans doute le seul qui était réellement sobre – parlait avec Gemma Curran. Kate, Naomi et Riley tenaient audience dans un coin. Kate portait une robe bustier blanche ; Naomi, une robe à emmanchures américaines multicolore qui s'arrêtait au-dessus du genou, et Riley, la Foley et Corinna verte qu'Hanna avait choisie pour elle dans le *Teen Vogue*.

Mme Hastings referma la porte. Les bouteilles, les

verres et les flûtes à champagne réapparurent aussitôt. Les pseudo-amies d'Hanna ne l'avaient pas encore aperçue, mais ce n'était qu'une question de secondes. « Ce sera bientôt le moment d'agir, avait ricané Kate. J'ai hâte ! »

Lucas remarqua les trois filles de l'autre côté de la pièce.

— On va leur dire bonjour ?

Kate chuchota quelque chose à l'oreille de Naomi. Puis toutes deux s'esclaffèrent bruyamment. Hanna ne bougea pas.

— Tu ne veux pas leur parler ? s'étonna Lucas.

Hanna fixa le bout de ses escarpins Dior à lanières.

— J'ai changé d'avis au sujet de Kate.

Les sourcils de Lucas se haussèrent au point de disparaître dans ses cheveux, ou presque.

— Je crois qu'elle joue un jeu, ajouta Hanna.

Elle sentait le regard de Lucas braqué sur elle. De toute évidence, il attendait une explication.

— À l'automne, elle a tenté de me brouiller avec mon père, chuchota Hanna en l'entraînant dans le coin opposé. Cette histoire de réconciliation... Je crois que je me suis fait avoir. C'est beaucoup trop facile. Naomi et Riley me détestent depuis des années, et tout à coup, c'est le grand amour entre nous, juste parce que Kate en a décidé ainsi ? (Elle secoua vigoureusement la tête.) Ça ne marche pas comme ça.

Lucas plissa les yeux.

— Qu'est-ce qui ne marche pas comme ça ?

— À mon avis, Kate mijote quelque chose, expliqua Hanna, serrant les dents comme Noel Kahn criait à James Freed de vider cul sec le reste d'une bouteille de vodka. Je crois que Naomi, Riley et elle se sont liguées afin de me détruire pour de bon. Je dois trouver un moyen de lui couper l'herbe sous le pied – d'attaquer avant qu'elle ne le fasse la première.

Lucas la fixa. Dans la salle à manger, l'orchestre de jazz eut le temps d'entamer un nouveau morceau avant que le jeune homme reprenne la parole.

— C'est à cause de Mona, pas vrai ? demanda-t-il d'une voix douce. Après ce qui s'est passé, je comprends que tu ne croies plus à l'amitié. Mais tous les gens qui t'entourent n'ont pas forcément de mauvaises intentions, Hanna. Personne ne te veut de mal. Je te le promets.

Hanna dut se faire violence pour ne pas taper du pied. Comment osait-il prendre ce ton paternaliste avec elle ? Elle avait envisagé de lui parler du nouveau « A », mais maintenant, il pouvait toujours courir ! Elle ne supportait pas sa condescendance.

— Je ne suis pas parano, répliqua-t-elle avec colère. Ça n'a rien à voir avec Mona, mais avec Kate. Pourquoi est-ce que tu ne peux pas le comprendre ?

Lucas cligna très vite des yeux. La déception submergea Hanna. Il ne comprenait pas parce que ce n'était pas son monde. Soudain, elle réalisa combien ils étaient différents.

Elle soupira.

— C'est de popularité que je te parle, Lucas, poursuivit-elle comme si elle s'adressait à un simple d'esprit. Quelque chose de très... calculé. Tu ne peux pas comprendre.

Lucas écarquilla les yeux et se plaqua contre la porte de la bibliothèque.

— Je ne peux pas comprendre parce que je ne suis pas populaire, c'est ça ? Désolé de ne pas être assez cool pour toi, Hanna.

Avec un geste agacé, il se dirigea vers la fenêtre.

Un goût âcre emplit la bouche d'Hanna. Elle venait encore d'aggraver la situation.

Soudain, le bras fluet de Kate se leva de l'autre côté de la foule.

— Oh, mon Dieu ! Hanna, tu es venue ! s'exclama la jeune fille en agitant la main.

Hanna sursauta. Naomi et Riley lui faisaient signe de les rejoindre avec un grand sourire. Trop tard pour leur tourner le dos et s'éloigner. Cette fois, au moins, elle portait sa propre robe, pas une fringue pour enfant envoyée par Mona.

Rassemblant tout son courage, Hanna se dirigea lentement vers les trois filles. Naomi s'écarta pour lui laisser de la place sur le canapé en cuir.

— Où étais-tu passée ? demanda-t-elle en lui donnant une chaleureuse accolade.

— Oh, je traînais dans le coin, répondit Hanna sur un ton vague.

À l'autre bout de la pièce, Lucas l'observait. Elle détourna très vite les yeux.

— Je m'inquiétais pour toi, dit Kate, l'air grave. Toute cette histoire avec Ian, c'est effrayant. Pas étonnant que tu aies eu envie de te planquer.

— Mais nous sommes ravies que tu aies décidé de venir quand même, ajouta Naomi. Tu as raté une pré-soirée épatante. (Elle se pencha pour chuchoter à l'oreille d'Hanna :) Eric Kahn et Mason Byers sont venus. Ils sont tous les deux fous de Kate.

Hanna s'humecta les lèvres et haussa les épaules. Elle n'avait pas envie de se lancer dans une vraie conversation. Mais Kate tripotait l'ourlet de sa robe.

— Hier, Naomi m'a emmenée dans la meilleure boutique du monde : Otter. C'est là que j'ai acheté ça, dit-elle en désignant le gros pendentif Swarovski qu'elle portait autour du cou. On voulait que tu nous accompagnes, mais tu ne répondais pas au téléphone. (Elle avança la lèvre inférieure en une moue boudeuse.) On se rattrapera la semaine prochaine, d'accord? Ils ont des jeans William Rast super foncés qui t'iraient trop bien.

— Uh-huh, marmonna Hanna. Si tu veux.

Elle saisit une bouteille de vin posée derrière un des fauteuils. Malheureusement, celle-ci était vide.

— Tiens, prends ça, dit Kate en lui tendant son propre verre. J'ai assez bu à la pré-soirée, de toute façon.

Hanna fixa le vin rouge dont la couleur lui rappela aussitôt celle du sang. La tête lui tournait. « Ça marchera. Ce sera bientôt le moment d'agir. J'ai hâte! » Alors, pourquoi tant de prévenance? Était-il possible qu'elle se soit trompée?

Puis elle réalisa. *Évidemment.* Kate faisait semblant d'être son amie. Elle était vraiment stupide de ne pas s'en être aperçue plus tôt!

C'était un jeu dont elle connaissait pourtant bien les règles. Autrefois, quand elle voulait venger Mona parce qu'une fille lui avait fait une crasse, elle racontait que Mona et elle s'étaient disputées, infiltrait le groupe de l'autre fille et attendait le moment opportun pour poignarder celle-ci dans le dos. Mona avait peut-être expliqué la manœuvre à Kate du temps où elle était « A ».

Eric Kahn s'approcha et se laissa tomber sur un gros coussin de sol au pied du canapé. Il était plus grand et plus dégingandé que Noel, mais il avait les mêmes grands yeux marron et le même sourire carnassier.

— Salut, Hanna. Tu peux me dire d'où tu sors une si ravissante demi-sœur?

— À t'entendre, on dirait qu'elle m'a trouvée au fond d'un placard, gloussa Kate, les yeux brillants.

— C'est bien ça? demanda Eric à Hanna, ce qui fit glousser Kate de plus belle.

Noel et Mason les rejoignirent. Eux aussi s'assirent par

terre tandis que Mike Montgomery et sa cavalière s'entassaient sur le canapé à côté de Naomi et de Riley. Avec tous ces gens autour d'elle, Hanna n'aurait pas pu se lever même si elle l'avait voulu. Elle chercha Lucas du regard, mais il avait disparu.

Eric se pencha en avant et caressa le poignet de Kate.

— Alors, vous vous connaissez depuis combien de temps, les filles ?

Kate jeta un coup d'œil à Hanna et réfléchit.

— Quatre ans, je crois. À l'époque, on était en 5e. Mais après ça, on ne s'est pas vues pendant longtemps. Hanna n'est venue chez moi, à Annapolis, qu'une seule fois. Elle avait amené Alison DiLaurentis. Je crois qu'elle était trop cool pour moi. Hanna, tu te souviens du déjeuner monstrueux qu'on avait fait ?

Et elle fixa Hanna avec un immense sourire grimaçant. Sans doute était-elle à deux doigts de révéler le secret de sa boulimie. Hanna avait l'impression d'être sur un grand huit dont les voitures grimpaient inexorablement vers le sommet d'une pente vertigineuse. D'un instant à l'autre, elle allait basculer de l'autre côté. Son cœur lui remonterait dans la gorge... et sa réputation volerait en éclats.

« Faire semblant d'être amie avec une fille, c'est très facile », avait probablement expliqué Mona à Kate, comme si elle savait déjà qu'un jour, Hanna serait forcée de vivre sous le même toit que cette dernière. « Il te suffit de lui arracher un petit secret pour pouvoir la détruire. »

Hanna repensa au message de « A ». « Plante-la avant qu'elle ne te plante. »

— Vous savez que Kate a de l'herpès ? lança-t-elle d'une voix si venimeuse qu'elle ne la reconnut même pas.

Tout le monde sursauta et leva les yeux vers elle. Mike

Montgomery en recracha son vin rouge, qui tacha le tapis. Eric Kahn lâcha très vite la main de Kate.

— Elle me l'a dit en début de semaine, poursuivit Hanna tandis qu'une obscurité toxique envahissait son esprit et prenait possession de son corps. C'est un type d'Annapolis qui le lui a refilé. Avant d'essayer de coucher avec elle, il est probablement important que tu le saches, Eric.

— Hanna, chuchota désespérément Kate, dont le visage était désormais aussi blanc que sa robe. Qu'est-ce qui te prends ?

Hanna eut un sourire satisfait. *Tu allais me faire la même chose, salope.* Noel Kahn but une autre gorgée de vin en frissonnant. Naomi et Riley se regardèrent, hésitantes, puis se levèrent d'un même élan.

— C'est vrai ? (Mike Montgomery plissa le nez.) Trop craignos.

— Non, c'est faux ! protesta Kate en promenant un regard affolé autour d'elle. Je vous jure qu'Hanna a tout inventé !

Mais il était trop tard.

— Dégueulasse, chuchota quelqu'un derrière elles.

— Valtrex[1], toussa James Freed dans son poing.

Kate se leva. Tout le monde fit un grand pas en arrière, comme si le virus de l'herpès était contagieux à moins d'un mètre de distance. Elle fixa Hanna d'un air horrifié.

— Pourquoi as-tu fait ça ?

— Ce sera bientôt le moment d'agir, récita Hanna sur un ton monocorde. J'ai hâte.

Kate la dévisagea, perplexe. Puis elle fit volte-face et

1. Médicament utilisé pour soigner les manifestations de l'herpès en cas de crise. *(N.d.T.)*

se dirigea vers la porte en titubant. Quand elle la claqua derrière elle, les cristaux du lustre tintèrent mélodieusement.

Quelqu'un remonta le volume de la stéréo.

— Wouah, murmura Naomi en se rapprochant d'Hanna. Pas étonnant que tu l'évites depuis deux jours.

— Alors, qui est le type qui le lui a refilé ? demanda Riley à voix basse.

— Je savais qu'elle n'était pas nette, ajouta Naomi avec une grimace de dégoût.

Hanna repoussa une mèche qui lui tombait devant les yeux. Au lieu de sc sentir triomphante, elle éprouvait un affreux malaise. Quelque chose clochait dans toute cette scène. Posant par terre le verre que lui avait donné Kate, elle se dirigea à son tour vers la porte. Elle n'avait plus qu'une envie : sortir de là. Mais quelqu'un lui barra le chemin.

Lucas toisa Hanna, les lèvres pincées. Visiblement, il avait tout entendu.

— Oh, couina la jeune fille d'une petite voix. Coucou.

Lucas croisa les bras sur sa poitrine.

— Bravo, Hanna, lâcha-t-il avec froideur. Je suppose que tu as trouvé un moyen d'attaquer la première, en fin de compte ?

— Tu ne comprends pas, se défendit Hanna.

Elle fit un pas vers lui et voulut lui passer ses bras autour du cou, mais le jeune homme leva une main pour l'en empêcher.

— Je comprends très bien, répliqua-t-il sur un ton glacial. Et je crois que je t'aimais mieux quand tu n'étais pas populaire. Quand tu étais juste... normale.

Passant la bandoulière de son appareil photo autour de son cou, il tourna les talons et se dirigea vers la sortie.

— Lucas, attends ! s'écria Hanna, déconcertée.

Le jeune homme s'arrêta au bord du tapis oriental.

Quelques poils de chien se détachaient sur le dos de sa veste de costume – il avait dû jouer avec son saint-bernard, Clarissa, après s'être habillé. Soudain, Hanna réalisa combien elle aimait que la popularité soit le cadet de ses soucis. Combien son petit côté ringard la faisait craquer.

— Je suis désolée.

Ses yeux se remplirent de larmes. Pour une fois, elle se fichait bien qu'on la voie pleurer en public.

Mais Lucas demeura de marbre.

— C'est fini entre nous, Hanna.

Et il saisit la poignée de la porte.

— Lucas ! l'implora Hanna, le cœur serré.

Trop tard. La porte se referma derrière le jeune homme.

28

ARTISTE INAPTE SOCIALEMENT, MON ŒIL

Dans un coin de la salle à manger, Aria se tenait face à un énorme portrait de l'arrière-arrière-arrière-grand-père de Spencer : Duncan Hastings, un homme débonnaire qui caressait le beagle aux oreilles pendantes et aux yeux tristes assis sur ses genoux. L'arête de son nez avait la courbe d'une pente de ski, comme celui de Spencer, et il portait des tas de bagues de femme. Les gens riches étaient décidément bizarres.

Aria supposait qu'elle aurait dû se trouver dans la bibliothèque avec les jeunes de son âge – Mme Hastings l'y avait pratiquement conduite de force à son arrivée. Mais franchement, qu'avait-elle à dire à toutes ces ados typiques de Rosewood vêtues de robes de couturier et couvertes de bijoux Cartier piqués dans la coiffeuse de leur mère ? Avait-elle vraiment envie qu'on juge sa longue robe dos nu en soie noire ? Se sentait-elle vraiment la force d'endurer les assauts avinés de Noel Kahn et les plaisanteries douteuses de ses potes ? Non. Elle préférait traîner là avec ce bon vieux Duncan et se soûler avec l'excellent gin des Hastings.

Elle ne savait pas trop ce qu'elle fichait à cette soirée. Spencer avait demandé à toutes ses anciennes amies de venir pour la soutenir moralement après l'évasion de Ian, mais depuis son arrivée, vingt minutes plus tôt, Aria n'avait vu aucune d'entre elles. Et contrairement aux autres invités, elle ne brûlait pas d'envie de discuter de l'effrayante disparition du meurtrier avec n'importe qui. Elle aurait préféré ramper dans son dressing, s'y rouler en boule avec Pétunia, son cochon en peluche, et attendre que ça passe, comme elle le faisait en cas de gros orage.

La porte de la bibliothèque s'ouvrit, et une silhouette familière apparut sur le seuil. Mike portait un costume gris anthracite, une chemise à rayures noires et violettes qu'il n'avait pas rentrée dans son pantalon, et des chaussures cirées à bout carré. Une fille petite, au teint très pâle, le suivait de près. Ils rejoignirent Aria.

— Te voilà, dit Mike. Je voulais te présenter Savannah.

— Oh, salut. (Surprise que son frère la laisse faire la connaissance de sa petite amie, Aria tendit la main à la jeune fille.) Je suis Aria, la sœur de Mike.

— Ravie de te rencontrer.

Savannah affichait un large sourire débordant de gentillesse. Elle avait de longs cheveux bouclés, d'un brun chocolat et le genre de joues roses que les vieilles dames adorent pincer. Une jolie robe de soie noire la moulait sans couper sa circulation sanguine, et aucun logo n'ornait sa petite pochette de soirée rouge.

Elle semblait… normale. Aria n'aurait pas été plus étonnée si son frère s'était pointé avec une otarie du zoo de Philadelphie en guise de cavalière. Voire une jument naine islandaise.

Savannah toucha l'épaule de Mike.

— Je vais nous chercher quelque chose à grignoter, d'accord ? Les toasts aux crevettes ont l'air délicieux.

— Super, répondit Mike en lui souriant comme à un être humain.

Alors que la jeune fille s'éloignait, Aria siffla tout bas et croisa les bras sur sa poitrine.

— Bien joué, frangin ! Elle est vraiment chouette !

Mike haussa les épaules.

— Bah, je tue le temps avec elle en attendant que ma copine strip-teaseuse ait fini de bosser.

Il laissa échapper un gloussement libidineux, mais Aria vit que le cœur n'y était pas, et que son regard suivait Savannah tandis que celle-ci piquait quelques carrés de bruschetta sur le plateau d'une serveuse.

Puis Mike remarqua quelqu'un à l'autre bout de la pièce. Il donna un coup de coude à Aria.

— Hé, Xavier est là !

L'estomac de la jeune fille se noua. Elle se dressa sur la pointe des pieds pour regarder par-dessus la foule. En effet, Xavier faisait la queue au bar, vêtu d'un smoking noir.

— Ella travaille ce soir, murmura-t-elle, méfiante. Qu'est-ce qu'il fiche ici ? Pourquoi est-il venu ?

Mike s'esclaffa.

— Parce que c'est une soirée au profit de notre école ? Parce que maman lui plaît vraiment et qu'il veut nous soutenir ? Parce que je lui en ai parlé et que ça a eu l'air de le brancher ? (Posant les mains sur ses hanches, il toisa sa sœur d'un air sévère.) C'est quoi, ton problème ? Pourquoi détestes-tu ce pauvre type ?

Aria déglutit péniblement.

— Je ne le déteste pas.

— Alors, va lui parler, insista Mike, les dents serrées.

Excuse-toi pour ce que tu lui as fait, peu importe ce que tu lui as fait d'ailleurs.

D'une main douce mais ferme, il poussa sa sœur dans le dos. Aria le foudroya du regard, irritée : pourquoi considérait-il que c'était sa faute ? Trop tard. Xavier les avait vus. Il sortit de la queue et se fraya un passage pour les rejoindre. Aria enfonça ses ongles dans ses paumes.

— Je vous laisse vous réconcilier tranquilles. Embrassez-vous et qu'on n'en parle plus, dit Mike en s'éloignant pour retrouver Savannah.

Aria se sentit paralysée par l'expression qu'il avait employée. Elle regarda Xavier se rapprocher et s'arrêter finalement devant elle. La couleur de son smoking faisait paraître ses yeux bruns presque noirs. Tout dans son attitude exprimait la gêne et l'embarras.

— Salut, lâcha-t-il en tripotant ses boutons de manchette en perles. Tu es très élégante.

— Merci, répondit Aria en tirant un fil invisible sur une bretelle de sa robe.

Soudain, elle se sentait beaucoup trop apprêtée, ridicule avec sa longue tresse d'un noir bleuté et l'étole en fausse fourrure de sa mère sur les épaules. Refusant de montrer son dos nu à Xavier, elle s'écarta de lui. Elle n'avait aucune envie de lui faire la conversation. En fait, elle ne supportait même pas sa présence.

— Il faut que j'y aille, bredouilla-t-elle.

Puis elle fit volte-face et monta en courant l'escalier qui conduisait à l'étage. La première porte sur la gauche était celle de la chambre de Spencer. Elle était entrebâillée et, par chance, vide.

Aria entra, chancelante et haletante. Ça faisait au moins trois ans qu'elle n'avait pas mis les pieds ici, mais apparemment, Spencer n'avait pas changé grand-chose à sa déco.

L'antique coiffeuse en acajou se dressait toujours contre le mur; les quatre énormes fauteuils – qui se dépliaient pour faire des lits d'appoint – étaient disposés en cercle autour d'une table basse en teck. Plusieurs bouquets de fleurs fraîches embaumaient la pièce. De lourds rideaux en velours rouge encadraient la baie vitrée depuis laquelle on pouvait voir la fenêtre de l'ancienne chambre d'Alison. Spencer se vantait toujours de correspondre avec cette dernière à l'aide de signaux lumineux, le soir.

Aria poursuivit son examen. Les mêmes tableaux et les mêmes photos encadrées avec goût ornaient les murs; le même cliché montrant les cinq filles était toujours glissé dans un coin du miroir de la coiffeuse. Aria s'en approcha, le cœur serré par la nostalgie.

L'image les montrait assises sur le yacht de l'oncle d'Ali à Newport, dans l'État de Rhode Island. Elles portaient toutes un bikini blanc J. Crew et un chapeau de paille à large bord. Le sourire d'Ali était éclatant; Spencer, Hanna et Emily semblaient en proie à une euphorie délirante. La photo avait été prise quelques semaines après être devenues amies; leur excitation ne s'était pas encore estompée.

Aria, en revanche, avait l'air effrayée, comme si elle craignait qu'Ali la pousse à l'eau d'une seconde à l'autre. Et de fait, ce jour-là, elle s'était sentie très nerveuse – certaine qu'Ali savait ce qui était arrivé à son morceau de drapeau volé.

Mais si tel était le cas, Ali ne lui en avait jamais parlé. Et Aria n'avait jamais avoué son implication. Elle imaginait aisément ce qui se serait passé si tel avait été le cas : le visage de son amie aurait d'abord exprimé une certaine confusion qui, très vite, se serait muée en rage. Puis elle aurait laissé tomber Aria pile au moment où cette dernière s'habituait enfin à ne plus être seule. Ainsi octobre avait-il cédé la place à novembre sans qu'Aria dise un traître mot. La Capsule temporelle n'était qu'un jeu stupide, rien de plus.

Quelqu'un toussa dans le couloir.

— Hé, lança Xavier en passant la tête à l'intérieur. Je peux te parler ?

Aria rentra son ventre.

— Euh... oui.

Lentement, Xavier se dirigea vers le lit de Spencer et s'assit sur le bord. Aria prit place dans la chaise recouverte de cachemire de la coiffeuse, les yeux fixés sur ses genoux.

Quelques secondes embarrassées s'écoulèrent. Au rez-de-chaussée, les bruits de la fête palpitaient, musique et voix se mêlaient pour former un brouhaha indistinct. Un verre tomba et se brisa sur le plancher. Un petit chien émit un jappement aigu.

Enfin, Xavier poussa un soupir guttural et leva les yeux.

— Tu me tues, Aria.

Perplexe, la jeune fille pencha la tête sur le côté.

— Pardon ?

— Tu n'arrêtes pas de m'envoyer des signaux contradictoires.

— Des signaux... contradictoires ? répéta-t-elle sans comprendre.

C'était peut-être un truc d'artiste pour briser la glace. Un truc bizarre. Aria attendit la suite.

Xavier se leva et s'approcha lentement d'elle. Il posa les mains sur le dossier de la chaise, et son souffle chaud caressa la nuque d'Aria. Son haleine empestait l'alcool. Soudain, Aria réalisa qu'il ne plaisantait pas du tout. Elle sentit poindre un début de migraine.

— Tu flirtes avec moi à mon vernissage, et puis tu joues les effarouchées quand je fais ton portrait au restaurant, expliqua Xavier à voix basse. Tu te balades devant moi en micro-short et en T-shirt transparent ; tu m'ouvres ton cœur, tu déclenches une bataille de coussins... et quand je t'embrasse, tu pètes les plombs. Et maintenant, tu cours te réfugier dans une chambre. Où tu te doutais bien que j'allais te suivre.

Aria se leva d'un bond et se plaqua contre la coiffeuse, dont le bois craqua sous la pression. Xavier essayait-il d'insinuer que... ?

— Je ne voulais pas que tu me suives ! s'écria-t-elle. Et je ne t'envoie aucun signal !

Xavier haussa les sourcils.

— Tu mens.

— C'est la vérité, gémit Aria. Je ne voulais pas que tu m'embrasses. Tu sors avec ma mère. Je croyais que tu étais monté pour t'excuser !

Le silence qui suivit fut si profond qu'Aria put entendre la trotteuse de la montre de Xavier. Ce soir, il semblait tellement plus grand et plus costaud, tellement moins aimable...

— N'essaie pas d'inverser les rôles et de faire comme si tout était de ma faute, répliqua-t-il sans la quitter des yeux. Si ça t'a tellement dérangée que je t'embrasse, pourquoi n'en as-tu parlé à personne ? Pourquoi ta mère continue-t-elle à me répondre au téléphone ? Pourquoi ton frère m'invite-t-il encore à jouer à la Wii avec lui et sa copine ?

Aria cligna des yeux.

— Je... je ne voulais pas créer de problème. Je ne voulais pas que ma famille m'en veuille.

Xavier lui toucha le bras et se pencha vers elle.

— Ou bien, tu ne voulais pas que ta mère me jette dehors tout de suite, susurra-t-il en avançant les lèvres.

Aria se dégagea brusquement et fila à l'autre bout de la pièce, manquant se prendre les pieds dans sa robe.

— Ne... ne t'approche pas de moi, bafouilla-t-elle. Et ne t'approche pas de ma mère non plus.

— Tu le prends comme ça? Très bien. Mais je te préviens : je n'irai nulle part. Et tu as tout intérêt à ne rien dire à ta mère. (Il recula en claquant des doigts.) Tu sais que les choses peuvent facilement être déformées, et tu es tout aussi coupable que moi.

Aria cligna des yeux, incrédule. Xavier continuait à sourire comme s'il trouvait ça drôle. La tête de la jeune fille lui tourna, mais malgré son vertige, elle s'obligea à conserver son calme.

— Très bien. Si tu ne veux pas t'en aller, c'est moi qui partirai.

Xavier ne parut guère impressionné.

— Et où iras-tu?

Aria se mordit la lèvre et se détourna. C'était une bonne question : où irait-elle? Il n'y avait qu'un seul endroit possible. Fermant les yeux, elle se représenta le ventre arrondi de Meredith. Anticipant le matelas pourri que Byron et sa compagne lui avaient installé dans un coin du studio, ses reins commencèrent à la faire souffrir.

Ce serait douloureux de regarder son père construire une nouvelle famille. Mais Xavier avait été très clair. Les choses pouvaient être facilement déformées, et s'il le fallait, il leur donnerait un coup de pouce. Aria était prête à tout pour ne pas briser sa famille une seconde fois.

29

TOUTE LA VÉRITÉ, RIEN QUE LA PATHÉTIQUE VÉRITÉ

Spencer avait un avantage sur les autres convives qui auraient voulu s'éclipser de la soirée sans que Wilden s'en aperçoive : elle était chez elle, et elle connaissait toutes les issues de la maison. Wilden ignorait probablement jusqu'à l'existence de la porte qui, au fond du garage, donnait sur le jardin.

La jeune fille s'arrêta juste le temps de saisir une petite lampe torche parmi les ustensiles de jardinage de sa mère, d'enfiler un imperméable vert foncé suspendu à une patère et de glisser ses pieds dans une paire de bottes d'équitation qui gisaient sur le sol près de la vieille Jaguar XKE de son père. Les bottes n'étaient pas fourrées, mais elles la préserveraient toujours mieux du froid que ses escarpins à bride Miu Miu.

Le ciel était violacé. Spencer courut vers le fond du jardin, frôlant les buissons gelés qui séparaient la propriété familiale de l'ancienne maison des DiLaurentis. La lumière de la lampe de poche dansait sur le sol inégal. Par chance, le plus gros de la neige avait fondu ; Spencer n'aurait donc pas de mal à retrouver l'endroit où ses amies et elle avaient enterré le sac-poubelle.

Elle se trouvait à mi-chemin de la grange quand elle entendit une brindille craquer. Elle se figea.

— Il y a quelqu'un ? chuchota-t-elle.

C'était une nuit sans lune, mais les étoiles illuminaient le ciel de leur éclat glacial. Les bruits étouffés de la fête flottaient au-dessus de la pelouse. Quelque part au loin, une portière claqua.

Spencer se mordit la lèvre et continua à avancer, ses bottes clapotant dans la boue. La grange se dressait juste devant elle. Melissa avait allumé la lampe du porche, mais le reste de la bâtisse était plongé dans le noir. Spencer s'arrêta à quelques pas de l'entrée, haletant comme si elle venait de courir dix kilomètres avec son ancienne équipe de hockey.

Vue d'ici, sa maison semblait toute petite et très éloignée. Une lumière jaune brillait derrière les fenêtres, et on distinguait de vagues silhouettes à l'intérieur. Andrew se trouvait là, ainsi que les anciennes amies de Spencer. Et Wilden. Peut-être aurait-elle dû le laisser se charger de ça. Mais il était trop tard à présent.

Une petite brise chatouilla le cou de Spencer et descendit le long de son dos nu. Elle retrouva aisément le trou : il se situait à quelques pas à gauche de la grange, près du chemin de pierre qui serpentait vers les bois. Submergée par un désagréable sentiment de déjà-vu, Spencer frissonna.

Leur soirée pyjama en fin de 5e avait elle aussi eu lieu par une nuit sans lune. Après s'être disputée avec Ali, Spencer l'avait suivie dehors et lui avait demandé de rentrer. Puis les deux filles s'étaient de nouveau querellées au sujet de Ian. Spencer avait réprimé ce souvenir pendant des années, mais à présent, elle était sûre qu'elle n'oublierait jamais plus l'expression d'Ali. Son amie lui avait ri au nez, se moquant d'elle pour avoir pris le baiser de Ian au sérieux.

Blessée, Spencer avait poussé Ali. Très fort. Ali avait volé en arrière, et sa tête avait heurté les pierres avec un horrible craquement. C'était un miracle que la police n'ait jamais trouvé de traces de sang, ou au moins de cheveux. En fait, dans les premières semaines qui avaient suivi sa disparition, les policiers n'avaient pas fouillé grand-chose à part l'intérieur de la grange. Ils étaient tellement convaincus que l'adolescente avait fugué ! S'agissait-il d'une grossière erreur de jugement, ou avaient-ils de bonnes raisons de ne pas chercher mieux que ça ?

« Et si je t'apprenais quelque chose que tu ignores ? Je crois que les flics sont au courant, mais qu'ils font exprès de ne pas en tenir compte », avait dit Ian. Spencer serra les dents et s'efforça de chasser ces paroles de sa tête. Ian était cinglé. Il n'y avait pas de secret. Juste la vérité : Ian avait tué Ali parce qu'elle s'apprêtait à révéler qu'ils sortaient ensemble.

Relevant le bas de sa robe, Spencer s'accroupit et plongea ses mains dans la terre molle. Au bout d'un moment, ses doigts rencontrèrent le sac-poubelle. De la neige fondue coula du plastique comme elle le sortait du trou. Elle le posa près d'elle et dénoua le lien qui le fermait. À l'intérieur, tous les objets étaient encore secs.

Le premier qu'elle repêcha fut le bracelet en fils de coton qu'Ali leur avait fabriqué après l'affaire Jenna. Puis elle sortit le porte-monnaie rose d'Emily et l'ouvrit en forçant un peu. Le faux cuir couina. Spencer jeta un œil à l'intérieur : il était vide.

En braquant sa lampe sur le morceau de papier qu'Hanna avait jeté dans le sac-poubelle, elle vit qu'il ne s'agissait pas d'un message d'Ali, comme elle l'avait d'abord supposé, mais d'un formulaire d'évaluation rempli par Ali au sujet d'un exposé oral qu'Hanna avait fait sur *Tom Sawyer.*

Dans le cadre de leurs cours d'anglais, tous les élèves de 6e de l'Externat de Rosewood avaient dû se noter entre eux à titre d'expérience. Spencer s'en souvenait bien. L'évaluation d'Ali était dans la moyenne : rien de trop gentil, rien de trop méchant. On aurait dit que l'adolescente l'avait expédiée, comme si elle pensait à quelque chose d'autre et avait hâte d'en finir.

Spencer mit la feuille de côté et sortit le dernier objet du sac-poubelle : le dessin d'Aria. À l'époque, déjà, Aria était très douée pour les portraits. Celui-ci montrait Ali devant l'Externat, un sourire grimaçant aux lèvres comme si elle se moquait de quelqu'un derrière son dos. Certaines de ses copines, à l'arrière-plan, ricanaient.

Déçue, Spencer laissa le dessin tomber sur ses genoux. Là non plus, elle ne voyait rien d'inhabituel ou d'intéressant. S'était-elle vraiment attendue à une réponse miracle? Était-elle naïve à ce point?

Pourtant, elle balaya de nouveau le portrait avec le faisceau de sa lampe. Ali tenait quelque chose dans ses mains. On aurait dit… un morceau de papier. Spencer regarda de plus près. Aria avait reproduit l'en-tête de l'affichette. LA CAPSULE TEMPORELLE COMMENCERA DEMAIN.

Ce dessin et la photo désormais appuyée contre la tour Eiffel dataient du même jour. Aria avait capturé le moment précis où Ali avait arraché l'affichette et annoncé qu'elle allait trouver un morceau du drapeau. Elle avait également croqué une personne qui se tenait derrière Ali. Spencer rapprocha sa lampe du papier. *Ian.*

Une bourrasque glaciale gifla Spencer. Le froid la faisait larmoyer, mais elle luttait pour garder les yeux ouverts. Le Ian dessiné par Aria n'avait pas l'air aussi diabolique qu'elle l'imaginait. Au contraire, il semblait presque… pathétique. Il fixait Ali, les yeux écarquillés, un sourire idiot aux lèvres. Ali lui tournait le dos. Elle affichait une expression arrogante, comme si elle était en train de penser : « Ne suis-je pas la meilleure ? Même les lycéens canons bavent devant moi. »

Le papier se froissa dans les mains de Spencer. Aria avait saisi un instant sur le vif. À l'époque, elle ne savait rien d'Ali ou de Ian ; elle s'était contentée de dessiner ce qu'elle voyait. Ian, l'air amoureux et vulnérable. Ali, l'air… d'une parfaite salope, comme d'habitude.

« Ali et moi, on flirtait beaucoup, mais c'est tout. Jamais elle n'a eu l'air de vouloir aller plus loin, avait dit Ian. Et puis tout à coup… elle a changé d'avis. »

Les arbres autour de la piscine projetaient des ombres noires pareilles à des pattes d'araignée. Le carillon en bois suspendu à l'auvent de la grange tintait doucement, avec un bruit d'os qui s'entrechoquent. Un frisson descendit depuis la nuque de Spencer jusqu'à son coccyx. Se pouvait-il que ce soit vrai ? Que Ian et Ali se soient contentés de flirter ensemble innocemment ? Dans ce cas, qu'est-ce qui avait poussé Ali à changer d'avis et à craquer pour lui ?

Mais une telle théorie était difficile à accepter. Si Ian disait la vérité au sujet d'Ali, tout ce qu'il avait raconté à Spencer deux jours plus tôt pouvait également être vrai. Il existait peut-être un secret que le jeune homme était sur le point de découvrir. Et peut-être que Spencer ignorait encore des choses. Et si Ian n'avait pas tué Ali – si le coupable était quelqu'un d'autre ?

Spencer pressa une main contre sa poitrine comme si elle craignait que son cœur ne s'arrête brusquement de battre. « Quels messages ? » avait demandé Ian. Mais si ce n'était pas lui qui signait « A »… alors, qui ?

La neige fondue traversait les bottes d'équitation de

Spencer et lui mouillait les orteils. La jeune fille fixa le chemin de pierre au fond de son jardin, à l'endroit précis où Ali et elle s'étaient disputées. Après avoir poussé son amie par terre, sa mémoire avait flanché. Elle ne s'était souvenue que récemment d'avoir vu Ali se relever et poursuivre son chemin en direction des bois.

La suite clignotait dans son esprit, floue et imprécise. Les jambes minces d'Ali sous sa jupe de hockey de la JV Team, ses cheveux blonds pendant dans son dos, la semelle légèrement usée de ses tongs en caoutchouc. Une autre personne se tenait face à elle, et on aurait dit qu'elles se disputaient.

Quelques mois plus tôt, Spencer aurait juré que cette personne était Ian. Mais à présent, quand elle tentait d'invoquer ses souvenirs, elle ne voyait plus le visage de l'interlocuteur d'Ali. Avait-elle imaginé que c'était Ian parce que Mona l'en avait convaincue ? Parce qu'elle voulait désespérément identifier l'assassin d'Ali pour que toute l'affaire cesse enfin ?

Les étoiles scintillaient paisiblement. Un hibou hululait dans l'un des grands chênes, derrière la grange. Le nez de Spencer la démangeait, et il lui semblait sentir une odeur de fumée de cigarette tout près d'elle. Puis son Sidekick se mit à sonner.

La sonnerie résonna bruyamment à travers le jardin désert. Spencer plongea la main dans son sac et appuya sur la touche « Silence ». Hagarde, elle sortit son téléphone. L'écran annonçait qu'elle avait reçu un nouvel e-mail d'un certain Ian_T.

Son estomac se noua.

Spencer. Retrouve-moi dans les bois, à l'endroit où elle est morte. J'ai quelque chose à te montrer.

Spencer aspira entre ses dents. « L'endroit où elle est morte. » Ça se trouvait juste de l'autre côté de la grange. Fourrant le dessin d'Aria dans son sac, la jeune fille hésita un instant. Puis elle prit une grande inspiration et s'élança.

30

VULNÉRABILITÉ, TON NOM EST FEMME !

Hanna finissait son troisième tour de la maison des Hastings à la recherche de Lucas. Elle était passée et repassée devant l'orchestre de jazz, les ivrognes qui squattaient le bar, les citadins prétentieux qui commentaient les œuvres d'art accrochées aux murs avec des mines de connaisseurs. Elle avait vu Melissa Hastings monter à l'étage, son portable collé à l'oreille. Elle s'était aventurée dans le bureau du père de Spencer, interrompant ce qui ressemblait à une dispute entre M. Hastings et le proviseur Appleton. Mais nulle part elle n'avait trouvé Lucas.

Ses pas la conduisirent vers la cuisine, où planaient une épaisse vapeur et une odeur de crevette, de canard et de jus de viande mélangés. Les traiteurs étaient occupés à déballer des canapés et des petits-fours protégés par du papier aluminium. Hanna s'attendait presque à voir Lucas leur donner un coup de main sous prétexte qu'« ils étaient débordés, les pauvres ». Ce serait bien son genre. Mais il n'était pas là non plus.

Hanna tenta de l'appeler une nouvelle fois et tomba directement sur sa boîte vocale.

— C'est moi, dit-elle très vite après le *bip*. J'avais une bonne raison de faire ce que j'ai fait. S'il te plaît, laisse-moi une chance de m'expliquer.

Lorsqu'elle coupa la communication, l'écran de son BlackBerry devint tout noir.

Pourquoi n'avait-elle pas parlé à Lucas des messages de « A » quand il était encore temps ? Réponse : parce que, au début, elle ne les avait pas pris au sérieux. Puis, quand elle avait commencé à avoir des doutes, elle avait craint que quelque chose d'horrible ne se produise si elle en parlait à quelqu'un. Du coup, elle s'était tue. Et voilà que des choses horribles se produisaient quand même.

Hanna atteignit la porte de la salle télé et passa la tête à l'intérieur. Mais la pièce était vide. Le plaid rouge d'ordinaire soigneusement étalé sur le canapé gisait en boule parmi les coussins, et quelques verres à cocktail vides et autres serviettes en papier froissées avaient été abandonnés sur la table basse. Plus loin, l'étrange tour Eiffel en fer forgé trônait sur la console, si haute qu'elle touchait presque le plafond. La vieille photo d'Ali était toujours posée contre son pied.

Hanna la détailla avec appréhension. Ali tenait l'affichette de la Capsule temporelle dans ses mains. La bouche grande ouverte, elle riait. Planté derrière elle, Noel Kahn riait lui aussi. Une silhouette sombre et imprécise se détachait à l'arrière-plan. Hanna se pencha pour mieux la distinguer. Il lui sembla que son estomac se changeait en plomb. *Mona.* Appuyée sur le guidon de sa trottinette Razor rose, elle fixait le dos d'Ali. C'était comme voir un fantôme.

Hanna se laissa tomber sur le canapé, les yeux toujours rivés sur la silhouette floue de Mona. *Pourquoi m'as-tu fait ça ?* voulait-elle hurler. Elle n'avait jamais pu le lui demander : le temps qu'elle réalise que Mona était « A », Mona et Spencer roulaient déjà vers la carrière de l'Homme flottant.

Il y avait tant de questions qu'elle aurait voulu poser à Mona – des questions qui, à présent, demeureraient sans réponse. *Comment as-tu pu me haïr en secret pendant tout ce temps ? As-tu déjà été sincère avec moi ? Notre amitié, c'était juste du flan ? Comment ai-je pu me tromper à ce point sur toi ?*

Elle reporta son attention sur la bouche grande ouverte d'Ali. Quand Mona et elle s'étaient rapprochées, en 4e, Hanna s'était moquée d'Ali et des autres pour prouver à sa nouvelle amie que les anciennes n'étaient pas si géniales. Elle avait raconté à Mona la fois où elle s'était pointée dans le jardin des DiLaurentis le samedi après l'annonce de la Capsule temporelle, bien décidée à voler le morceau de drapeau d'Ali.

— Et Spencer, Emily et Aria étaient toutes là, elles aussi, se souvenait-elle d'avoir dit en levant les yeux au ciel. C'était vraiment bizarre. Et plus bizarre encore, Ali est sortie en trombe par la porte de derrière et nous a foncé dessus en crachant : « Vous arrivez trop tard, les filles. » (Hanna avait même imité la voix flûtée d'Ali, ignorant la honte qui lui pinçait le cœur.) Puis elle nous a expliqué que quelqu'un avait volé son morceau de drapeau.

— C'était qui ? avait demandé Mona, suspendue à ses lèvres.

Hanna avait haussé les épaules.

— Sans doute un pervers qui s'était construit un autel à la gloire d'Ali dans sa chambre. Ça expliquerait pourquoi il n'a jamais ramené le morceau de drapeau pour qu'il soit enterré avec la Capsule temporelle – il doit encore dormir avec la nuit. Peut-être même qu'il le garde dans son caleçon pendant la journée.

— Beuuurk, avait couiné Mona en frissonnant.

Cette conversation avec Ali, rapportée par Hanna à Mona, avait eu lieu au début de leur année de 6e, alors que le jeu de la Capsule temporelle venait juste de démarrer. Trois jours plus tard, Hanna et Mona avaient trouvé ensemble un morceau de drapeau caché dans le tome « W » de l'encyclopédie, à la bibliothèque municipale. C'était comme trouver un ticket d'or dans *Charlie et la chocolaterie* – le signe que leur vie était sur le point de changer. Elles avaient décoré le morceau ensemble, inscrivant « MONA ET HANNA » en lettres capitales. À présent, leurs noms étaient enterrés comme leur amitié factice.

Hanna se recroquevilla dans le canapé tandis que ses yeux s'emplissaient de larmes. Si seulement elle pouvait courir jusqu'au terrain de sport de l'Externat, déterrer la capsule de cette année-là et brûler ce fichu morceau de drapeau ! Si seulement elle pouvait brûler tous ses souvenirs de Mona avec...

Les lumières tamisées du plafond se reflétaient sur la photo. Quand Hanna reporta son attention sur cette dernière, elle fronça les sourcils. Les yeux d'Ali semblaient un peu trop plissés, et ses joues étaient affreusement bouffies – comme une mauvaise contrefaçon. Puis Hanna cligna des yeux, et ce fut une Ali redevenue normale qui lui rendit son regard. Hanna passa les mains sur son visage. Elle avait l'impression que des vers rampaient sur sa peau.

— Te voilà.

Hanna poussa un petit cri étranglé et pivota. Son père entra dans la salle télé. Contrairement aux autres convives, il ne portait pas de smoking, mais un simple pantalon kaki avec un pull bleu marine à col en V.

— Oh, balbutia Hanna. Je ne savais pas que tu venais.

— Je n'en avais pas l'intention, répondit-il froidement. Je ne fais que passer.

Une silhouette se tenait derrière lui, vêtue d'une longue robe bustier blanche. Un pendentif Swarovski brillait à son cou, et ses orteils dépassaient au bout de ses sandales Prada en satin. Quand elle entra dans la lumière, le cœur d'Hanna se serra. *Kate.*

Hanna se mordit très fort l'intérieur de la joue. Elle aurait dû se douter que sa demi-sœur foncerait tout raconter à son père. *Sale rapporteuse.*

Les yeux de M. Marin flamboyaient.

— As-tu oui ou non dit à vos amis que Kate avait... de l'herpès ?

Il avait marmonné le dernier mot.

Hanna frémit.

— Oui, mais...

— Pour l'amour du ciel, tu peux m'expliquer ce qui cloche chez toi ? s'exclama M. Marin.

— Elle allait me faire la même chose ! protesta Hanna.

— Pas du tout ! s'exclama Kate d'une voix aiguë.

Son chignon banane s'était partiellement défait, et quelques mèches de cheveux châtains pendaient sur ses épaules.

Hanna en resta bouche bée.

— Je t'ai entendue parler au téléphone vendredi ! « Ce sera bientôt le moment d'agir. Ça marchera. J'ai hâte ! » Et puis, tu as ricané. Je sais ce que tu voulais dire, alors, pas la peine de jouer les innocentes !

Kate poussa un couinement indigné.

— J'ignore de quoi elle parle, Tom !

Hanna se redressa et fit face à son père.

— Elle veut me détruire. Comme Mona. Elles étaient de mèche.

— Tu es malade ou quoi ? Je ne comprends rien à ce que tu racontes ! s'exclama Kate, levant les mains en un geste d'impuissance.

M. Marin haussa un sourcil broussailleux. Hanna croisa les bras sur sa poitrine et jeta un nouveau coup d'œil à la photo d'Ali. Son amie défunte semblait la fixer en grimaçant. Hanna regretta de ne pas pouvoir retourner la photo – ou mieux, la déchirer en mille morceaux.

Kate hoqueta.

— Attends une minute, Hanna. Quand tu m'as entendue hier, j'étais dans ma chambre ? Et il y avait de longues pauses entre mes phrases ?

Hanna renifla.

— Évidemment. C'est toujours comme ça quand on est au téléphone.

— Je n'étais pas au téléphone, répliqua froidement Kate. Je répétais pour la pièce du lycée. J'ai décroché un rôle – ce que tu aurais su si tu avais daigné me parler. (Stupéfaite, elle secoua la tête.) J'attendais que tu rentres pour t'annoncer la nouvelle. Pourquoi comploterais-je contre toi ? Je croyais qu'on était amies !

Au bout du long couloir, l'orchestre de jazz cessa de jouer, et tout le monde applaudit. Une forte odeur de fromage s'échappa de la cuisine, soulevant l'estomac d'Hanna. Kate répétait pour une pièce ?

Les yeux de M. Marin étaient plus noirs que jamais.

— Récapitulons. Tu as détruit la réputation de Kate à cause de quelque chose que tu as entendu à travers une porte. Tu ne t'es même pas donné la peine de demander à Kate ce qu'elle faisait ou ce qu'elle avait voulu dire. Au lieu de ça, tu es allée raconter un odieux mensonge à tous vos camarades pour te venger.

— Je croyais…, bredouilla Hanna.

Mais elle n'acheva pas sa phrase. Qu'avait-elle fait ?

— Cette fois, tu es allée trop loin. (M. Marin secoua tristement la tête.) Après les événements de cet automne, j'ai tenté de me montrer indulgent avec toi. Mais ce qui t'est arrivé ne te donne pas tous les droits, Hanna. J'ignore comment ta mère t'élevait. Une chose est sûre : je n'autoriserai pas ce genre de comportement sous mon toit. Tu es privée de sorties.

Sous cet angle, Hanna distinguait toutes les petites rides au coin des yeux de son père et tous les fils gris dans sa chevelure. Avant de quitter la maison, il ne l'avait jamais punie une seule fois. Quand elle faisait une bêtise, il se contentait de lui parler jusqu'à ce qu'elle comprenne pourquoi c'était mal. Mais apparemment, cette époque était révolue.

Une énorme boule se forma dans la gorge d'Hanna. Elle voulait demander à son père s'il se souvenait de leurs conversations. S'il se rappelait combien ils s'amusaient ensemble, autrefois. Et pendant qu'elle y était, pourquoi il l'avait traitée de petite cochonne la fois où elle avait été le voir à Annapolis ? Ce n'était pas drôle du tout, il aurait dû le savoir. Mais peut-être qu'il s'en fichait, du moment que ça amusait Kate. Depuis le jour où Isabel était entrée dans sa vie, il n'avait cessé de prendre le parti de sa belle-fille.

— À partir de maintenant, tu ne fréquenteras plus que Kate, décréta M. Marin en tirant sur l'ourlet de son pull. (Il se mit à compter sur ses doigts.) Tu ne feras plus venir de copines à la maison. Et tu ne verras plus de garçons, pas même Lucas.

Hanna hoqueta.

— Quoi ?

M. Marin la foudroya du regard, l'air de dire : « Ne t'avise plus de m'interrompre. »

— Tu ne déjeuneras avec personne d'autre. Tu ne traîneras avec personne d'autre, avant ou après les cours. Si tu veux aller au centre commercial, ce sera avec Kate. Si tu veux aller au club de gym, ce sera avec Kate. Sinon, je commencerai par te supprimer ta voiture. Puis tes sacs à main et tes vêtements, jusqu'à ce que tu comprennes que tu ne peux pas traiter les gens de cette façon.

Le palais d'Hanna commença à la démanger. Elle n'allait pas tarder à s'évanouir.

— Tu n'as pas le droit de me faire ça, chuchota-t-elle.

— Bien sûr que si. (M. Marin plissa les yeux.) Et je ne vais pas me gêner. Et si jamais j'apprends que tu as enfreint les règles, tu sais ce que je ferai ?

Il marqua une pause et jeta un coup d'œil à Kate, qui acquiesça. Sans doute avaient-ils déjà discuté de tout cela. Sans doute était-ce Kate qui avait suggéré une punition appropriée pour sa demi-sœur.

Hanna agrippa l'accoudoir du canapé. À cause de ce qu'elle avait raconté, tous leurs camarades étaient dégoûtés par Kate. Si Hanna ne fréquentait plus que cette dernière, ils ne tarderaient pas à s'imaginer des choses… et la rumeur enflerait. Sans doute penseraient-ils qu'Hanna avait de l'herpès, elle aussi. Peut-être les surnommeraient-ils « les sœurs Valtrex ».

— Oh, mon Dieu ! souffla Hanna.

— Ta punition prendra effet dès demain, déclara M. Marin. Profite du reste de ta soirée pour informer tes amis que tu ne les fréquenteras plus jusqu'à nouvel ordre. Je t'attends à la maison d'ici une heure.

Sans rien ajouter, il prit le bras de Kate et l'entraîna hors de la pièce.

Hanna se sentit pencher sur la gauche comme si elle était ivre. Ça n'avait pas de sens. Comment avait-elle pu se tromper si grossièrement sur ce qu'elle avait entendu dans la chambre de Kate ? Les choses que sa demi-sœur avait dites lui avaient paru tellement sinistres… Elles collaient tellement bien avec la situation ! Sans compter le petit ricanement à la fin. Difficile de croire que Kate répétait simplement pour une minable mise en scène scolaire de *Hamlet*.

Hamlet. Une petite lumière se fit jour dans l'esprit d'Hanna.

— Attends une minute, cria-t-elle.

Kate pivota brusquement, manquant heurter la lampe Tiffany posée sur une console près de la porte. Elle haussa un sourcil interrogateur.

Hanna s'humecta lentement les lèvres.

— Quel rôle vas-tu jouer dans la pièce?

— Ophélie.

Kate eut un reniflement hautain, comme si elle pensait qu'Hanna ne pouvait pas savoir de qui il s'agissait.

Mais elle se trompait. Hanna avait lu *Hamlet* pendant les vacances de Noël, essentiellement pour comprendre les blagues salaces que les autres élèves de son cours d'anglais n'arrêtaient pas de faire au sujet de Hamlet et de sa mère. Et dans aucun des cinq actes de la pièce la pathétique Ophélie n'avait de répliques qui ressemblaient, même de loin, à : « Ce sera bientôt le moment d'agir. J'ai hâte! » Elle ne ricanait pas non plus.

Autrement dit, Kate avait menti en prétendant qu'elle répétait. Et son père avait mordu à l'appât – il avait même avalé le flotteur et la ligne avec.

Hanna en resta bouche bée. Kate soutint son regard en haussant calmement les épaules. Si elle réalisait qu'Hanna n'était pas dupe, elle ne semblait guère s'en soucier. Après tout, sa demi-sœur était déjà punie.

Avant qu'Hanna puisse ajouter quoi que ce soit, Kate sourit et fit un dernier pas vers la porte.

— Eh, au fait, Hanna? (La main sur la poignée, elle adressa un clin d'œil taquin à sa demi-sœur.) Ce n'est pas l'herpès. Je pensais que tu devais le savoir.

31

Tous suspects

Le temps qu'Emily et Isaac ressortent du boudoir, une file de cinq personnes s'était formée devant la porte. Emily baissa la tête, même si elle n'avait pas de raison de se sentir gênée – Isaac et elle n'avaient rien fait de plus que s'embrasser et se serrer l'un contre l'autre. Une femme sèche comme un coup de trique les bouscula presque pour entrer et claqua la porte derrière elle.

Comme ils regagnaient la salle à manger, Isaac passa un bras autour des épaules d'Emily et déposa un baiser sur sa joue. Une très vieille dame en tailleur Chanel leur sourit.

— Quel joli couple, roucoula-t-elle.

Emily ne pouvait qu'approuver.

Le portable d'Isaac, qui était glissé dans la poche de son smoking, se mit à sonner. Emily serra instinctivement les poings : et si c'était « A »? Puis elle se souvint. Isaac connaissait tous ses secrets. Ça n'avait plus d'importance.

Le jeune homme consulta l'écran de son téléphone.

— C'est mon pater. Je reviens tout de suite.

Emily acquiesça et lui pressa la main, puis se dirigea

vers le bar pour commander un Coca. Deux filles en robes noires identiques faisaient la queue devant elle. Emily les reconnut, c'étaient d'anciennes élèves de l'Externat.

— Ian venait souvent assister à nos entraînements, tu te souviens? lança une ravissante Asiatique qui portait de longs pendants d'oreilles. À l'époque, je pensais qu'il regardait Melissa, mais maintenant, je me demande si ce n'était pas à cause d'Ali.

Emily dressa l'oreille. Parfaitement immobile, elle feignit de ne pas écouter.

— Il était dans mon cours de biologie, chuchota l'autre fille, une brunette aux cheveux très courts et au nez retroussé. Le jour où on a disséqué un fœtus de cochon, il a planté son scalpel dans le sien comme si ça le faisait triper.

— Oui, mais tous les garçons ont fait les marioles avec ces cochons, rappela sa copine en ouvrant sa pochette argentée pour y prendre un chewing-gum. Darren a sorti leurs intestins comme si c'étaient des spaghettis!

Toutes deux frissonnèrent à ce souvenir.

Emily plissa le nez. Pourquoi les gens ne disaient-ils plus que du mal de Ian? Ça ressemblait à du révisionnisme. Pourtant, Emily n'arrivait pas à croire ce que le jeune homme avait raconté à Spencer : qu'Ali lui plaisait bien plus que l'inverse, et que jamais il ne lui aurait fait de mal. Pourquoi refusait-il d'admettre sa culpabilité? Après tout, s'il était innocent, il ne se serait pas enfui pour échapper à son propre procès, quand même?

— Emily?

L'agent Wilden se tenait derrière elle, avec une expression sévère mais inquiète. Ce soir-là, il portait un smoking noir très élégant et une cravate à la place de son uniforme habituel, mais sans doute avait-il dissimulé un flingue à l'intérieur de sa veste.

Mal à l'aise, Emily frissonna. La dernière fois qu'elle avait vu Wilden, c'était sur le parking de Hollis, et il était en train d'ordonner à quelqu'un de se tenir à l'écart. Elle ne se souvenait même pas l'avoir aperçu au tribunal la veille. Pourtant, il devait être là.

Un tic nerveux agitait le coin de l'œil gauche de Wilden.

— Tu as vu Spencer ?

— Il y a une demi-heure environ.

Emily rajusta nerveusement la bretelle de sa robe, en espérant qu'il n'était pas trop évident qu'elle avait passé les dix dernières minutes enlacée avec un garçon sur le sol du boudoir. Elle jeta un coup d'œil par-dessus son épaule, mais les deux anciennes élèves de l'Externat avaient disparu.

— Pourquoi ?

Wilden frotta son menton rasé de près.

— Je suis censé vous compter toutes les demi-heures, juste pour m'assurer que personne n'est parti. Et je ne la trouve nulle part.

— Elle est probablement dans sa chambre, à l'étage, suggéra Emily.

Après tout, aucune d'entre elles n'avait le cœur à faire la fête ce soir.

— J'ai déjà vérifié. (Wilden pianota sur son verre d'eau.) Tu es sûre qu'elle n'a pas parlé de sortir ?

Emily le fixa, et soudain, son prénom lui revint en mémoire. *Darren.* Les anciennes élèves de l'Externat venaient juste de parler d'un garçon nommé Darren qui avait brutalement arraché les intestins d'un fœtus de cochon. Ça devait être lui.

Emily oubliait souvent que Wilden n'était pas beaucoup plus âgé qu'elle : il avait obtenu son diplôme de fin d'études secondaires la même année que Melissa Hastings et Ian. À l'époque, il n'était pas un élève modèle comme Ian, mais plutôt son antithèse – le type qui recevait des colles une semaine sur deux. C'était d'autant plus étonnant qu'il soit devenu flic qu'Ian se révélait être un assassin.

— Elle sait que nous ne sommes pas censées sortir, déclara Emily, s'arrachant à ses pensées. Je vais monter voir moi-même. Je suis sûre qu'elle est quelque part là-haut.

Soulevant le bas de sa robe, elle posa un pied sur la première marche de l'escalier.

— Attends, lança Wilden.

Emily pivota vers lui. Un énorme lustre en cristal ouvragé pendait au-dessus de la tête de Wilden, donnant à ses yeux verts la couleur de l'absinthe.

— Aria et Spencer t'ont-elles confié avoir qu'elles avaient reçu de nouveaux messages ?

L'estomac d'Emily se noua.

— Oui.

— Et toi ? demanda Wilden. Tu en as reçu d'autres ?

La jeune fille acquiesça faiblement.

— Deux. Mais aucun depuis la disparition de Ian.

Quelque chose d'étrange passa sur le visage de Wilden et disparut aussitôt.

— Emily, je ne pense pas que ça venait de Ian. Les types qui montaient la garde devant chez lui ont fouillé sa maison. Il n'y avait pas de téléphone portable, et tous les ordinateurs et les fax avaient été transportés ailleurs avant sa libération. Je ne vois donc pas comment il aurait pu vous envoyer de messages. Nous nous efforçons toujours de déterminer leur provenance, mais nous n'avons encore rien trouvé.

La pièce se mit à tourner autour d'Emily. Les messages ne venaient pas de Ian ? Ça n'avait pas de sens. De toute façon, si Ian avait pu sortir de chez lui pour rendre visite à Spencer, il avait très bien pu trouver un moyen de contacter les anciennes amies de sa victime. Peut-être avait-il dissimulé un téléphone jetable quelque part – à l'intérieur d'un arbre mort ou d'une boîte aux lettres inutilisée, par exemple. À moins que quelqu'un ne l'ait dissimulé pour lui.

Emily fixa Wilden, se demandant pourquoi il n'y avait pas pensé. Puis elle réalisa : Spencer ne lui avait toujours pas parlé de la visite nocturne de Ian.

— En fait, ça pourrait quand même être Ian, commença-t-elle d'une voix tremblante.

Le portable de Wilden se mit à sonner dans la poche de sa veste, interrompant la jeune fille.

— Une seconde. (Wilden leva un doigt.) Je dois prendre cet appel.

Il se détourna d'elle, agrippant d'une main le bord de la console voisine.

Irritée, Emily serra les dents. En regardant autour d'elle, elle vit Aria et Hanna debout près d'une énorme toile abstraite qui représentait des cercles entrecroisés. Aria tripotait nerveusement son étole blanche, et Hanna passait frénétiquement les mains dans ses cheveux, comme si elle avait des poux. Emily les rejoignit le plus vite possible.

— Vous avez vu Spencer?

Aria secoua la tête, l'air distraite. Hanna ne semblait guère plus concernée.

— Non, répondit-elle sur un ton monocorde.

— Wilden n'arrive pas à la trouver, insista Emily. Il a regardé partout, mais elle a disparu. Et elle ne lui a jamais parlé de la visite de Ian, non plus.

Hanna fronça le nez et écarquilla les yeux.

— C'est bizarre, convint-elle.

— Spencer doit forcément être quelque part dans la maison. Elle ne serait pas sortie sans permission.

Aria se dressa sur la pointe des pieds pour regarder autour de la pièce.

Emily jeta un coup d'œil à Wilden. Celui-ci interrompit sa conversation pour boire une gorgée d'eau. Puis il posa son verre sur la console et aboya avec force dans son portable :

— Non !

Emily refit face à ses amies en se tordant les mains. Elles étaient moites.

— Les filles… Et si le nouveau « A » était quelqu'un d'autre ? Je veux dire… si ce n'était pas Ian ?

Hanna se raidit.

— Impossible.

— C'est forcément Ian, renchérit Aria. Sinon, ça n'aurait ni queue ni tête.

Emily fixa le dos de Wilden.

— Wilden vient de me dire que les flics avaient fouillé la maison des Thomas, mais qu'ils n'avaient trouvé ni téléphone portable ni ordinateur ni rien. Il ne pense pas que les messages viennent de Ian.

— Mais de qui d'autre, alors ? couina Aria. Qui d'autre pourrait bien vouloir nous faire chanter ? Qui d'autre saurait où nous sommes et ce que nous faisons ?

— Oui, apparemment, « A » est originaire de Rosewood, lâcha Hanna.

Emily se balança d'avant en arrière sur l'épais tapis oriental.

— Comment le sais-tu ?

Hanna porta machinalement les mains à ses clavicules, fixant sans la voir l'immense baie vitrée de la salle à manger des Hastings.

— D'accord, j'ai reçu un ou deux messages. Sur le coup, j'ai cru que ce n'était pas sérieux. L'un d'eux disait que « A » avait grandi à Rosewood, comme nous.

Emily écarquilla les yeux, le cœur battant la chamade.

— Et quoi d'autre ?

Hanna se tortilla comme si Emily venait de lui enfoncer une aiguille dans le bras.

— Juste des conneries à propos de ma demi-sœur. Rien d'important.

De la sueur lui picotait le front, Emily tripota le poisson en argent qu'elle portait autour du cou. Et si « A » n'était pas Ian… mais pas un mauvais plaisantin non plus ?

Quand Emily avait appris la véritable identité du premier « A », elle avait été complètement soufflée. Jamais elle n'aurait soupçonné Mona. Bien sûr, Ali et les autres lui avaient fait beaucoup de crasses, mais elles avaient fait beaucoup de crasses à beaucoup de gens. Des gens dont Emily ne se souvenait plus aujourd'hui. Et si quelqu'un d'autre – quelqu'un de proche – leur en voulait tout autant que Mona ? Et s'il se trouvait dans cette pièce en ce moment même ?

Emily balaya du regard la vaste salle à manger. Naomi Zeigler et Riley Wolfe sortirent de la bibliothèque en foudroyant les trois filles du regard. Melissa Hastings détourna les yeux, et les coins de sa bouche s'abaissèrent. Scott Chin braqua, en silence, son objectif sur Emily, Aria et Hanna. Phi Templeton, l'ancienne copine de Mona – celle qui était obsédée par les yo-yo – revenait du bar un verre à la main ; elle s'arrêta pour fixer froidement Emily.

Puis un souvenir revint brusquement en mémoire à Emily. Il remontait au jour de la lecture de l'acte d'accusation de Ian. Après que le jeune homme eut été envoyé en prison, les anciennes amies d'Alison étaient sorties du tribunal, tout heureuses de penser que leur cauchemar s'achevait enfin. Soudain, Emily avait aperçu une silhouette dans l'une des limousines garées le long du trottoir.

Par l'une des vitres teintées entrouverte, deux yeux d'un bleu familier la fixaient.

Emily avait tenté de se persuader qu'ils n'étaient que le fruit de son imagination galopante. Mais en y repensant, elle éprouvait encore un frisson glacial. *Et si nous n'avions pas la moindre idée de la véritable identité de « A »? Et si les choses n'étaient pas du tout ce dont elles ont l'air?*

Le Nokia d'Emily se mit à sonner. Puis le Treo d'Aria, et le BlackBerry d'Hanna.

— Oh, mon Dieu! souffla Hanna.

Emily leva la tête. Plus personne dans la salle à manger ne les regardait. Et personne n'avait de portable à la main.

Elle sortit son Nokia.

— Un nouveau message, chuchota nerveusement Emily.

Hanna et Aria se pressèrent autour d'elle. Emily ouvrit le texto.

Vous avez touts parlé, et maintenant, l'une de vous va payer. Vous voulez savoir où se trouve votre ancienne meilleure amie? Regardez par la fenêtre de derrière. Ce sera peut-être la dernière fois que vous la verrez.

—A

La pièce se mit à tourner. Une horrible odeur florale, sucrée et écœurante, saisit Emily à la gorge. La bouche sèche, celle-ci leva les yeux vers ses amies.

— La dernière fois qu'on la verra... pour toujours? balbutia Hanna.

— C'est impossible. (Emily avait l'impression que son cerveau s'était changé en coton.) Spencer ne peut pas...

Les trois filles se précipitèrent dans la cuisine pour regarder par la fenêtre de derrière, en direction de la grange des Hastings. Le jardin était vide.

— On a besoin de Wilden, lança Hanna.

Elle rebroussa précipitamment chemin dans la salle à

manger. Mais de Wilden, il ne restait qu'un verre vide posé sur le bois poli.

L'écran du Nokia d'Emily s'éclaira de nouveau. Un autre message venait d'arriver. Les trois filles se pressèrent les unes contre les autres pour le lire.

Allez-y. Maintenant. Seules. Ou je mets ma menace à exécution.

— A

32

GARDEZ VOTRE CALME, ET TOUT SE PASSERA BIEN

Hanna, Aria et Emily se faufilèrent par la porte de derrière et sortirent dans le jardin humide et gelé. Une douce lumière orangée baignait le porche, mais dès qu'Hanna sortit de sa portée, elle cessa de voir à plus d'un mètre devant elle. Au loin, elle entendit un petit bruit étouffé. Ses poils se hérissèrent sur ses bras. Emily laissa échapper un gémissement.

— Par ici, chuchota Hanna, tendant un doigt en direction de la grange.

Ses amies et elle s'élancèrent. Avec un peu de chance, elles n'arriveraient pas trop tard.

Le sol était mou et légèrement glissant; les talons hauts d'Hanna s'enfonçaient dans la boue, la ralentissant. Près d'elle, la jeune fille entendait Aria et Emily haleter.

— Je ne comprends pas comment ça a pu arriver, souffla Emily d'une voix enrouée par les larmes. Comment Spencer a-t-elle pu laisser Ian ou n'importe qui d'autre l'attirer seule dehors ? Pourquoi a-t-elle fait quelque chose d'aussi stupide ?

— Chut. On risque de nous entendre, siffla Aria.

Il leur fallut moins d'une minute pour traverser l'immense jardin et atteindre la grange. Le trou dans lequel Ian avait jeté le corps d'Ali s'ouvrait sur leur droite ; le Scotch réfléchissant qui l'entourait brillait dans le noir. Les bois s'étendaient au-delà. Entre deux arbres, une petite ouverture apparaissait, pareille à une porte sinistre. Hanna frissonna.

Roulant des épaules, Aria plongea dans les bois la première, les mains tendues devant elle pour ne pas s'écraser contre un obstacle invisible. Emily la suivit, et Hanna ferma la marche. Des feuilles mouillées frottaient contre ses chevilles nues. Des branches pointues lui griffaient les bras et la faisaient saigner. Emily trébucha sur le sol inégal et poussa un cri étranglé. Hanna leva les yeux. La végétation formait une voûte au-dessus de leur tête ; elle les empêchait de voir le ciel, les emprisonnait.

Le bruit étouffé se répéta, un peu plus proche. Aria s'arrêta et pencha la tête sur le côté.

— Par ici, chuchota-t-elle en tendant un doigt.

Son bras était tellement pâle qu'il luisait presque dans l'obscurité. Soulevant le bas de sa longue robe, elle se mit à courir.

Hanna la suivit, le corps palpitant de terreur. Les branches continuaient à attaquer sa peau nue. Un énorme buisson épineux lui égratigna le flanc. Elle ne réalisa qu'elle avait trébuché que lorsque ses genoux heurtèrent le sol avec force. Sa tête rebondit sur la terre molle. Quelque chose craqua dans son bras droit, et une douleur brûlante la transperça jusqu'à l'épaule. Bien qu'à l'agonie, elle serra les dents pour s'empêcher de hurler.

— Hanna. (Les pas d'Aria s'interrompirent.) Ça va?

— Je... je crois.

Hanna avait toujours les yeux fermés, mais la douleur commençait à s'atténuer. Elle tenta de bouger son bras. Il était un peu raide, mais elle ne pensait pas avoir de fracture.

Le bruit résonna de nouveau. Cette fois, les filles reconnurent un gémissement.

— Allez-y, dit Hanna. Trouvez-la. Je vous rejoins dans une seconde.

Aria et Emily restèrent un instant sans bouger. Le gémissement se mua en sanglot.

— Allez-y! répéta Hanna avec plus de force.

Elle roula sur le dos en remuant prudemment ses bras et ses jambes. La tête lui tournait, et le sol sentait la crotte de chien. Engourdie par la neige fondue, sa nuque se mit à la picoter. Les pas d'Aria et d'Emily s'éloignèrent jusqu'à ce qu'elle ne puisse plus les entendre. Au-dessus d'elle, les arbres se balançaient comme s'ils étaient vivants.

— Les filles? appela faiblement Hanna.

Pas de réponse. Pourtant, le cri lui avait paru tout proche. Où étaient-elles passées?

Un avion filait dans le ciel, ses lumières clignotantes à peine visibles par une trouée de la végétation. Un hibou poussa un hululement furieux, comme si toute cette agitation le dérangeait.

Soudain, Hanna réalisa combien ses amies et elle avaient été stupides. Elles s'étaient laissé attirer dans les bois aussi facilement que Spencer, par un message dont Ian était certainement l'auteur. Qui pouvait dire que l'assassin d'Ali ne se tapissait pas quelque part dans l'obscurité, prêt à leur sauter dessus pour les tuer toutes? Pourquoi n'avaient-elles pas attendu que Wilden puisse les accompagner dehors?

Autour de la petite clairière dans laquelle Hanna était

tombée, les buissons se mirent à remuer. De lourds bruits de pas résonnèrent parmi les feuilles mortes. Le cœur d'Hanna fit un bond dans sa poitrine.

— Aria ? appela-t-elle. Emily ?

Pas de réponse.

Une brindille craqua. Puis une autre. Hanna tourna la tête dans la direction du bruit. Quelque chose se cachait dans les buissons. La jeune fille retint son souffle. Se pouvait-il que ce soit Ian ?

Hanna se redressa sur les coudes. Une silhouette jaillit entre les arbres, agitant les branches sur son passage. Un cri s'étrangla dans la gorge de la jeune fille. Ce n'était ni Aria ni Emily... mais ce n'était pas Ian non plus. Hanna ne voyait pas s'il s'agissait d'un garçon ou d'une fille, mais la silhouette semblait plus mince et sans doute un peu plus petite que celle de Ian.

Elle s'immobilisa au milieu de la clairière, fixant Hanna comme si elle était surprise de la trouver là. Avec sa capuche baissée très bas sur son front et son visage plongé dans l'ombre, on aurait dit une incarnation de la Faucheuse.

Hanna voulut se traîner en arrière sur les fesses, mais son corps s'affaissa mollement dans la boue. *Je vais mourir*, songea-t-elle. *Cette fois, mon compte est bon.*

Finalement, l'apparition porta un doigt à ses lèvres.

— Chuuuut.

Hanna enfonça ses ongles dans la terre froide, à demi gelée. Elle avait si peur qu'cllc claquait des dents. Mais la silhouette fit trois pas sur le côté pour s'écarter d'elle. Puis, sans le moindre bruit, elle fit volte-face et disparut comme si Hanna avait rêvé toute la scène.

33

QUELQU'UN EN SAVAIT TROP

Le gémissement ne cessait de se rapprocher et de s'éloigner de nouveau, comme s'il se réfléchissait sur un miroir.

Aria courait à travers les bois sans regarder où elle allait ni vérifier quelle distance elle avait déjà parcourue. Quand elle se retourna, elle vit que la maison des Hastings se trouvait déjà très loin derrière elle, minuscule point de lumière jaune entre les branches enchevêtrées.

En arrivant au bord d'un petit ravin, Aria se figea. Ici, la plupart des arbres avaient une silhouette lugubre, torturée. Le tronc de l'un d'eux s'était fendu par le milieu, formant une sorte de siège. Même à l'époque où Aria, Ali et les autres étaient amies, elles venaient rarement traîner dans les bois. Une des rares fois où Aria s'y était aventurée, c'était le jour où elle avait voulu voler le morceau de drapeau d'Ali.

Lorsque Ali était sortie de chez elle pour informer les intruses que quelqu'un lui avait déjà dérobé son butin, les quatre filles s'étaient dispersées, tête basse. Aria avait coupé à travers les bois pour regagner sa maison. Alors qu'elle passait devant un bosquet d'arbres aux formes étranges

– peut-être les mêmes que ce soir –, elle avait vu quelqu'un courir dans sa direction. Elle avait ressenti une véritable excitation quand elle avait réalisé que c'était Jason.

Le jeune homme s'était arrêté avec une mine coupable. Immédiatement, il avait baissé les yeux vers quelque chose qui dépassait de la poche de son sweat à capuche. Du coup, Aria avait regardé aussi. C'était un morceau de tissu bleu vif, de la même teinte céruléenne que le drapeau de l'Externat de Rosewood accroché dans chaque salle de classe. Il était couvert de dessins et d'une écriture ronde.

Aria avait repensé à ce qu'Ali venait juste de leur dire. « Quelqu'un a déjà volé mon morceau de drapeau. Je l'avais décoré et tout. » Elle avait tendu un doigt tremblant vers la poche de Jason.

— Ce ne serait pas… ?

Désarmé, le jeune homme avait levé les yeux vers elle. Puis, sans un mot, il avait fourré le bout de tissu dans ses mains et disparu entre les arbres.

Aria avait couru jusque chez elle, le morceau de drapeau d'Ali lui brûlant la poche. Elle ne savait pas ce que Jason voulait qu'elle en fasse : qu'elle le rende à sa sœur ? Qu'elle le garde pour elle et le redécore ? Cela avait-il un rapport avec l'étrange dispute survenue quelques jours plus tôt entre Jason et Ian, devant les racks à vélos de l'Externat ?

Aria avait attendu pour voir si Jason lui fournirait des explications. Peut-être avait-il réalisé qu'ils étaient des âmes sœurs. Peut-être lui avait-il remis le morceau de drapeau parce qu'il pensait qu'elle le méritait plus qu'Ali. Mais jamais il n'avait daigné lui donner le moindre éclaircissement – même quand l'administration de l'Externat avait annoncé qu'il manquait un bout du drapeau de la Capsule temporelle, et que l'élève qui le détenait était prié de se manifester. S'agissait-il d'une sorte de test ? Aria était-elle censée deviner sa volonté ? Si elle y parvenait, Jason resterait-il avec elle pour toujours ?

Puis Aria était devenue amie avec Ali, et elle avait eu trop honte pour lui expliquer ce qui s'était passé. Aussi avait-elle caché le morceau de drapeau dans son placard, pour ne plus jamais avoir à le regarder. Si elle ouvrait la boîte à chaussures marquée « vieilles fiches de lecture », elle y trouverait encore le bout de tissu décoré et prêt à être réassemblé avec les autres.

Des pas résonnèrent derrière elle. Aria sursauta et fit volte-face. Les yeux d'Hanna brillaient dans le noir.

— Les filles, souffla-t-elle. Je viens de voir le truc le plus bizarre qui...

— Chuuut, coupa Aria.

Une ombre de l'autre côté du ravin attira son attention. Elle agrippa le bras d'Emily en se retenant de hurler. Une lampe torche s'alluma avec un cliquetis, et son faisceau balaya le sol. Aria porta la main à sa bouche et poussa un soupir de soulagement.

— Spencer ? appela-t-elle, hésitante, en faisant un pas dans la neige fondue.

Son amie portait un imperméable qui lui descendait jusqu'aux genoux et des bottes d'équitation trop grandes pour elles qui giflaient ses mollets. Elle braqua sa lampe sur Aria, Emily et Hanna. Son visage et le devant de sa robe étaient maculés de boue. Elle ressemblait à un animal pris dans les phares d'un camion qui déboule à tombeau ouvert.

— Dieu merci, tu es saine et sauve ! s'exclama Aria en faisant quelques pas vers elle.

— Qu'est-ce que tu fiches dehors ? s'écria Emily. Tu es cinglée, ou quoi ?

La mâchoire de Spencer tremblait. Elle baissa les yeux vers le sol.

— Ça n'a pas de sens, marmonna-t-elle d'une voix atone, comme si elle était hypnotisée. Il vient juste de m'envoyer un message.

— Qui ? chuchota Aria.

Spencer braqua sa lampe sur une masse sombre couchée devant elle. Aria crut d'abord que c'était un tronc d'arbre abattu par la foudre, ou peut-être un animal mort. Puis la lumière se refléta sur quelque chose de pâle. De la peau. La peau d'une main serrée. À l'un de ses doigts brillait faiblement ce qui ressemblait à une chevalière de l'Externat de Rosewood.

Aria fit un grand pas en arrière et plaqua une main sur sa bouche.

— Oh, mon Dieu !

Spencer éclaira le visage de la personne qui gisait devant elle. Même dans l'obscurité ambiante, Aria vit que la peau de Ian avait pris la teinte bleuâtre et spectrale due au manque d'oxygène. Un de ses yeux était fermé, l'autre restait ouvert. Du sang séché maculait ses lèvres et une de ses oreilles. Ses cheveux étaient collés par la boue et la neige fondue. De grosses ecchymoses violettes se détachaient sur son cou comme si quelqu'un l'avait étranglé. Tout son corps paraissait raide et gelé. Apparemment, il était là depuis un certain temps.

Aria cligna très vite des yeux. Elle ne comprenait pas. Puis elle repensa à l'absence de Ian au tribunal, la veille. Aux policiers qui s'étaient immédiatement lancés à sa poursuite. *Si ça se trouve, il était là depuis le début...*

Emily eut un haut-le-cœur. Hanna recula en gémissant. Tout était si calme dans les bois qu'Aria entendit Spencer déglutir péniblement. La jeune fille secoua la tête.

— Il était comme ça quand je suis arrivée, geignit-elle. Je vous le jure.

Aria avait peur de s'approcher de Ian. Elle continuait à fixer son poing comme si elle craignait qu'il ne se lève d'un bond et ne se jette sur elle. Autour de lui, l'air était absolument immobile. Au loin, la jeune fille crut entendre quelqu'un glousser.

Puis son téléphone sonna à l'intérieur de son sac en forme de coquillage. Surprise, Aria poussa un petit cri. Le portable de Spencer se mit à vibrer, bientôt suivi de celui d'Emily, puis de celui d'Hanna.

Les quatre filles se jetèrent un regard.

— C'est impossible, chuchota Spencer.

— Je ne...

Du bout des doigts, comme si elle avait peur de le toucher, Hanna saisit son BlackBerry dans sa pochette de soirée toute boueuse.

Aria fixa l'écran de son Treo d'un air incrédule : « 1 nouveau message ».

Elle jeta un coup d'œil à Ian, à ses membres raides et tordus, à son beau visage dénué d'expression et de vie. Frissonnant, elle reporta son attention sur l'écran de son téléphone et se força à lire le texto qu'elle venait de recevoir.

Il devait disparaître.

— A

À VENIR...

Et oui, Ian est mort. Et nos quatre filles préférées souhaiteraient probablement l'être elles aussi. Le père d'Hanna la déteste. Spencer est raide fauchée. Aria s'embourbe dans ses histoires de mecs. Et Emily a changé de bord tellement de fois que je ne sais plus de quel côté souffle le vent. Je pleurerais bien sur leur sort, mais bon, c'est la vie. Ou, euh, la mort dans le cas de Ian.

Je suppose que je pourrais tirer un trait sur le passé, pardonner et oublier, bla bla bla. Mais où serait le plaisir? Ces salopes ont tout ce que j'ai jamais voulu, et à présent, je vais m'assurer qu'elles reçoivent exactement ce qu'elles méritent. Vous me trouvez horrible? Mille excuses, mais comme le savent toutes ces jolies petites menteuses, parfois, la vérité est bien laide – et elle fait toujours mal.

Je garde un œil ouvert...

Bisous!

— A

Cet ouvrage a été imprimé en France par

à Saint-Amand-Montrond (Cher)
en septembre 2011

FLEUVE NOIR
12, avenue d'Italie
75627 Paris Cedex 13

N° d'impression : 112953/1
Dépôt légal : mai 2009
Suite du premier tirage : septembre 2011
R 08854/02